LA FABRIQUE DES SOCIABILITÉS EN EUROPE ET DANS LES COLONIES

Sous la direction de Valérie Capdeville et Kimberley Page-Jones

LA FABRIQUE DES SOCIABILITÉS EN EUROPE ET DANS LES COLONIES

Espaces et identités (XVIIIe-XIXe siècles)

Les Presses de l'Université de Montréal

Ce projet a reçu un financement du Programme de recherche et d'innovation Horizon 2020 de l'Union européenne dans le cadre de la Convention de subvention Marie Skłodowska-Curie n° 823862.

Catalogage avant publication de Bibliothèque et Archives nationales du Québec et Bibliothèque et Archives Canada

Titre : La fabrique des sociabilités en Europe et dans les colonies : espaces et identités (xviiie-xixe siècles) / Valérie Capdeville, Kimberley Page-Jones.
Noms : Capdeville, Valérie, auteure. | Page-Jones, Kimberley, auteure.
Description : Mention de collection : Francophonie | Comprend des références bibliographiques.
Identifiants : Canadiana (livre imprimé) 20220026270 | Canadiana (livre numérique) 20220026289 | ISBN 9782760644984 | ISBN 9782760644991 (PDF) | ISBN 9782760645004 (EPUB)
Vedettes-matière : RVM : Sociabilité—Europe—Histoire—18e siècle. | RVM : Sociabilité—Europe—Histoire—19e siècle. | RVM : Sociabilité—Europe—Colonies—Histoire—18e siècle. | RVM : Sociabilité—Europe—Colonies—Histoire—19e siècle. | RVM : Relations humaines et culture—Histoire—18e siècle. | RVM : Relations humaines et culture—Histoire—19e siècle.
Classification : LCC HN13.C37 2023 | CDD 306.09/033—dc23

Mise en pages : Folio infographie

Dépôt légal : 2e trimestre 2023
Bibliothèque et Archives nationales du Québec

Les Presses de l'Université de Montréal remercient de son soutien financier la Société de développement des entreprises culturelles du Québec (SODEC).

Financé par le gouvernement du Canada
Funded by the Government of Canada | Canadä

SODEC
Québec

IMPRIMÉ AU CANADA

Remerciements

Cet ouvrage est le fruit d'un travail collectif mené sur l'évolution des sociabilités au cours du long XVIIIe siècle en rapport avec les notions d'espaces et de circulations dans les sociétés européennes et coloniales. Nous tenons en premier lieu à remercier les auteurs pour la qualité de leurs contributions, pour leur patience et leur réactivité tout au long du processus éditorial.

Nos remerciements vont également à l'ensemble des membres du Groupement d'intérêt scientifique (GIS) Sociabilités et du consortium DIGITENS, et plus largement aux spécialistes issus de différentes disciplines qui se sont associés aux travaux et événements scientifiques de notre réseau élargi. Les échanges et les interactions que nous offre ce réseau sont une richesse sur le plan intellectuel et humain et ils nous ont permis de créer, au fil des années, un véritable espace de sociabilité pour enrichir et diversifier nos pratiques au-delà de nos champs disciplinaires respectifs.

Nous sommes reconnaissantes en particulier envers nos collègues, Annick Cossic (UBO Brest), Alain Kerhervé (UBO Brest) et Brian Cowan (McGill, Montréal), pièces maîtresses de ce réseau, qui nous accompagnent dans cette aventure scientifique de longue haleine.

Un grand merci à Pierre-Yves Beaurepaire, qui nous a fait l'honneur et l'amitié d'écrire la préface et qui nous a régulièrement éclairées par son expertise.

Nous remercions nos laboratoires, HCTI (UBO Brest) et PLEIADE (Université Sorbonne Paris Nord), pour leur soutien sans faille depuis de nombreuses années, et en particulier pour avoir subventionné la publication de ce volume collectif.

Nous avons reçu pour ce projet l'appui de la Commission européenne, dans le cadre d'un financement H2020 MSCA RISE accordé au projet DIGITENS, ainsi que l'aide de la Région Bretagne et de la Région Pays de la Loire (financement UBL) ; de Brest Métropole et du conseil départemental du Finistère. Le soutien apporté par ces différents organismes à l'échelle locale, régionale et européenne a été précieux.

Enfin, nos remerciements vont à notre éditeur, les Presses de l'Université de Montréal, son directeur général Patrick Poirier, qui a accueilli notre projet avec enthousiasme et soutenu sa mise en œuvre, sa directrice d'édition, Nadine Tremblay, pour son suivi appliqué et ses conseils avisés tout au long du processus éditorial, les évaluateurs sollicités par les Presses pour leur expertise à la fois rigoureuse et constructive, et Julie Bouchard pour sa très grande réactivité.

La codirection de cet ouvrage collectif a été pour nous une aventure stimulante, même si parfois fastidieuse, qui a accompagné ces deux années de pandémie. Nous en garderons une très grande satisfaction, tant par l'expérience féconde de l'écriture à quatre mains que par le partage intellectuel comme amical qui a été au cœur de cette collaboration.

Préface

Pierre-Yves Beaurepaire
Professeur d'histoire moderne à l'Université Côte d'Azur
Membre senior de l'Institut Universitaire de France

Tout n'a-t-il pas été dit, écrit à propos de la sociabilité des temps modernes et du début de l'époque contemporaine ? La masse de travaux et de publications produite par ce champ de recherches interdisciplinaire depuis un demi-siècle pourrait le laisser croire. On aurait bien tort et ceux qui se sont désintéressés de la sociabilité, à l'instar de Jonathan Israel – il ne s'en cache d'ailleurs pas –, se sont privés de l'une des clés essentielles de compréhension du monde aux XVIIIe et XIXe siècles. Lire les contributions du présent ouvrage permettra au contraire de juger sur pièces du chemin parcouru depuis les intuitions et les travaux pionniers de Georg Simmel, ce d'autant plus qu'il s'agit véritablement d'un chantier collectif dont les maîtres d'œuvre ont su à la fois donner à chacun des contributeurs la liberté de chercher et de s'exprimer à partir de leurs terrains, de la *wilderness* nord-américaine à l'Inde du *Raj* britannique, des cafés québécois aux communautés protestantes atlantiques, du salon et des réseaux curieux aux pratiques langagières, et donner une forte cohérence à l'ensemble non seulement par le remarquable travail d'édition des textes et de dialogue avec leurs auteurs, mais en leur proposant des pistes pour mettre au cœur de leur approche les enjeux spatiaux qui sont la marque de fabrique de ce livre.

Ce collectif s'inscrit dans la lignée des riches travaux produits notamment au sein du projet « La sociabilité en France et en Grande-Bretagne au Siècle des Lumières ». Les publications issues de ce projet initial porté par la Maison des Sciences Humaines de Bretagne se démarquaient déjà du flot des publications existantes par leur volonté assumée de faire véritablement dialoguer civilisationnistes, historiens, littéraires et représentants d'autres disciplines encore, alors que trop souvent ils s'écoutent poliment, mais collaborent peu. Elles se distinguaient aussi par la volonté de sortir du cadre national et de confronter modèles et pratiques de part et d'autre de la Manche et même au-delà. Les thèmes retenus pour les huit volumes publiés aux éditions Le Manuscrit, dans la collection bilingue *Transversales* – la bien-nommée – dédiée aux travaux de recherche sur la sociabilité, montrent également l'ambition scientifique et l'audace des approches : les vecteurs ludiques et politiques d'une sociabilité nouvelle (tome 1), les enjeux thérapeutiques et esthétiques de la sociabilité (tome 2), la dynamique des espaces de sociabilité (tome 3), l'utopie, l'individu et la société (tome 4), les sociabilités de la marge (tome 5), l'insociable sociabilité (tome 6), la maîtrise des espaces de sociabilité comme enjeu sociétal majeur (tome 7), les réseaux de sociabilité et transferts culturels (tome 8). À noter également un bel ouvrage collectif publié chez Boydell en 2019 : *British Sociability in the Long Eighteenth Century. Challenging the Anglo-French Connection* dirigé par Valérie Capdeville et Alain Kerhervé, parmi d'autres publications.

La reconnaissance nationale et internationale a été au rendez-vous. En France, elle s'est notamment manifestée par la création en 2017 d'un Groupement d'intérêt scientifique (GIS) « Sociabilités/*Sociability* du long dix-huitième siècle (1650-1850) », que dirige aujourd'hui Valérie Capdeville. On sait que les créations de GIS sont des procédures longues et complexes qui viennent à la fois témoigner d'une excellence scientifique et de la fertilité d'un champ de recherches, désormais bien identifié sur le plan académique. Mais les GIS ont également une vocation fédérative. Cette dynamique à la fois puissante et intégratrice a permis de réunir des universitaires français, anglais, allemands, polonais, italiens et canadiens autour de collaborations scientifiques, événements et publications, traits d'une recherche en marche. La reconnaissance scientifique a, quant à elle, été remarquable. En 2018, elle a pris la forme d'un financement Horizon 2020 Marie Skłodowska-Curie – RISE par la Commission européenne, dont on connaît le caractère très sélectif, attribué au projet DIGITENS mené par Annick Cossic, Valérie Capdeville, Alain Kerhervé et Kimberley Page-Jones pour la réalisation d'une *Encyclopédie numérique de la sociabilité britannique au cours du long dix-huitième siècle*. Sont associés à ce projet des conservateurs, archivistes et spécialistes des humanités numériques de la Bibliothèque nationale de France, des Archives Nationales de Kew à Londres et du musée Cognacq-Jay à Paris. La dimension collaborative et interdisciplinaire est donc bien la marque de DIGITENS, comme elle est aussi la philosophie du GIS Sociabilités.

Les directrices de publication de cet ouvrage ont su tirer profit de cette dynamique lancée et nourrie avec passion depuis plus d'une décennie pour élargir le chantier à l'échelle des mondes moderne et contemporain et l'ouvrir à de nouveaux objets. Désormais, des perspectives sont clairement tracées et les positions historiographiques bien affirmées. Leur remarquable introduction stimulera le lecteur, car elle propose une riche réflexion en contexte sur la géographie de la sociabilité qui montre que celle-ci est moins une forme, un cadre qu'un espace souple, en reconfiguration permanente, où les objets occupent une place majeure, classent, distinguent, relient et opposent. Pour en saisir les dynamiques, il faut renoncer à un tableau général et au carcan du modèle théorique de la sociabilité, pour faire entrer sur la palette du chercheur une infinité de nuances, la subtilité des interactions, des emprunts et des réemplois, l'inventivité des hommes et des femmes qui créent, récupèrent, façonnent et proposent à des spectateurs qui sont aussi des acteurs, des performances, le partage – ou au contraire le refus de partager – des pratiques. Les concepts de pratiques, d'identités et de réseaux, thèmes mobilisateurs pour les sciences humaines et sociales, sont au cœur de la réflexion menée dans les différentes contributions de ce volume et sont ici étudiés par en bas et *in vivo*. La récolte est riche et la multiplicité des approches retenues permet ensuite d'en regrouper et d'en comparer les fruits, de dessiner des perspectives et de saisir à travers l'étude des espaces, les mots qui expriment la sociabilité et permettent à ses praticiens de la penser, et ce n'est pas la moindre des originalités de cet ouvrage. Qu'il soit spécialiste ou simplement curieux de découvrir et de connaître, le lecteur va arpenter un domaine riche et insolite, pluriel et en expansion, hospitalier et audacieux. Pour tout cela, merci aux directrices de publication et merci à tous les contributeurs, qui nous livrent les résultats d'une recherche ambitieuse et d'une science épanouie. Merci enfin aux Presses de l'Université de Montréal d'accueillir ce livre dans leur catalogue et de lui permettre ainsi une diffusion internationale.

Introduction

Ce volume est le fruit d'une réflexion et d'une dynamique nourries depuis plus de dix ans dans leurs travaux par les membres du GRISOL (Groupe de recherche interdisciplinaire sur la sociabilité des Lumières) et du GIS Sociabilités (Groupement d'intérêt scientifique), dans un premier temps sur les modèles de sociabilité en France et en Grande-Bretagne au cours du long XVIIIe siècle, puis, depuis 2017 et grâce à un financement européen H2020, à échelle européenne et globale.

Cet ouvrage collaboratif interroge la fonction des pratiques de sociabilité dans la reconfiguration des espaces sociaux ainsi que dans l'élaboration et l'affirmation des identités collectives en Europe et dans les colonies aux XVIIIe et XIXe siècles. La notion d'espace est envisagée sous l'angle des sociabilités qui se déclinent et se transforment au gré des circulations des individus, des pratiques et des objets, ainsi que des rencontres, échanges ou tensions entre individus et communautés. Au-delà de l'étude des espaces physiques et géographiques, l'« espace pratiqué » par la sociabilité offre une lecture originale des rapports qui se nouent entre espaces et sociétés, et des phénomènes sociaux qui en découlent.

Les pratiques de sociabilité désignent à nos yeux l'ensemble des actions ou activités entreprises, vécues ou mises en scène par des individus ou groupes d'individus dans un contexte d'interaction sociale, dans le but de créer du lien, de se divertir ou de promouvoir une certaine forme de reconnaissance ou d'identification sociale. Ainsi, l'individu construit son identité sociale grâce à des interrelations, notamment au sein des groupes dans lesquels il évolue ou auxquels il adhère (Tajfel, 1974).

L'identité collective évoque de fait le sentiment d'appartenance à un groupe ou à une communauté, et s'exprime par des valeurs partagées, des pratiques et comportements définis ou attendus par ce groupe, quelle que soit sa nature.

La question qui sous-tend l'ensemble de notre réflexion, et à laquelle chaque contribution de ce volume se propose de répondre, est la suivante : comment ces espaces pratiqués participent-ils à la construction des identités sociales, et comment ces identités peuvent-elles elles-mêmes modeler des pratiques et redéfinir des espaces de sociabilité ? Ce volume a donc vocation à rendre compte de la fonction déterminante de la sociabilité dans la fabrique des espaces au cours du long XVIIIe siècle (1650-1850).

La périodisation choisie se veut résolument large et embrasse plus de deux siècles. Notre étude démarre au moment où émergent en Europe des pratiques de sociabilité certes fortement inspirées des normes et discours français, mais s'épanouissant de plus en plus dans leurs environnements nationaux respectifs. En Angleterre par exemple, la naissance des partis politiques, amorcée par la crise de l'*Exclusion Bill* (1678-1681) et cristallisée après la Glorieuse Révolution de 1688, la fin de la censure en 1695 et l'émergence d'espaces publics et semi-publics dans la deuxième moitié du XVIIe siècle favorisent le développement de nouvelles pratiques de sociabilité, dont les *coffeehouses* offrent le meilleur exemple[1]. À partir de 1710, l'essor d'une presse de société, à l'instar du *Tatler* et du *Spectator*, permet la définition de valeurs et de modes d'interaction au sein de ces espaces. C'est avec David Hume et Adam Smith que la notion de sociabilité et les valeurs qui en découlent se voient associées aux réalités de la vie sociale et économique britannique.

En France, les sociabilités d'Ancien Régime s'articulent entre la cour et la ville. Qu'il s'agisse des cercles curiaux, des salons parisiens ou des sociétés savantes, ces espaces favorisent les interactions entre élites gouvernantes, mondaines et intellectuelles, et participent à la constitution de réseaux et de cercles d'influence. L'apparition de nouveaux espaces dédiés

---

1. Ce phénomène qui touche l'Europe entière tend à remettre en question la séparation entre sphère publique et sphère privée et la dialectique habermassienne. Selon Michèle Cohen, ces espaces d'entre-deux, façonnés par la nature des activités qui s'y déroulent, englobent l'ensemble des espaces dédiés à la vie de société, à la fois à l'intérieur et en dehors de l'espace domestique, et résistent ainsi à toute forme de catégorisation (Cohen et Hitchcock, 1999).

à la sociabilité au xvIII^e siècle, d'une part, et l'intensification des échanges épistolaires et des voyages, d'autre part, favorisent les communications en Europe et permettent de tracer les contours d'une communauté trans- nationale à vocation cosmopolite. À ce titre, l'expansion progressive de la République des Lettres à l'époque moderne, utopie humaniste née à la Renaissance, se nourrit de ces nouveaux espaces et pratiques de sociabilité et joue un rôle central dans le transfert des modes, pratiques et valeurs dans les sociétés européennes et coloniales.

Parallèlement, le formidable essor du commerce et de la navigation en Europe et dans leurs empires coloniaux au cours du long xvIII^e siècle modifie les modalités de communication et de circulation à l'échelle internationale, et par conséquent les pratiques et modèles de sociabilité. Enfin, l'évolution des modes de production et d'association amorcée par la révolution industrielle et la transformation des hiérarchies sociales et des rapports au pouvoir marquée en France par la rupture révolutionnaire reconfigurent non seulement les groupes sociaux, mais aussi les espaces de sociabilité et les modes d'interaction collective jusqu'à la fin du xIX^e siècle. Nous avons donc fait le choix d'ancrer notre démarche dans l'historiographie renouvelée de la « longue durée » (Armitage, 2015), qui nous permet de rendre compte des évolutions et des transformations des sociabilités et des espaces dans les sociétés européennes et coloniales. De même, sur ce temps long, il nous paraît plus aisé, en mettant l'accent sur la mobilité et les circulations, de nourrir une approche transnationale dynamique. En retissant ensemble des terrains et des éléments de connais- sance et d'interprétation jusque-là séparés, il devient possible d'envisager des « logiques transversales », au-delà de l'appartenance à de grands groupes sociaux ou à des hiérarchies officielles.

En décloisonnant les groupes sociaux, notre approche privilégie des études de cas qui favorisent au contraire le dialogue entre des pratiques et des espaces divers, et éclairent les modes de circulation et les mises en réseaux à échelle locale, nationale et globale. La variété des terrains étudiés dans ce volume – de l'Angleterre aux colonies nord-américaines, de la Bretagne aux Antilles – enrichit l'étude des vecteurs de sociabilité (indi- vidus, objets et pratiques) grâce à leur mise en regard. Dans chaque environnement étudié, la sociabilité est envisagée non pas comme une notion ou une forme figée, mais comme une pratique sociale et culturelle en constante reconfiguration, façonnée par une variété d'interactions, que cet ouvrage se propose d'analyser comme échange, contact, langage ou performance sociale. Cette géographie de la sociabilité met ainsi en évidence l'importance fondamentale des mouvements, circulations et transferts dans l'élaboration des formes et pratiques.

L'espace perçu sous l'angle de la sociabilité est déterminé par un ensemble complexe de pratiques qui émanent à la fois des aspirations sociales des individus, de l'évolution du goût et des modes, et de variations du contexte local. L'architecte et ingénieur anglais John Gwynn – auteur de l'ouvrage *London and Westminster Improved* (1766) – en livre une remarquable analyse :

> Imaginez une colonie d'émigrés qui s'installe dans quelque contrée ; ses besoins naturels seront limités. Dans un premier temps, ils construiront des huttes, laboureront le sol ; [...] jusqu'à ce que leur nombre augmente et, conjointement, les progrès techniques. Ils produiront alors plus qu'ils ne peuvent consommer et pourront fournir des denrées à leurs voisins pour satisfaire leurs besoins. Ainsi commencent le commerce et la navigation. Le fabricant est stimulé par les demandes d'exportation qui créent la richesse et accroissent les besoins artificiels ; les habitants aisés sont alors en quête de confort, de plaisir et de moyens de distinction ; ce qui produit les arts policés, et la construction de la hutte se transforme en architecture ; la peinture et la sculpture participent à la décoration, et donnent une valeur aux tentures et au marbre en fonction du goût et du discernement, permettant d'établir des distinctions nécessaires entre le palais et la maisonnée (Gwynn, 1766 : XIII)[2].

La classe émergente, que Gwynn présente comme industrieuse et aisée, recherche alors dans l'artifice (*artificial wants*) à la fois un moyen d'accroître confort et plaisir et une manière de se distinguer socialement. La transformation de la hutte en espace architectural symbolise ce processus.

---

2. Sauf mention contraire, toutes les citations originales en anglais ont été traduites en français par les auteurs des chapitres.

"Suppose a colony of emigrants first settling in any climate, the calls of nature are few. Building huts, and tillage, are the first objects of their attention; [...] until encreasing in numbers, their improvements advancing equally, their lands produce more than they consume, and they are able to supply the wants of their neighbours. This introduces commerce and navigation. The demands for exportation stimulate the manufacturer, wealth arises, and artificial wants encrease; the rich inhabitants look out for the means of ease, pleasure and distinction; these produce the polite arts, and the original formation of huts is now converted into architecture; painting and sculpture contribute to the decoration, and stamp that value on canvas and marble which is acknowledged by taste and discernment, and mark those necessary distinctions between the palace and the cottage."

La conception de l'espace s'en trouve par conséquent modifiée, car les modes et pratiques de vie projetés dans cet espace accordent une place plus large à la mise en scène et à l'ostentation. Les « arts polis » (*polite arts*) sont peu à peu intégrés aux espaces intérieurs comme extérieurs, modifiant leurs statuts et fonctions, puisqu'ils deviennent des indicateurs matériels de richesse et de pouvoir étroitement liés aux « goût et discernement » d'une époque.

Les transformations sociales et culturelles au cours du long XVIIIe siècle influencent non seulement l'aménagement de l'espace urbain, mais également l'agencement des espaces d'habitation, pour permettre la mise en scène de la sociabilité. Jusqu'alors, les pièces d'habitation étaient des espaces polyvalents, dont seul le mobilier déterminait l'usage. L'apparition de nouveaux espaces dédiés à la réception, comme le salon par exemple, est liée à un désir de distinction sociale qui fait de l'espace un marqueur de rang et de prestige. Pierre Bourdieu montre que la position de chaque individu détermine un ensemble cohérent de pratiques, de valeurs et de goûts, en fonction desquels il construit un monde social qui lui paraît évident (Bourdieu, 1979). Cette représentation sociale obéit à des normes d'autant plus puissantes qu'elles sont intériorisées. Un individu développe donc des stratégies de distinction par lesquelles il entend affirmer sa position et son identité sociale. De même, cette quête d'identité et de reconnaissance sociales détermine les modes et les stratégies d'association que les individus mettent en œuvre et font sans cesse évoluer.

Depuis les années 1970, l'apport de la notion de réseau pour repenser les espaces sociaux a permis de défossiliser les images et les représentations de la réalité sociale. Les travaux de Norbert Elias, par exemple, ont contribué à mettre en évidence les processus d'agrégation des individus. Ces processus, de nature plus ou moins complexe, impliquent à la fois des individus agissant au sein d'un groupe, et des objets et pratiques dans des espaces déterminés socialement, espaces qui informent en retour les identités individuelles et collectives. Étudier les réseaux sociaux, leur distribution, leur diversité, leurs degrés d'interconnexion nous permet « d'appréhender une sorte de cartographie sociale dynamique des modes de circulation et d'ancrage dans les univers sociaux » (Bidart, 2008 : 36). De même, et pour aller plus loin dans l'étude des espaces et réseaux de sociabilité, il nous semble particulièrement pertinent d'appréhender l'espace en fonction des flux[3]. Les travaux menés par Felicity Nussbaum ou Miles Ogborn, dans le champ de l'histoire globale, ont enrichi la réflexion sur la fonction des espaces au XVIIIe siècle en décelant le rôle central des circulations et flux des individus et des objets et de leur mise en réseau. Pour Ogborn, « le monde moderne est hybride et cosmopolite, façonné par une multiplicité de flux et de réseaux d'individus, d'objets et d'idées » qui s'assemblent et se transforment au gré de leurs rencontres et interactions (1998 : 20)[4].

La sociabilité offre en ce sens une formidable grille de lecture pour tenter de s'affranchir des représentations dichotomiques (public/privé, centre/périphérie, inclusion/exclusion, etc.) et des tensions hiérarchiques qui ont souvent caractérisé l'histoire sociale du long XVIIIe siècle. En élargissant la focale et en intégrant certains groupes ou communautés dont les pratiques et rituels de sociabilité sont parfois étudiés de manière isolée, nous avons fait le choix de les inscrire dans une dynamique globale pour déterminer quels étaient les points de convergence dans les mécanismes de socialisation et les processus identitaires.

La première partie, intitulée « Communautés et rituels » et composée des chapitres d'Isabelle Guégan, Pierre Labrune et Fabienne Moine, vise à montrer comment la ritualisation des pratiques de sociabilité dans divers espaces et communautés permet l'émergence de nouvelles identités sociales ou religieuses et de nouveaux usages des espaces. Elle propose une réflexion sur la fonction inclusive et identitaire des pratiques de sociabilité au sein de trois communautés : les paysans de la Basse-Bretagne, les méthodistes en Angleterre et les ouvrières dans les manufactures anglaises. Les pratiques qui naissent et se développent au sein de l'espace de travail, pour les paysans et les ouvrières, et en marge de l'église pour les méthodistes, sont étroitement liées au statut social ou religieux de ces communautés et ont, par conséquent, une fonction éminemment politique. Dans les trois cas, les pratiques, qui mêlent labeur et réjouissances, permettent de modifier le rapport que les individus entretiennent avec

---

3. Angle d'approche choisi dans la conclusion de l'ouvrage collectif *Les espaces de sociabilité* (Capdeville et Francalanza, 2014).

4. "The modern world is a hybrid and cosmopolitan one forged from a multiplicity of flows and networks of people, material objects and ideas, & their power-laden and inventive conjunctions and transformations in the places they circulate through & between."

l'espace et ses acteurs. Déterminées, jouées et mises en scène par le groupe populaire ou dissident, ces pratiques, dont la codification et la mise en œuvre échappent aux groupes dominants, permettent l'expression d'une forme de liberté et d'une volonté d'affranchissement des règles imposées par le haut. La prédication itinérante, les repas partagés, les fêtes paysannes à l'issue des moissons, la lecture de textes poétiques et autres pratiques de sociabilité favorisent en effet une expérience sensible et différenciée de l'espace. Cette nouvelle forme d'appropriation de l'espace s'effectue bien souvent en opposition aux groupes dominants par un jeu dialectique d'emprunt et de rejet de modèles existants. Dès lors, les pratiques de sociabilité au sein d'une communauté religieuse, populaire ou laborieuse sont susceptibles d'agir non seulement sur l'identité groupale, mais également sur les rapports intergroupes. Qui plus est, l'identité de celui qui est engagé dans une forme d'interaction sociale ou culturelle (le langage, le geste, l'écriture) et qui pratique l'espace s'en trouve ainsi affirmée.

Ces pratiques différenciées interrogent les formes et les valeurs de la sociabilité des élites, qui se définit au cours du long XVIIIe siècle en étroite corrélation avec la tradition rationaliste des Lumières. Les débats philosophiques autour de ce thème dessinent en effet les contours de deux formes de sociabilité : une sociabilité rationnelle, vertueuse, qui rapproche l'individu de ses semblables, et une sociabilité naturelle, plus instinctive et donc moins disciplinée. Selon le philosophe allemand Christian Garve :

> La sociabilité, dans l'homme, a une double source : l'instinct, et la raison. L'homme est déjà sociable en tant qu'animal, ce qui veut dire qu'il aime s'unir à son semblable, il aime courir là où il voit une masse d'hommes ensemble, il combat avec les autres, lorsque quelqu'un attaque la masse. Il est bien plus sociable encore en tant qu'homme rationnel, parce qu'il voit qu'il ne peut être sûr de sa vie, se nourrir sans trop de peine et, plus encore, s'éduquer lui-même que grâce à l'aide des autres (Waszek, 2002 : 84).

La rationalisation de la sociabilité des Lumières est très étroitement liée aux valeurs de vertu, de modestie, de persévérance, de courage, de pudeur, entre autres, prédominantes dans l'éducation et la construction de l'identité nationale. Comme l'a souligné Foucault, si les Lumières «ont découvert les libertés», elles «ont aussi inventé les disciplines» (1975 : 258). En ce sens, les trois cas d'étude proposés peuvent se lire comme la création et la mise en œuvre de «contre-conduites inscrites à l'intérieur même des pratiques sociales et politiques » (Lilti, 2019 : 368) et comme une volonté de réintroduire de l'hétérogénéité, de l'imprévu, des émotions dans les espaces de labeur ou de prêche. L'esthétique et la rhétorique jouent un rôle clé dans leur formation, permettant l'intégration d'une certaine indiscipline créative, que ce soit par la danse, la poésie ou la prédication en plein air. Il n'y a donc pas forcément de rupture entre formes de sociabilité rationnelles et naturelles, mais plutôt une inflexion des pratiques par le geste créateur. Le potentiel émancipateur de ces nouvelles pratiques est certes limité, mais elles permettent surtout une reconfiguration du rapport entre les individus et l'espace dans lequel ils évoluent, et entre les individus eux-mêmes. L'identité du lieu se construit tout autant par le discours que par la pratique (l'organisation et la hiérarchie des corps dans l'espace, la gestuelle, la proxémique, etc.) et garantit un idéal de sociabilité modéré et ordonné. Une sociabilité plus créative et spontanée rompt cette logique et permet une occupation autre de l'espace social et un mode d'agrégation social plus émancipateur, ou, dans certains cas, donnant l'illusion d'une plus grande liberté.

Le chapitre d'Isabelle Guégan sur les sociabilités des paysans de Basse-Bretagne suggère que la sociabilité n'est pas fondamentalement contestataire, car elle mêle labeur et réjouissances festives et agrège les individus, les critères de rang social ou de rentabilité laissant place à des valeurs sociales comme la solidarité, l'entraide et le talent individuel au service du groupe. La pratique en plein air chez les méthodistes, étudiée dans le chapitre de Pierre Labrune, ne fait pas usage d'un langage religieux radicalement nouveau, mais elle induit des changements remarquables, et susceptibles d'inquiéter les anglicans orthodoxes, dans la manière dont les individus s'assemblent. Dans son chapitre consacré aux pratiques poétiques au sein de la manufacture, Fabienne Moine propose une analyse de la sociabilité comme ciment social et expression d'une fierté d'appartenance à une communauté organisée autour du travail, sans remise en question du système capitaliste ni de l'ordre social.

La deuxième partie, intitulée « Cercles et réputations », considère les espaces de sociabilité comme enjeux de distinction. Composée des chapitres d'Aurélie Chatenet-Calyste, de Sihem Kchaou et de Giacomo Lorandi, elle vise à montrer comment la stratégie de construction de la réputation chez les élites passe par les interactions sociales au sein des espaces privés et par les réseaux d'influence. L'étude des pratiques sociales aristocratiques nous amène à réfléchir sur la place de la culture matérielle et le culte des apparences, qui confèrent aux cercles et aux réseaux de sociabilité un rôle déterminant dans la constitution de l'identité sociale et de la réputation. Les trois chapitres de cette partie tendent à montrer que la distinction, la reconnaissance sociale et l'intégration au sein du groupe dépendent de la propriété, des pratiques ostentatoires et de la réputation d'un individu. L'entourage royal, le cercle familial et le salon parisien sont autant d'espaces propices à la construction de réseaux de prestige et de pouvoir.

Les auteurs étudient la variété des espaces de réception et de représentation par l'intermédiaire des pratiques de sociabilité familiale, curiale et mondaine dans la France des Lumières. L'aménagement des lieux d'habitation ou de réception, les rituels, les décors intérieurs et les objets de sociabilité participent à une mise en scène de la vie en société. En l'occurrence, l'objet est un vecteur essentiel de distinction tout en étant symbole de pouvoir. Véritable marqueur social, économique et culturel, il s'inscrit dans un espace, et la place qu'il occupe, les significations multiples qu'il revêt et l'usage qui en est fait contribuent à la construction de l'identité spatiale. Les objets s'immiscent en effet dans toutes les formes d'interaction sociale et deviennent dès lors objets de sociabilité en endossant une fonction déterminante dans les processus d'agrégation des individus et d'appropriation de l'espace (Blandin, 2015). Dès le début du XVIIIe siècle, Bernard Mandeville souligne cette tendance des plus hautes classes de la société à vouloir afficher ostensiblement leur richesse et leur position sociale par l'acquisition d'objets de luxe : « Cette profusion paraît dans leurs bâtiments superbes, dans leurs équipages magnifiques, dans leurs régaux splendides, & dans leurs riches ameublemens [...] », et l'auteur de la *Fable des abeilles* de poursuivre : « Les officiers de distinction, uniquement occupés du soin de vivre splendidement, & non pas comme des brutes, tournent tous leurs souhaits du côté du luxe. Galans dans tout ce qui les accompagne, ils s'efforcent de se surpasser les uns les autres par la magnificence & le goût de leurs équipages, ainsi que par un abord prévenant » (Mandeville, [1714] 1750 : 155-156). Se montrer, voir et être vu participent de cette stratégie de distinction par l'ostentation. Selon Thorstein Veblen, la dépense ostentatoire est une stratégie adoptée par l'individu en vue d'afficher son rang, son appartenance sociale s'appuyant avant tout sur ses possessions matérielles, son capital économique. La richesse du mobilier, de la vaisselle, du linge, des objets décoratifs, etc. témoigne de la position sociale d'une famille, mais c'est surtout leur mise en scène en société qui garantit sa reconnaissance sociale et permet d'asseoir sa réputation. À la cour comme au salon, l'hospitalité revêt une fonction essentielle, puisqu'elle permet, par l'accueil et la réception, la mise en scène des interactions sociales dans des espaces dédiés, par l'intermédiaire d'objets et de pratiques de sociabilité.

Dans son chapitre, Sihem Kchaou a choisi de s'intéresser à ces pratiques dans l'univers domestique aristocratique sous l'angle de la culture matérielle. Grâce à une sélection d'inventaires après décès et de plans de plusieurs demeures aristocratiques, elle entend montrer comment la possession d'objets, l'aménagement intérieur et l'organisation de l'espace répondent à des stratégies de distinction et d'ostentation, mises en œuvre à travers diverses pratiques de sociabilité. Si les objets restituent en quelque sorte des fragments de la vie quotidienne, ils sont utilisés à dessein dans un souci de paraître ; leur disposition et l'organisation des corps autour d'eux sont dictées par les exigences de l'apparence.

De même, les pratiques sociables dans l'espace domestique – qu'il s'agisse du repas, du jeu, de la lecture, ou encore du théâtre de société, de la conversation et de la promenade –, mais aussi les gestes et les comportements associés à ces pratiques, obéissent à des codes et rituels précis dont le but est d'affirmer son statut et de garantir une cohésion sociale. Le repas dans l'univers domestique aristocratique devient lui-même espace de sociabilité, à mi-chemin entre rituel familial et social, dédié à la convivialité et à la réception. Il s'agit d'un cérémonial codifié, pour lequel sont établies des règles précises et auquel sont associées des manières de table et autres règles de bienséance. Cette pratique de sociabilité repose sur la représentation et l'échange : elle joue le rôle de ciment social, et vise en même temps à revendiquer des valeurs culturelles et à les transmettre.

Aurélie Chatenet-Calyste montre, quant à elle, l'influence des réseaux et l'importance des entourages royaux et princiers dans les dynamiques d'insertion sociale et dans les modes opératoires des sociabilités féminines aristocratiques. Ces dames du palais jouent le rôle d'interface et d'intermédiaire culturel entre sociabilité urbaine et provinciale, alors qu'elles polarisent les sociabilités au gré de leurs déplacements à la cour, à la ville et au château. Ces phénomènes d'ubiquité et de superposition des sociabilités et des groupes d'appartenance, traversés par des forces et des jeux de pouvoir, agissent sur la configuration des espaces et favorisent la redéfinition constante des identités sociales. Dans *Soziologie*, Georg Simmel a consacré l'un de ses essais « au croisement des cercles sociaux » : il y défend la conception selon laquelle toute structure sociale peut être représentée par des cercles en intersection. Dès lors que des pratiques de sociabilité les animent, ces cercles et réseaux d'influence se tissent à plusieurs échelles et structurent les espaces de sociabilité aristocratiques en France et dans l'Europe des Lumières.

Le rôle central des femmes au cœur des réseaux de sociabilité prend également tout son sens au sein des salons mondains, espaces de sociabilité indispensables à la construction de la réputation. Le salon parisien est un espace d'influence qui repose sur un système de pratiques, régies par les valeurs d'hospitalité et politesse. Giacomo Lorandi consacre son chapitre à l'analyse des étapes et du processus par lequel se construit et se défait la célébrité du médecin suisse Théodore Tronchin. Dans ce contexte, la reconnaissance sociale et le succès professionnel sont indissociables et passent par la fréquentation des espaces de sociabilité mondaine ainsi que par les représentations médiatiques (journaux, gravures, portraits), véritables vecteurs de célébrité. À nouveau, c'est le culte des apparences et la performance en société qui gouvernent les pratiques et les interactions, qui influencent les goûts et les modes, et qui fabriquent la réputation des individus, néanmoins souvent fragile et éphémère.

La troisième partie de ce volume, intitulée « Modèles et transferts », se propose de mettre en évidence les mécanismes à l'œuvre dans le transfert des modèles de sociabilité (appropriation, adaptation, hybridation) et leur incidence sur les espaces et sur ceux qui les pratiquent. Les contributions de Michael North, Mathieu Perron et Léa Renucci sont dédiées aux espaces de sociabilité dont la géographie, l'identité et le succès dépendent des échanges commerciaux ou savants, et des réseaux de sociabilité qui en découlent.

L'essor du commerce et des élites marchandes au cours du long XVIIIᵉ siècle entraîne la globalisation des échanges, favorise la multiplication des réseaux de communication et les transferts culturels au sein des empires coloniaux. Dans ses travaux, l'historien Pierre-Yves Beaurepaire a insisté sur l'importance du formidable développement de la communication au siècle des Lumières dans la formation et l'évolution des cercles et des réseaux (2002 et 2014). Hervé Leuwers a, pour sa part, montré tout le potentiel d'une approche non plus uniquement centrée sur les institutions, lieux et acteurs de la sociabilité, mais qui prend également en compte la circulation des personnes, savoirs et objets (2005).

La dimension cosmopolite des espaces urbains et portuaires étudiés dans cette partie, que ce soit en Europe ou dans les colonies, témoigne de la circulation des modèles de sociabilité et d'une certaine fluidité des identités sociales et culturelles tout au long du XVIIIe siècle. Les élites cosmopolites étudiées, marchandes et/ou coloniales, adoptent diverses stratégies afin de s'insérer dans le tissu local, de promouvoir leur intégration sociale et d'affirmer leur identité. En quête de respectabilité et d'appartenance à une communauté, elles reproduisent les formes et pratiques de sociabilité de leur société d'origine, en s'efforçant de véhiculer, par les objets, les modes et les connaissances, des valeurs qui témoignent de leur rang ou de leur érudition. Elles contribuent ainsi, en même temps, au « raffinement » de la société dans laquelle elles s'implantent. Le philosophe écossais David Hume souligne en ces termes les effets de ce processus sur la société d'accueil : « l'imitation répand bientôt tous ces arts, pendant que les manufactures nationales cherchent à égaler l'étranger dans ses améliorations et à pousser chaque produit indigène à la plus haute perfection dont il est susceptible[5] » (Say, 1852 : 17).

Michael North s'attache à montrer comment s'opèrent la circulation et la réception des biens et des innovations au sein de l'empire colonial néerlandais. Dans le prolongement de la partie précédente, son analyse confirme d'une part le rôle central joué par les femmes dans le processus de circulation des objets et des modes dans les sociétés métropolitaines et coloniales et, d'autre part, la fonction déterminante de la culture matérielle – en particulier dans l'espace domestique – et des stratégies d'ostentation dans l'affirmation des identités culturelle et sociale. Pour David Hume, le commerce et le luxe qu'il engendre stimulent le désir de vivre grand train : « Il tire les hommes de leur indolence, et en apportant à la partie la plus opulente et la plus joyeuse des objets de luxe auxquels elle

---

5. "Imitation soon diffuses all those arts; while domestic manufactures emulate the foreign in their improvements, and work up every home commodity to the utmost perfection of which it is susceptible." (Hume 1987 : 264).

n'avait encore jamais songé, il fait naître en elle le désir d'un genre de vie plus brillant que celui de leurs ancêtres[6]. » (Say, 1852 : 17).

L'intégration sociale est pour les négociants ou émigrés venus d'Europe un enjeu essentiel, préoccupation que l'on retrouve chez les élites marchandes québécoises étudiées par Mathieu Perron. Dans ce deuxième chapitre, l'auteur nous emmène dans les tavernes et cafés québécois, et analyse le processus de quête d'identité communautaire et de respectabilité publique des élites coloniales urbaines. Par ailleurs, il rend compte de l'évolution des pratiques de consommation et de civilité qui transforment ces espaces de sociabilité dédiés à l'hospitalité en empruntant à la fois aux modèles français et anglais. Si la société québécoise est résolument biculturelle, la société hollandaise évoquée plus haut est particulièrement ouverte et perméable aux influences multiculturelles et aux apports du commerce avec les colonies. Dans tout transfert culturel, la quête d'identité passe par une phase d'imitation des modes et pratiques du pays d'origine. Comme l'a montré Linda Colley, les colons britanniques en Amérique du Nord importent les modes vestimentaires, la langue, les produits de consommation, les pratiques sociales de Grande-Bretagne et cherchent en premier lieu à s'affirmer en tant que Britanniques, avant que les influences locales ne viennent transformer peu à peu leurs pratiques, leurs goûts et ne construisent des identités sociales et culturelles nouvelles (Colley, 2005).

Dans le chapitre suivant, Léa Renucci propose une analyse de la fondation de la colonie Antilliana à Saint-Domingue par Amable de Frenaye et insiste sur l'importance des correspondances dans la circulation des savoirs et des objets scientifiques, ainsi que sur le rôle qu'elles jouent dans le processus fondateur. S'inspirant de plusieurs modèles d'association (français, italien), la colonie est un trait d'union entre des pratiques de sociabilité européennes et antillaises, faisant usage de rituels localisés. Les identités se forgent et se reconfigurent dans des espaces de sociabilité qui intègrent des éléments culturels locaux, mêlent activités professionnelles et festives, et participent par là même à ce processus d'hybridation des modèles.

---

6. "It rouses men from their indolence; and presenting the gayer and more opulent part of the nation with objects of luxury, which they never before dreamed of, raises in them a desire of a more splendid way of life than what their ancestors enjoyed." (Hume 1987 : 264)

La quatrième partie, « Échanges et pratiques langagières », est composée des chapitres de Laurence Machet, Simon Deschamps et Miles Ogborn. Elle propose une réflexion sur la fonction des pratiques langagières (correspondances et conversations) ou rituelles dans le processus d'hybridation des formes de sociabilité, éclairant les rapports qui se tissent entre modèle central dominant et modèle périphérique émergent ou dissident.

Qu'elles s'expriment par la forme épistolaire, la rhétorique ou la rumeur, les pratiques de sociabilité sont envisagées ici comme des médiations permettant l'émergence, l'adaptation ou la transformation de formes d'association à diverses échelles. La parole sociable, en tant que forme libre, ou du moins pensée comme telle, endosse une fonction d'agrégation et de polissage des mœurs pour que le moment de sociabilité puisse se réaliser. Anthony Ashley Cooper, troisième comte de Shaftesbury, le formule ainsi : « Toute politesse est dûe à la Liberté. Nous nous polissons les uns les autres, et nous émoussons les angles et les arêtes inégales par une sorte de *choc amical*[7] » (Jaffro, 1998 : 108). S'appuyant sur les écrits de Shaftesbury, Lawrence E. Klein analyse avec finesse la manière dont le sens donné à la liberté s'infléchit au XVIIIe siècle, lorsque ce concept est associé à celui de sociabilité :

> Dans ces passages, Shaftesbury modifie de manière significative le sens donné à la notion de liberté. [...] [E]lle fait référence à une situation sociale et culturelle permettant une pleine liberté dans les interactions interpersonnelles. La liberté dans le monde moderne est ainsi associée à une culture publique dynamique, à un public sensible à l'esprit d'observation, de critique et d'échange (1994 : 198)[8].

Cette liberté, présupposée dans les formes de sociabilité, est également au cœur des réflexions de Georg Simmel, qui conçoit la sociabilité comme une « pure forme », un « lien de réciprocité, qui flotte en quelque sorte librement entre les individus », mais qui implique dès lors, pour que l'action sociable soit réciproque, l'égalité des participants (Simmel, [1908] 1981 : 125). Cette conception propose une version idéalisée à la fois

---

7. "All politeness is owing to Liberty. We polish one another, and rub off our Corners and rough Sides by this *amicable Collision*." (Cooper, 1709 : 8 ; italique dans le texte).

8. "In such passages, Shaftesbury gave a significant twist to the notion of liberty [...] it referred to a social and cultural condition, a condition of unlimited interpersonal interaction. Liberty in the modern world was thus associated with a lively public culture, a public engaged in a culture of examination, criticism, and exchange."

de l'acte ou de la parole sociable, mais également de l'espace dans lequel la pratique se déploie, un espace rendu hermétique aux enjeux de pouvoir et autres facteurs de socialisation. Or les contributions de cette dernière partie mettent en évidence la porosité des espaces, quel que soit leur positionnement géographique, ainsi que leur politisation, en raison des phénomènes de transferts culturels, d'hybridation ou d'adaptation qui s'opèrent par les acteurs, lieux et objets de la sociabilité au xviiie siècle.

Cette tension entre sociabilité et altérité est abordée par Laurence Machet dans son étude sur la correspondance de William Bartram. Elle analyse à la fois l'importance du savoir botanique dans les échanges épistolaires de Bartram, qui dessine les contours d'un réseau de «connaissances sociables» entre continents européen et américain, et la mise en récit des repas partagés entre naturalistes et amérindiens. Ainsi, ce chapitre illustre non seulement le rôle joué par les pratiques sociables entre groupes hétérogènes dans la création des espaces pratiqués, mais également la manière dont leur mise en récit induit une restructuration permanente et créative des espaces imaginés (la *wilderness*).

Dans le chapitre suivant, Simon Deschamps offre une lecture stimulante du processus de création des loges maçonniques en Inde, montrant que ces dernières revêtent dans un premier temps le statut de «réservoir de britannicité» pour les nouveaux arrivants, marchands, soldats ou administrateurs. Reproduisant des modèles culturels et politiques de sociabilité typiquement britanniques, elles contribuent à offrir un air de chez-soi et donc un sentiment d'appartenance plus fort à la communauté implantée dans un espace étranger. Cette analyse montre aussi que les pratiques langagières et rituelles jouent un rôle crucial dans la diversification cosmopolite des loges maçonniques. Les populations locales s'approprient l'espace de la loge par leur présence et par leur culture et contribuent ainsi à donner naissance à une sociabilité maçonnique propre à l'Inde.

Si la parfaite réciprocité entre membres – l'idéal simmelien de sociabilité – ne se réalise jamais, les exemples des loges maçonniques ou encore des voyages des naturalistes témoignent de la fonction socialisante des pratiques langagières. Celles-ci sont cependant également dotées d'un potentiel subversif, que le chapitre de Miles Ogborn explore en s'appuyant sur les travaux de J. L. Austin et de Bruno Latour. Au-delà de sa fonction première de communication, la pratique langagière peut aussi être un instrument de contrôle ou un moyen d'émancipation. Elle offre par exemple aux esclaves de l'île sucrière de la Barbade un moyen de s'ériger en sujets politiques et de se mettre en réseau, créant ainsi un collectif temporaire et indécis, car reposant sur une pratique langagière transgressive. L'espace de sociabilité émergent réel, fluide ou éphémère revêt ici une identité complexe qui résulte de ces phénomènes d'appropriations et de mutations, tout en jouant un rôle fondamental dans l'affirmation des identités.

PREMIÈRE PARTIE

COMMUNAUTÉS ET RITUELS

CHAPITRE 1

Travaux agricoles et réjouissances en Basse-Bretagne

Isabelle Guégan

Les voyageurs, folkloristes ou écrivains ont parfois brossé de la Bretagne et, en particulier de la Basse-Bretagne (la partie la plus occidentale de la région), un portrait peu flatteur. La région est présentée comme une zone quasi sauvage du fait d'un habitat dispersé et d'un bocage dense où la lande occupe une place importante. Le fait que les habitants parlent le breton, portent un costume régional, différent d'un lieu à l'autre, se nourrissent d'une alimentation composée de nombreuses crêpes et bouillies, ajoutait même une note d'exotisme aux yeux des visiteurs ou des membres des classes supérieures, contribuant ainsi à la construction d'«une image phobique de la paysannerie» (Lemaitre, 1999: 289). Cette rusticité supposée de la terre et des hommes aurait entraîné des mœurs singulières et n'aurait pas favorisé la création d'espaces de sociabilité entre les habitants des campagnes. Certes, à la fin du XVIIIᵉ siècle, promenades, cafés et salons sont inconnus des paysans bretons, mais ceux-ci fréquentent d'autres lieux de sociabilité, tels que les fêtes religieuses connues en Bretagne sous le nom de «pardons», qui mêlent le religieux et le profane, ainsi que les marchés ou les foires, qui rassemblent une part importante de la population. Une lecture très attentive des procédures criminelles, sources *a priori* «bavardes», aurait permis de voir émerger des pratiques de sociabilité masculine dans les cabarets, nombreux dans les bourgs et petites villes – mais celles-ci étant liées à des faits de violences, une «sociabilité en négatif» serait alors apparue, et nous avons choisi de ne pas en faire état.

Or, s'il y a bien un lieu où les sociabilités paysannes peuvent s'exprimer, c'est lors des travaux agricoles. Il ne s'agit pas ici de porter indûment aux nues ces travaux – travers auquel n'ont pas échappé les subdélégués chargés par l'intendant de Bretagne, Jean-Baptiste des Gallois de la Tour, en 1733, de rédiger un état de leur subdélégation et de leurs habitants. Ces membres de l'élite locale (nobles ou bourgeois) ont souvent dépeint les paysans comme « fainéants » ou, à l'inverse, « industrieux », exaltant ainsi des vertus bourgeoises et citadines d'économie, d'ordre, issues de la physiocratie alors en vogue, sans se rendre compte de la difficulté ou pénibilité de certains travaux agricoles. À une époque où aucune tâche, si simple soit-elle, ne peut être réalisée par une machine, il est indispensable pour les habitants des campagnes de se venir en aide les uns les autres, ce qui donne lieu à des pratiques de sociabilité nombreuses et variées. C'est le cas notamment lors des grands travaux agricoles que sont les fenaisons ou les moissons, mais aussi lorsqu'il faut défricher une lande ou aplanir l'aire à battre. Or, si le travail est le motif premier de ces rassemblements d'hommes et de femmes, avant et après le labeur, il existe un temps pour les réjouissances : repas pris en commun, mais aussi danses et musique. Comme le souligne l'ethnologue Jean-Michel Guilcher à propos des villageois bas-bretons :

> Tout lie les individus, l'enfance passée en commun, la donnée du milieu, la mentalité identique, les exigences d'un travail qui met constamment les uns dans la dépendance des autres. Prêter un attelage, des outils, donner au voisin son temps et ses forces, sont des services ordinaires et qui vont de soi. En période de gros travaux, battage des céréales par exemple, le village n'est plus qu'une équipe de travailleurs, grossie éventuellement de parents et amis venus des villages voisins (Guilcher, 1960 : 26).

À cet égard, le dictionnaire breton-français manuscrit du chevalier de Coëtanlem de Rostiviec (1749-1827), rédigé au cours des années 1790 et pendant les deux premières décennies du XIXe siècle, est une mine pour le chercheur, qu'il soit historien, ethnologue ou linguiste. Cet ouvrage est loin d'être un simple dictionnaire traduisant les mots d'une langue en l'autre et donnant une brève définition des termes traduits au long de ses huit tomes et 8 834 pages[1] : en effet, son auteur a minutieusement observé

---

1. Cette œuvre monumentale destinée, en principe, aux descendants du chevalier ne devait *a priori* pas être imprimée, mais a été soigneusement reliée par son auteur. Elle est aujourd'hui conservée à la bibliothèque municipale de Brest.

les mœurs des paysans léonards depuis son manoir de Trogriffon à Henvic, près de Morlaix, dans le nord de la Bretagne. Assigné à résidence dans sa demeure léonarde par les hommes de 1789 hostiles aux membres du second ordre de la noblesse, Coëtanlem s'est fait lexicographe et observateur averti, car il vivait au milieu des paysans. Ce lexicographe s'est inspiré du travail de ses prédécesseurs : le père Julien Maunoir, dont *Le sacré collège de Jésus* fut publié en 1659, Dom Louis Le Pelletier (1663-1733, dictionnaire publié en 1752) et Grégoire de Rostrenen (1667-1750, dictionnaire publié en 1732). Coëtanlem a systématiquement repris les définitions du dictionnaire de Le Pelletier, qu'il a enrichies de ses commentaires et *addenda*, et il s'est nourri des dictionnaires de Maunoir et de de Rostrenen. Son dictionnaire constitue une œuvre tout à fait originale grâce aux commentaires importants que l'auteur apporte. Fruit de son érudition et de sa fine observation, ses remarques ne sont toutefois pas dénuées d'une certaine condescendance envers les paysans ; il se moque notamment de leur crédulité et de leurs superstitions. Coëtanlem cite en abondance les auteurs classiques, tels que Virgile, si bien que l'on peut se demander s'il n'essaie pas, de cette manière, de dresser le portrait d'un « paysan éternel », qui n'aurait pas été corrompu par les idées et mœurs venues de la ville. « Somme encyclopédique » (Calvez, 2013 : 15), ce dictionnaire représente l'œuvre d'une vie. L'historien peut malgré tout suivre dans les grandes lignes l'élaboration de l'ouvrage, car quelques petites feuilles volantes indiquent l'année où tel ou tel volume a été relié à Morlaix. Hélas, les cartes à jouer sur lesquelles Coëtanlem notait les différentes définitions des mots ne sont pas utilisables, car elles ne sont pas datées. En revanche, dans le dictionnaire lui-même, l'auteur fait allusion à différents événements, comme la législation révolutionnaire sur le domaine congéable[2] ou l'entrée en vigueur du *Code civil* de 1804, qui permettent d'affirmer avec certitude que les derniers tomes ont par exemple été rédigés après cette date. De même, les derniers tomes font allusion au dictionnaire breton-français de Jean-François Le Gonidec de Kerdaniel (1775-1838), qui fut publié en 1821. Ces bribes d'informations permettent d'établir que Coëtanlem a travaillé presque jusqu'à la fin de sa vie à

---

2. Le domaine congéable est un système de location des terres spécifique à la Basse-Bretagne, qui distinguait la propriété du sol, appartenant à un seigneur foncier, et la propriété des édifices et superfices (ce qui reposait sur le sol), qui relevait du domanier. En l'occurrence, Coëtanlem était seigneur foncier.

l'achèvement de son dictionnaire. Peu cité jusqu'à présent dans les travaux sur la Bretagne, cet ouvrage n'a, à ce jour, pas fait l'objet de travaux d'envergure.

Un autre ouvrage, œuvre littéraire cette fois, composé à plusieurs mains à partir de 1794 et réédité à de nombreuses reprises, permet de bien connaître la vie des paysans bas-bretons. Il s'agit de *Galerie bretonne. Breiz-Izel ou La vie des Bretons de l'Armorique* d'Alexandre Bouët et Olivier Perrin. Même s'il s'agit d'une œuvre de fiction, le journaliste Alexandre Bouët (1798-1857) et le peintre Olivier Perrin (1761-1832), en racontant la vie de Corentin, fils d'un riche domanier de la région de Quimper, depuis sa naissance jusqu'à sa mort, se sont souvent arrêtés sur les travaux agricoles, dont le premier décrivait les acteurs et les gestes qu'ils devaient exécuter, tandis que le second illustrait ce que le premier venait d'énoncer. La date de parution de cet ouvrage est trompeuse, car *Breiz-Izel* fut élaboré en plusieurs temps. Dans l'édition de 1808 de sa *Galerie bretonne*, Olivier Perrin, peintre formé à l'Académie de peinture de Paris, avait dessiné 24 planches tandis que Louis-Auguste Mareschal avait rédigé le texte qui accompagnait ces illustrations. Selon Jean-Yves Guiomar, l'œuvre fut composée entre 1794 et le Consulat et traduisait les idées et espoirs de la bourgeoisie quimpéroise, formée au collège des Jésuites, franc-maçonne, active pendant la Révolution et qui manifestait ainsi son intérêt pour la société rurale bas-bretonne (Guiomar, 1993: 507). Reprenant cet ouvrage près de trente ans plus tard, le Brestois Alexandre Bouët, homme d'affaires et directeur de journaux, est quant à lui plutôt un «libéral éclairé». Le texte qu'il rédige reflète des idées relatives à la mise en valeur des terres et célèbre la vie paysanne. Inspiré des physiocrates, il plaide pour la suppression des entraves à la vie économique et affirme une sensibilité rurale. La notoriété de *Galerie bretonne* tient autant au talent d'Olivier Perrin qu'à celui d'Alexandre Bouët. Perrin a été l'un des premiers peintres en Bretagne à illustrer les travaux agricoles, et le témoignage pictural qu'il laisse permet de se rendre compte de ce qu'était la vie des paysans bretons au travail comme à la fête. Si pour Guiomar, la Bretagne de Bouët est une «terre rude et sombre», il n'en demeure pas moins que l'auteur présente à de nombreuses reprises les paysans sous un jour plutôt favorable[3].

---

3. Les paysans y sont présentés comme laborieux, mais ils manquent d'audace et stagnent dans une routine qui les empêche d'innover en matière agricole, par exemple pour réduire l'importance des landes. Cet aspect particulier est un poncif repris depuis le

Alors que le dictionnaire de Coëtanlem s'inspire davantage des activités des paysans du Léon, *Breiz-Izel* est consacré aux riches campagnes (commune de Kerfeunten) proches de Quimper, en Cornouaille. Ces deux ouvrages d'un genre différent permettent d'approcher au plus près les travaux quotidiens ou plus saisonniers des paysans bretons au cours d'une période couvrant la fin de l'Ancien Régime et les vingt premières années du XIXe siècle. Ils mettent en lumière des pratiques de sociabilité qui diffèrent de celles des villes, où les habitants sont moins polyvalents et moins souvent sollicités pour des travaux en commun.

Les campagnes de Basse-Bretagne à la fin du XVIIIe siècle

Peu de textes littéraires mettant en scène la vie et les travaux des paysans bas-bretons sont parvenus jusqu'à nous. Aucun n'est l'œuvre d'un membre de la communauté paysanne elle-même[4]. C'est donc à partir des archives que l'historien peut reconstituer les différentes strates de cette communauté rurale. En revanche, les illustrations représentant les grands travaux agricoles dans le dictionnaire de Coëtanlem et *Galerie bretonne* lui donnent à voir les temps forts de cette vie communautaire.

Les stratifications internes au monde rural en Basse-Bretagne

Les gens des villes ont souvent perçu les habitants des campagnes comme un ensemble dont ils ne percevaient guère les différences. Pour eux, ces derniers étaient tous des « paysans », alors même qu'ils pouvaient exercer des professions différentes. Les citadins étaient souvent inaptes à discerner avec justesse les stratifications internes à ce monde rural. Or, à l'intérieur de ce microcosme – si l'on excepte les artisans (forgeron, meunier, sabotier, charpentier, etc.), qui pouvaient par ailleurs être aussi cultivateurs –, tous n'occupaient pas un rang égal, la principale différence se fondant sur la propriété de la terre. En Basse-Bretagne, le principal système d'amodiation des terres sous l'Ancien Régime est appelé « domaine congéable », car le propriétaire foncier (souvent membre du premier ou du second ordre)

XVIIIe siècle par les élites, qui ne comprennent pas l'enjeu agraire que représentent les espaces dévolus aux landes en Bretagne.

4. Les mémoires de Jean-Marie Déguignet, paysan anticonformiste de la région de Quimper, rédigés à la fin du XIXe siècle, mettent peu en scène les sociabilités rurales.

pouvait congédier son domanier (le paysan qui mettait en valeur la terre) à la fin de son bail. Malgré le souhait émis dans de nombreux cahiers de doléances des paroisses bas-bretonnes, le domaine congéable n'a pas été supprimé. Débarrassé de ses scories féodales, il a perduré au XIXe siècle. Or, le système convenancier accordait pourtant au domanier la propriété des édifices et superfices, soit tout ce qui reposait sur la terre (bâtiments, talus, récoltes, etc.). Cette particularité du domaine congéable faisait du domanier un quasi-propriétaire, puisqu'il gérait le bien foncier comme il l'entendait. Il devait cependant demander l'accord de son propriétaire foncier avant de construire quelque édifice que ce soit et ne pouvait couper les arbres du domaine, dont il n'avait droit qu'aux émondes. Les domaniers ou convenanciers, à l'exemple du père de Corentin, se situaient donc tout en haut de l'échelle sociale dans les villages bas-bretons et faisaient quasiment jeu égal avec les propriétaires de censives. Celles-ci n'étaient pas inconnues en Basse-Bretagne, mais elles étaient bien moins nombreuses que les tenues à domaine congéable. En dessous des domaniers se trouvaient les fermiers des métairies ou les sous-fermiers des tenues convenancières, qui n'étaient pas propriétaires du bien qu'ils mettaient en valeur, mais qui, par l'intermédiaire d'un bail, avaient cependant accès à la terre. Dans le Léon, où le domaine congéable était peu connu, la majorité des terres étaient tenues à ferme. Les riches fermiers léonards étaient qualifiés de «juloded» et certains d'entre eux s'étaient enrichis dans le commerce des toiles de lin. La situation des domaniers et fermiers était bien plus favorable que celle des domestiques, hommes et femmes, employés à l'année, nourris, logés, mais dont les revenus dépendaient du travail qui leur était donné par les paysans ayant accès à la terre, en propriété ou en location. Un cran en dessous des domestiques, en raison de la précarité de leur condition, se trouvaient les journaliers, qui étaient payés à la tâche et devaient bien souvent faire face à des périodes d'inactivité. Ces derniers constituaient une sorte de «prolétariat rural», bien que le terme soit anachronique, mais tous, depuis le riche domanier ou fermier de métairie[5] jusqu'au plus humble journalier, appartenaient à la communauté rurale.

---

5. En Basse-Bretagne, les métairies sont souvent les tenues les plus proches des manoirs, châteaux, abbayes. Contrairement à ce que leur nom peut laisser accroire, il ne s'agit pas de métairies à part de fruit comme en Haute-Bretagne, mais de simples fermes. Le montant du fermage, même s'il peut contenir des denrées agricoles en nature, est fixé pour toute la durée du bail.

La participation de toute la communauté rurale
aux grands travaux agricoles

Quel que soit leur statut, tous les habitants des campagnes, à l'exception des artisans et de quelques commerçants, participaient aux principaux travaux agricoles. Qu'il s'agisse des fenaisons ou des moissons, en l'absence de mécanisation, il fallait pour tous jouer de vitesse et abattre une grande quantité de travail en un temps limité pour éviter de récolter un foin pourri ou des épis susceptibles de moisir ou, pire encore, d'être ergotés. Pour cela, il était nécessaire de recourir à la force de travail de tous les bras de la maisonnée, c'est-à-dire les parents, mais aussi les enfants à partir d'un certain âge, et bien entendu les domestiques. Il était habituel de faire appel également aux voisins et, suivant le principe du don contre don bien connu des ethnologues, celui qui était aidé devait à son tour venir en aide à celui qui lui avait apporté son concours. Enfin, entraient également en scène lors de ces grands travaux les journaliers, qu'ils soient hommes ou femmes. Ainsi, à différents moments de l'année, toute la communauté rurale se retrouvait-elle dans les champs, dans la cour de la ferme ou sur l'aire à battre. Bien entendu, il y avait d'un côté ceux qui donnaient les ordres et de l'autre ceux qui les recevaient. Il n'empêche que les uns et les autres agissaient de concert pour mener à bien les tâches agricoles. D'ailleurs lorsque Coëtanlem définit le mot « *Amezec* » en breton, il précise que ce dernier se traduit à la fois par les termes de « voisin » et de « laboureur », car il était d'usage que « les paysans qui ont besoin d'aide prient leurs voisins de labourer avec eux » (Coëtanlem, t. I : 66). Derrière cette simple définition d'un terme polysémique apparaît une réalité : des liens se nouaient entre paysans du fait de l'entraide pratiquée lors des travaux agricoles.

Plus loin dans son dictionnaire, Coëtanlem revient sur cette idée d'entraide et l'explique, sans doute à tort, par la pauvreté générale des paysans bas-bretons. Les terres fertiles du Léon font de cette région la plus riche de Bretagne. Cependant, tous les paysans ne vivaient pas dans l'aisance, et plusieurs auteurs ont noté le grand nombre de pauvres qui existait dans chaque paroisse/commune[6]. Le mot « *Keferez* » désigne celui qui aide à labourer, qui est compagnon de la charrue (« *kefer* » : devant d'une charrue). Terme polysémique, « *Keferez* » « se dit aussi des voisins

---

6. Roudaut, Collet et Le Floc'h, 1987 ; Haudebourg, 1998.

d'un laboureur qui lui prêtent leur charrue, leurs bêtes ou le servent en personne» (Coëtanlem, t. III: 492). Le maître de Trogriffon s'étend assez longuement sur la situation des paysans et de leurs fermes, dont il dit:

> Les terres sont extrêmement divisées dans ce païs: les cultivateurs n'y sont pas riches. Il y en a peu qui ait un attelage complet. En sorte que dans les travaux champêtres chaque petit fermier s'associe à son plus proche voisin auquel il donne tous les secours qu'il réclame et qui lui rend à son tour les mêmes bons offices: c'est ce qu'on appelle *keveria* et le titre de *keverer* que se donnent réciproquement ces honnêtes cultivateurs signifie par conséquent voisin, associé, collaborateur ou collègue de labourage (Coëtanlem, t. III: 493).

Ainsi donc, un voisin peut prêter sa charrue ou sa herse tandis que l'autre prête sa paire de bœufs ou son cheval pour labourer, ce qui entraîne des liens à la fois de dépendance et de solidarité. Les inventaires après décès relèvent en effet que les paysans ne disposaient pas tous d'un train de culture important: si les outils les plus simples (charrue) étaient fréquents, il n'en allait pas de même de la charrette ferrée, très coûteuse – sa valeur atteignait de 30 à 50 livres à la fin du XVIIIe –, qui permettait notamment de rentrer à la ferme les récoltes de foin ou de céréales[7].

Moins précis en ce qui concerne l'entraide villageoise, Bouët, derrière des propos parfois moralisateurs (il dénonce les méfaits de la ville et de l'industrie), vante «ces travaux pleins de charme où nos Bretons se prêtent si fraternellement une assistance réciproque» (Bouët et Perrin, [1835] 1970: 257). En réalité, Bouët ne semble pas avoir perçu quels liens de dépendance se créaient à l'occasion de ce qu'il qualifie d'assistance «réciproque» et «fraternelle». Cette assistance était bien souvent une nécessité: pour les uns, les plus aisés en l'occurrence, il s'agissait effectivement d'échanges de services, pour les autres, c'était l'unique manière de pouvoir procéder aux travaux agricoles dans des conditions correctes. Pour ces derniers, petits paysans ou journaliers, à défaut de disposer du matériel adéquat, le prêt de la charrette ferrée ou de la paire de bœufs par le domanier ou fermier aisé entraînait une dette, non seulement financière et mesurable, mais également morale, à l'égard de celui-ci. Il leur fallait alors la rembourser en donnant de leur temps et de leur force de travail sur les terres du voisin bienveillant. Il y avait ainsi un échange de bons procédés, mais

---

7. Archives départementales du Finistère, cour seigneuriale de la baronnie de Quimerch, 19 B 33 à 105: inventaires après décès, Querrien.

la dette n'était pas éteinte pour autant : elle se prolongeait, d'un côté comme de l'autre, dans le temps.

Les travaux agricoles saisonniers : moisson et fenaison

Partout en France, les moissons ou fenaisons nécessitent de faire appel à des journaliers pour abattre une grande quantité de travail en peu de temps, mais en Basse-Bretagne, ces travaux agricoles en commun prennent un tour particulier du fait des spécificités de la région. C'est le cas notamment des battages.

La moisson et la fenaison

Au printemps, la coupe des foins et son ramassage occupent les paysans pendant plusieurs journées. Il faut profiter du beau temps pour couper l'herbe, la faire sécher et la récolter pour la mettre en meules à l'abri des intempéries. Bouët explique que la coupe des foins est un travail pénible et qui exige autant de force que d'adresse. Le maniement de la faux nécessite une certaine dextérité. Aussi est-il habituel pour le cultivateur de faire appel à « des ouvriers du dehors » autrement dit des journaliers, car « [l]es fermiers, plutôt que d'y épuiser les forces de leurs valets qu'ils réservent pour des travaux plus importants, pour ceux de la moisson ont recours aux *pen-ty*, sorte de demi-journaliers et de demi-métayers, qui touchent à ces deux classes sans appartenir complètement à l'une ou à l'autre » (Bouët et Perrin, [1835] 1970 : 140). Ce nom de « *pen-ty* » provient, par glissement sémantique, des petites habitations que ces ouvriers occupent. Ils n'ont pour salaire que ce qu'ils peuvent gagner chez les paysans possédant des terres, et bien souvent, ils paient le loyer qu'ils doivent au propriétaire de leur *pen-ty* en travaillant pour lui pendant quelques jours. Dans la scène de fenaison qu'Olivier Perrin a représentée, on aperçoit en arrière-plan quelques hommes munis d'une faux coupant les foins, alors qu'au premier plan d'autres sont réunis autour d'un bassin à bouillie tandis qu'une servante se tient prête pour leur verser du lait. Un homme debout affûte le tranchant de la faux.

Comme le montre la gravure de Perrin, le bassin à bouillie est énorme. La raison est en donnée par Bouët : il est nécessaire de nourrir copieusement les faucheurs, car la tâche est harassante. Il est de coutume de leur

Figure 1.1. Olivier Perrin, « La coupe des foins », collection Musée départemental breton, Quimper. © Musée départemental breton / Serge Goarin (inv.1994.19.10.)

servir six repas et de les payer un tiers de plus que les journaliers ordinaires. Alors que les hommes sont aux champs, les femmes sont à la cuisine, où elles préparent la soupe au lard du matin, puis des crêpes beurrées vers huit heures. À onze heures, elles portent aux hommes une bouillie de sarrasin ou d'avoine (scène représentée). Les quatrième et cinquième repas ont lieu dans le pré entre quatorze heures et dix-sept heures. Enfin, le sixième repas, le plus copieux, est pris à la ferme, et il est composé de soupe et d'un plat de viande.

Tout comme les fenaisons, les moissons sont l'un des moments clés de l'année agricole. Pour le cultivateur, des moissons effectuées par beau temps et rapidement sont le gage d'une année réussie, qui lui permettra de nourrir sa famille et de vendre des surplus, dégageant ainsi des bénéfices. Cette réalité a été bien perçue par Bouët : « Voici une époque que doit redouter autant qu'il la désire le fermier de nos contrées : la moisson vient de commencer et il faut que sous un ciel de feu il se livre à de violents travaux qui se prolongent plusieurs semaines et jusqu'à leur clôture ne lui laissent aucune trêve que pendant quelques courtes heures de sommeil » (Bouët et Perrin, [1835] 1970 : 147).

Là encore, il lui faut faire appel à des journaliers, car cette tâche réclame de nombreux bras et la main d'œuvre familiale complétée par celle des domestiques ne suffit pas. En réalité, ces journaliers viennent d'eux-mêmes proposer leurs services, car ils savent que c'est une période décisive de l'année agricole pour le cultivateur, qui doit mettre ses *bleds*[8] à l'abri le plus vite possible. Alors qu'il définit le mot « *Dellezout* » par « mériter, se faire un mérite par ses services », Coëtanlem prend soin de préciser que quand

> [q]uelque voisin a besoin d'un grand nombre de bras pour des travaux d'agriculture qu'il est avantageux d'accélérer, plusieurs personnes du canton vont y faire des journées sans aucune invitation préalable. C'est ce qu'on appelle *dellezout*, mériter, acquérir des droits à la reconnaissance d'autrui et, en effet, dans l'occasion, on se rend la pareille ou des services équivalents et par ce moyen la compensation a lieu en faveur de celui qui a obligé de bonne grâce et sans en être prié (Coëtanlem, t. II : 147).

Pendant les moissons, quasiment toute la communauté rurale est au travail dans les champs. Hormis les enfants très jeunes et les vieux ou invalides, tout le monde a quelque chose à faire pour accélérer autant qu'il le peut la moisson. Scier les *bleds* à l'aide d'une faucille est un travail pénible, davantage réservé aux hommes, mais il revient aux femmes de constituer des javelles et de les lier. Lorsqu'il s'agit de transporter les charrettes de *bleds* vers la ferme, ce sont à nouveau les hommes que l'on sollicite et ce sont eux aussi qui constitueront les meules, tout comme ils avaient pris soin auparavant de bâtir des meules de foin bien étanches.

Enfin, dernière étape des moissons, le battage des grains. Cette étape peut être reportée pendant plusieurs mois, car les meules habilement constituées et recouvertes de terre mettent les *bleds* à l'abri des intempéries et, partiellement au moins, des rongeurs. En Basse-Bretagne, à l'époque où Coëtanlem et Bouët rédigent leurs ouvrages, seul le battage au fléau sur l'aire à battre est pratiqué, alors que dans d'autres régions françaises le battage se fait sous la grange. Du fait de l'interdiction de construire sans autorisation de la part des seigneurs fonciers aux domaniers, les granges

---

8. Le mot « bled » désigne en général les céréales, mais en Bretagne, il intègre également le sarrasin ou blé noir, qui fait partie de la famille des polygonacées.

sont peu nombreuses en Basse-Bretagne et, quand elles existent, leurs dimensions sont trop réduites pour permettre le battage des *bleds*. Pour mener à bien les battages, le père de Corentin a rassemblé tous les journaliers et voisins disponibles, car, comme le souligne Bouët, « [l]orsque dans un pays où le temps est si variable et la pluie si fréquente, il s'agit de battre au fléau toute une récolte sans qu'elle éprouve de dommage, il faut travailler sans relâche et ne chercher de repos qu'arrivé à son but » (Bouët et Perrin, [1835] 1970 : 157).

Or, le battage est un travail pénible par la répétitivité des mouvements qu'il implique et la nécessité pour les batteurs d'une rangée de lever et abattre leur fléau en rythme, faute de quoi ils assommeraient les batteurs qui leur font face. Bouët a ainsi calculé qu'au cours d'une journée de travail de dix heures, si le batteur doit lever son fléau 37 fois par minute, cela donne un total de 22 000 coups. Selon Bouët, « souvent on voit ainsi de chaque côté jusqu'à 20 batteurs de blé qui manœuvrent le fléau avec une adresse et un ensemble remarquables » (Bouët et Perrin, [1835] 1970 : 157). Certaines femmes robustes peuvent participer au battage, mais, à l'exemple de la mère de Corentin, leur rôle consiste le plus souvent à retourner à la fourche les gerbes de blé en revenant sur les pas de batteurs. Alors qu'hommes et femmes travaillent sur l'aire, quelques « dandys rustiques » ou « farceurs de profession » viennent admirer le travail et surtout encourager les batteurs par des plaisanteries ou flatteries. Le châtelain, par exemple, peut venir voir comment se passent les battages chez les paysans voisins. Ni Coëtanlem ni Bouët ne participent aux travaux agricoles, mais tous deux appartiennent à cette catégorie d'observateurs : « Le chef de famille, quelque réservé qu'il se montre toujours, a soin d'encourager ces joyeuses dispositions. Il sait bien que plus les gens riront, plus ils braveront la fatigue et il n'aurait garde de négliger une recette aussi efficace que peu coûteuse » (Bouët et Perrin, [1835] 1970 : 161).

À la fin de chaque journée, le travail des batteurs est récompensé sous forme d'un souper copieux et d'abondantes libations. Cela permet aux moissonneurs épuisés de recouvrer des forces, d'échanger entre eux et surtout de maintenir une harmonie entre ces hommes et ces femmes qui devront dès le point du jour se remettre à nouveau au travail. Enfin, lorsque les battages sont achevés, des cris de joie se font entendre dans les campagnes, la journée s'achève par des danses sur l'aire à battre qui, d'espace de travail, s'est transformée en salle de bal. Comme le souligne

Bouët : « la fatigue du travail est bientôt oubliée, et comme celle du plaisir n'en est pas une pour eux, ils dansent sur l'aire toute la nuit ou à peu près, soit à la clarté économique de la lune, si elle se couche, à la lueur d'une lampe solitaire suspendue aux murailles de la grange » (Bouët et Perrin, [1835] 1970 : 162).

Le défrichage de la lande et la réfection de l'aire neuve

Parmi les activités agricoles qui nécessitent de faire appel à de nombreux bras figure le défrichage de la lande. C'est ce qu'on appelle en breton une « *dervez bras* », autrement dit une grande journée. Coëtanlem et Bouët ont tous deux consacré de belles pages à cette tâche fréquente en Basse-Bretagne, où la lande entre pleinement dans le système agraire puisqu'elle pallie notamment le manque d'engrais et permet aux paysans d'élever du bétail, l'ajonc pilé constituant une nourriture appréciée des bestiaux. Le défrichage de la lande, également appelé « marrerie » en référence à la « marre », outil qui permet de couper la lande, est l'une des activités les plus harassantes qui soient. Pour cette raison, elle est réservée aux hommes et, explique Coëtanlem, « aux plus vigoureux seulement parce qu'[elle] est extrêmement pénible et qu'[elle] exige des efforts afin de couper et d'enlever avec la motte [de terre] toutes les racines et les ronces qui se trouvent à la superficie de la terre » (Coëtanlem, t. II : 67).

Selon Bouët, le défrichage de la lande constitue pour les paysans bretons l'occasion de manifester leur solidarité, car il nécessite « un grand renfort de bras et de faire appel général au ban et à l'arrière-ban d'auxiliaires que peut fournir le canton » (Bouët et Perrin, [1835] 1970 : 255). Il emploie plus précisément les termes de « mutuellisme » et de « conscription volontaire » pour désigner cette activité, car elle sollicite les bonnes volontés masculines d'un canton entier. Cette marrerie réunit une foule d'étrangers, c'est-à-dire de personnes venant des paroisses alentour, « réunies par des travaux organisés en parties de plaisir [qui] deviennent momentanément une grande et joyeuse famille et [...] 50 ménages épars ne forment soudain qu'un seul et vaste ménage sociétaire » (Bouët et Perrin, [1835] 1970 : 255).

L'étape préalable à cette entreprise de grande ampleur consiste à faire appel aux bonnes volontés par de la publicité. Celle-ci a lieu le dimanche après la grand-messe, au pied de la croix, mais les cultivateurs profitent aussi des foires renommées pour toucher un large public. C'est donc précédé du biniou et de la bombarde et portant en haut d'une fourche les chapeaux, rubans ou mouchoirs qui seront remis à celui des défricheurs qui sera le plus valeureux, autrement dit celui qui aura défriché la plus grande étendue de lande en une journée, que le valet de la ferme concernée vient s'adresser aux paysans.

Chez le cultivateur organisant la marrerie, les travaux se répartissent entre hommes et femmes. Il n'est pas question que les hommes s'occupent de tâches habituellement dévolues aux femmes : ils seraient qualifiés de « coghes », féminin de « cog », qui est le « sobriquet que l'on donne par mépris aux hommes qui se mêlent par préférence des occupations du ménage qui sont ordinairement réservées aux femmes comme de laver le linge, traire les vaches, baratter le beurre, faire de la bouillie, mettre les poules à couver » (Coëtanlem, t. II : 385). Or, la marrerie n'est pas une activité féminine, comme le souligne Coëtanlem : « Les femmes ne se mêlent pas de l'ouvrage qu'on appelle proprement marre [défrichage] en Bretagne, marre ou marrat quoiqu'elles travaillent souvent avec la houe ou de vieilles marres usées pour rompre les mottes et rendre la terre plus meuble » (Coëtanlem, t. II : 385).

Le lexicographe précise au contraire que « quand on se propose de marrer une pièce de terre d'une certaine étendue on réunit autant qu'on peut un grand nombre d'hommes et de jeunes gens vigoureux qui travaillent à l'envi. C'est cette réunion, ce rassemblement, l'opération qui en est le résultat et la fête ou réjouissance qui termine la besogne comme l'observe le Père Grégoire [de Rostrenen] qu'on appelle marradeg » (Coëtanlem, t. V : 186).

Bien que le travail à la marre soit réservé aux hommes jeunes et vaillants, les femmes prennent part à cette marrerie d'une autre manière. Elles sont toutefois cantonnées à des rôles traditionnels. Nombreuses en cuisine, elles préparent le repas des hommes, composé notamment de crêpes. Ce n'est que le lendemain que les hommes entrent en jeu : selon Bouët, c'est au soleil levant qu'ils apparaissent « gais, dispos et brûlant de se signaler dans cette fête agricole à laquelle doivent présider tour à tour le travail et le plaisir » (Bouët et Perrin, [1835] 1970 : 262). Ils sont accueillis à la ferme par un repas plandureux fait d'énormes morceaux de lard et de bœuf et d'innombrables pots de cidre, ces agapes ayant pour but de leur donner des forces et de les exciter au travail. C'est l'une des marques de sociabilité :

un trait particulier de ces grandes journées de travail est celui de la pro-
digalité car, comme l'explique Bouët, «la parcimonie serait de fort mauvais
goût». Le cultivateur dont on va défricher la lande risquerait de passer
pour un pingre; sa réputation au sein de la communauté rurale est donc
en jeu. Il serait aussi malvenu de la part des travailleurs de répugner à
manger ce qu'on leur offre : cela serait vécu comme une offense par celui
qui reçoit.

Quand enfin les travailleurs se mettent à l'ouvrage, tous les habitants
de la paroisse défilent pour les observer. Le défrichage tient lieu de spectacle où chacun rivalise d'ardeur pour venir à bout en un temps record
du morceau de lande qui lui a été attribué. Le travail s'arrête le temps que
les ouvriers prennent leur repas de midi. Ils se réunissent alors autour
d'un bassin plein de bouillie de sarrasin, que l'on mange accompagnée de
beurre et de lait. Conformément aux stéréotypes de genre, Bouët précise
que ce sont les femmes et surtout les jeunes filles qui apportent le beurre
et versent le lait aux hommes, occasion saisie, dit-il, par les plus jeunes
pour conter fleurette ou taquiner les membres du beau sexe. Les hommes
retournés au travail, les femmes les remplacent autour des bassins à
bouillie. S'ils contribuent ensemble à la bonne marche du défrichage de
la lande, hommes et femmes sont cantonnés dans des rôles distincts.

La parcelle de lande défrichée, vient le temps des réjouissances : «voici
le moment du salaire c'est-à-dire voici le tour de la danse, de la lutte de
tous les plaisirs proprement dits!» (Bouët et Perrin, [1835] 1970 : 283).
Malgré les efforts déployés dans la lande par les hommes, la journée de
travail est suivie d'une soirée où l'on danse. Si Corentin, le héros de l'histoire de *Breiz-Izel*, a remporté le prix attribué au plus vaillant défricheur
et peut afficher un ruban vert à son chapeau, cela l'autorise aussi à faire
danser la belle de son choix lors de la fête. Mais l'après-*dervez bras* comporte aussi des jeux comme la lutte, où l'un des adversaires doit faire
chuter l'autre sur le dos pour être déclaré vainqueur. Cette lutte est l'occasion pour quelques sportifs de montrer leurs talents, mais constitue
également un moyen pour le cultivateur qui est à l'origine du défrichement
de récompenser par des jeux les membres de la communauté rurale, qu'ils
soient jeunes, vieux, riches ou pauvres. Le combat est aussi un moyen de
résoudre sportivement des rivalités : le meilleur gagne et la communauté
désigne son héros, qui sera porté en triomphe. La vision que donnent à la
fois Bouët et Coëtanlem de ces festivités semble bien idyllique. Tous deux

passent sous silence la fatigue ou les douleurs musculaires ressenties par les hommes à l'issue de la journée de travail. Il s'agit cependant de faits réels : il n'y a pas de travail en commun en Basse-Bretagne qui ne s'achève par des festivités. Il en va de même lors de la réfection de l'aire à battre.

Comme indiqué plus haut, en Basse-Bretagne, aux XVIIIe et XIXe siècles, le battage des *bleds* a lieu sur une aire à battre, c'est-à-dire une petite parcelle de terre damée située dans la cour de la ferme, mais à l'écart des lieux où peuvent passer les animaux. Le sol doit être uni, à la fois élastique et dur, et la surface, plane et facile à nettoyer. Au fil des ans, le sol de cette aire à battre se dégrade et il est habituel de le refaire régulièrement en le défonçant tout d'abord à l'aide de la houe, voire en y passant la charrue puis en y apportant une terre argileuse parfois mêlée de balle d'avoine. Il faut alors en ôter les petits cailloux, l'aplanir et tasser le sol afin de le rendre le plus imperméable possible (Guilcher, 1960 : 158). Pour cela, rien de mieux que des dizaines de pieds humains qui foulent cette terre et la tassent énergiquement. Cette activité était communément appelée «*fest al leur nevez*» («fête de l'aire neuve»). Ainsi que l'explique l'ethnologue Jean-Michel Guilcher, «[d]anser pour tasser la terre n'était pas seulement un moyen ingénieux de changer une corvée en amusement. Au dire des anciens, aucun autre procédé n'eût donné d'aussi bons résultats». La réfection de l'aire ressort de ces activités qui tiennent à la fois lieu de travail et de réjouissance. L'aire neuve est un événement dans la paroisse et, comme pour le défrichage de landes, le propriétaire de l'aire annonce l'événement à l'issue de la messe dominicale en promettant aux participants qu'il y aura de quoi se sustenter à l'issue du travail, mais surtout qu'il a convié de bons musiciens pour faire danser à l'issue de la journée. Le travail principal consiste en l'occurrence à danser en rond sur l'aire pour la tasser le plus possible. Alors qu'il définit le terme «*Gouliat*» par «danse sur une nouvelle aire afin de la rendre plus dure et plus unie», le lexicographe précise aussi que :

> Comme on est dans l'usage d'indiquer d'avance le jour où l'on doit danser et lutter et qu'on annonce ordinairement des prix pour la lutte, les jeunes gens de l'un et de l'autre sexe s'y réunissent de toute part et c'est réellement pour eux un jour de fête et de réjouissance. D'un autre côté ces exercices achèvent de durcir, de consolider et d'aplanir l'aire déjà préparée par plusieurs chartées [*sic*] d'argile qu'on y a transportée et délayée au moyen d'une grande quantité d'eau et qu'on a battue, pressée et foulée avec la hie, le rouleau ou le

Figure 1.2. Olivier Perrin, « L'aire neuve », collection Musée départemental breton, Quimper. © Musée départemental breton / Serge Goarin (inv.1994.19.10.)

cylindre et qu'on paitrit à force de piétiner dessus, beaucoup mieux qu'on ne le feroit avec la main (Coëtanlem, t. III : 781).

Bouët explique que les villageois parcourent parfois plusieurs lieues pour participer à l'aire neuve. Malgré la chaleur, ils se lancent dans la danse en hurlant et bondissant et ils y restent jusqu'à la nuit. Le journaliste explique que les femmes elles aussi entrent dans la danse, même si elles ont une attitude plus réservée que les hommes.

Au-delà du damage de l'aire, qui justifie ce rassemblement, les danses constituent une sorte de « ciment social ». S'il est habituel que ce soit le maître de maison et sa femme qui entraînent les villageois dans la danse, chacun, quel que soit son statut social, qu'il soit riche ou pauvre, jeune ou vieux, peut faire valoir ses qualités de danseur, son adresse et son ardeur, ce qui lui vaut une réputation au sein de la communauté rurale. Toutefois, ces festivités ne vont pas toujours sans attirer le courroux du clergé, fâché de voir la population s'adonner ainsi à des réjouissances bien trop païennes à son goût, où l'on vide plusieurs barriques de cidre.

Les travaux agricoles, ciment social de la communauté rurale

Les grands travaux agricoles nécessitent de faire appel à de nombreux bras pour venir à bout des fenaisons, moissons ou défrichements en un laps de temps réduit. Ils permettent d'observer les membres de la communauté rurale bas-bretonne à la fois au travail et dans la fête. En cela, ils constituent un moment fort de la vie des campagnes, mais surtout ils sont l'un des ciments de la communauté rurale bretonne.

Au-delà d'une logique marchande

Il peut sembler étrange que des travaux pénibles deviennent des espaces de sociabilité. Et pourtant, ces travaux en commun accordent une place à chacun : ceux en âge de travailler dans les champs ou sur l'aire comme celles qui s'affairent en cuisine, mais aussi tous ces curieux qui viennent donner un avis sur la bonne marche des travaux et encourager les hommes. De même, le vieil homme qui sait chanter ou sonner du biniou ou de la bombarde est le bienvenu, car il fera danser les travailleurs et permettra de clore ces dures journées dans la joie. Cet espace de sociabilité est ouvert et non réservé à une élite, à la différence de ce qu'il se passe dans les sociétés savantes ou salons littéraires. Dès lors qu'un individu, homme ou femme, a des bras pour travailler et des pieds pour danser, il entre dans cette communauté. La distribution des travaux est la plupart du temps genrée, mais hommes et femmes y participent, chacun ayant un rôle qui lui est dévolu. Si ces travaux ne s'achevaient pas par des danses, des combats de lutte ou des festins où l'abondance est la règle, les relations établies entre le cultivateur et ceux qui lui apportent leur force de travail ne traduiraient qu'un lien de dépendance économique fondé sur l'utilitarisme. Le cultivateur qui fait défricher sa lande verserait dans ce cas un salaire correspondant à la quantité de travail effectué et entrerait ainsi dans une logique de rentabilité. Or, ce n'est pas le cas. Si les convenanciers ou fermiers bas-bretons avaient adopté une logique purement économique, nourrir les travailleurs aurait été cohérent puisqu'il fallait leur redonner des forces pour leur permettre d'être ardents au travail. Mais il n'aurait pas été nécessaire que l'opulence soit au rendez-vous. De même, hormis le cas particulier de la réfection de l'aire à battre, faire danser hommes et femmes pourrait être perçu comme une perte de temps et d'argent, puisqu'il faut payer les sonneurs et offrir des prix aux vainqueurs de la lutte.

Danser tous ensemble sur une aire à battre est un moyen d'agrégation à la communauté rurale, où la place ou le rang occupé, que l'on soit pauvre journalier ou riche domanier, ne compte pas, puisque le journalier peut être meilleur danseur ou lutteur que celui qui lui donnait des ordres quelques heures plus tôt. Il y a, de la part de celui dont on exécute les travaux, une forme d'honneur ou de prestige à savoir donner au-delà du nécessaire, raison d'être des repas pantagruéliques. Le cultivateur se doit d'agir en grand seigneur : il ne faut surtout pas qu'il donne l'impression de faire la charité aux personnes qu'il a employées, ce qui serait considéré comme blessant. Si le journalier a mis du cœur à l'ouvrage, il est nécessaire de le récompenser au-delà du salaire fixé au départ par des repas plantureux, des danses et de la musique. Des liens de réciprocité se nouent ainsi et forment une sorte de contrat social. Parce qu'il n'a pas ménagé ses efforts, le journalier a acquis la confiance et l'estime du cultivateur qui l'emploie. L'employeur sait qu'à l'avenir il pourra compter sur ce travailleur. Par ailleurs, les grands travaux agricoles permettent aux différents sous-groupes (domaniers, journaliers, domestiques…) de s'imbriquer les uns dans les autres, d'autant qu'il existe une forme de perméabilité d'un groupe à l'autre. Par exemple, un valet n'est pas nécessairement domestique à vie : il peut devenir à son tour cultivateur une fois qu'il a acquis de l'expérience et réuni un certain pécule pour prendre lui aussi une ferme.

Du don contre don aux sociabilités

Les descriptions proposées par Bouët et Coëtanlem de la communauté rurale bas-bretonne et de ces espaces de sociabilité que sont les travaux agricoles et les réjouissances qui s'ensuivent laissent apparaître en filigrane le concept de don contre don énoncé par l'ethnologue Marcel Mauss pour les sociétés archaïques (Mauss, 2012). Au-delà des questions de salaire, des liens d'interdépendance se tissent. Le don de travail ou de festivités n'est pas gratuit ou simplement altruiste, car il oblige la personne qui a reçu à donner à son tour, non pas l'équivalent monétaire du service qu'on lui a rendu, mais plus encore – sinon cela équivaudrait à un simple troc. S'il y a bien des salaires pour les journaliers ou des gages pour les domestiques, les échanges ne se limitent pas à ces sommes d'argent versées. Ils impliquent aussi la reconnaissance des mérites des travailleurs et de leur capacité à faire fonctionner un ordre social qui paraît quasiment immuable. Ni Bouët ni Coëtanlem ne remettent en cause cet ordre où ils occupent une position dominante, et ils ne semblent même pas s'apercevoir que la société qu'ils décrivent peut être traversée de rivalités susceptibles de s'exprimer ailleurs que sur le champ ou l'aire à battre. Dans cette société rurale précapitaliste, le temps passé ensemble a du sens et forme une communauté, où les rivalités et les fâcheries ne sont pas absentes, mais où il n'existe pas d'opposition systématique entre un groupe et un autre. Il n'y a pas en Basse-Bretagne de ces révoltes sociales appelées « bacchanales » ou « mauvais gré » comme en Plaine de France, par exemple, où, sous l'Ancien Régime, les travailleurs saisonniers se rebellaient face aux riches fermiers qui les employaient pendant les moissons. En l'occurrence, ces moissonneurs venus de loin n'étaient pas membres de la communauté rurale. Ils étaient présents le temps des moissons et repartaient chez eux une fois leur mission accomplie, avec un salaire, sans aucune procédure d'agrégation à la communauté rurale comme les festivités offertes en Cornouaille ou au Léon. À l'issue des fenaisons ou moissons, en Basse-Bretagne, chaque individu ayant participé aux travaux a acquis une place au sein de la communauté, mais aussi l'assurance qu'il sera de nouveau sollicité l'année suivante, perpétuant ainsi les liens de dépendance et de solidarité.

* * *

Les exemples pris dans le dictionnaire de Coëtanlem ou *Breiz-Izel* permettent de comprendre le fonctionnement interne de la société rurale bas-bretonne et de montrer que les grands travaux agricoles constituent aussi des espaces de sociabilité. Cette sociabilité est ouverte et non réservée à une élite. En cela, elle ne se manifeste pas dans des objets, mais dans des pratiques. Si les riches citadins déambulent sur des promenades arborées, consomment des boissons exotiques dans des cafés et se reconnaissent ainsi comme membres d'une sorte de caste, les paysans bretons rivalisent plutôt d'agilité dans les danses ou combats de lutte qui leur sont proposés après les travaux des champs. Être bon danseur de gavotte vaut toutes les études savantes dans les collèges ou universités des villes et constitue un rite d'agrégation sociale qui a la même fonction que celui, pour les citadins, de fréquenter les cafés.

Ces lieux de sociabilité ont disparu avec le progrès agricole et surtout la mécanisation. Faucheuse, batteuse puis moissonneuse-batteuse ont sonné le glas des grands travaux agricoles en commun et des pratiques festives qui les accompagnaient, de même que l'exode rural a vidé les campagnes et engendré des liens plus lâches entre habitants des communes rurales. Henri Mendras (1967) souligne avec force que les notions de temps et d'organisation scientifique du travail étaient inconnues aux paysans des sociétés anciennes. Aujourd'hui, l'agriculteur est un exploitant, sinon un chef d'entreprise. S'il veut récolter sa moisson, il fait appel à la CUMA[9] constituée dans sa commune ou à un entrepreneur agricole qui facture au temps passé et aux machines mises à disposition les travaux qu'il a entrepris. Les campagnes bretonnes sont entrées dans une logique purement économique et les pratiques de sociabilité passent le plus souvent par l'adhésion à une association.

---

9. Coopérative d'utilisation du matériel agricole.

CHAPITRE 2

Sociabilités méthodistes et orthodoxie anglicane

Pierre Labrune

Le développement du méthodisme à partir de la fin des années 1730 ne va pas sans soulever des interrogations et des oppositions en Grande-Bretagne et dans les colonies américaines. En effet, les méthodistes se font surtout connaître par leurs innovations dans la pratique religieuse et par les critiques que ces dernières suscitent. S'ils rencontrent un grand succès au cours du xviiie siècle et s'ils sont si vertement décriés, c'est parce qu'ils s'organisent en petites sociétés très disciplinées, d'une part, et qu'ils s'affranchissent de l'espace réglementé qu'est l'église paroissiale, d'autre part, en pratiquant la prédication itinérante et la prédication en plein air. Au xviiie siècle, la prédication est une activité très encadrée en Grande-Bretagne. Normalement, seuls les curés et les vicaires affectés à une paroisse ont le droit d'y prêcher, et les prédicateurs dissidents doivent avoir une licence en bonne et due forme, selon les dispositions de l'*Act of Toleration* de 1689. Les pratiques méthodistes sont d'autant plus problématiques que les deux principales figures de la mouvance méthodiste dans sa phase d'expansion, John Wesley et George Whitefield, sont des ministres ordonnés de l'Église d'Angleterre et qu'ils ne cessent d'affirmer leur appartenance à l'Église établie. Aux yeux des autorités ecclésiastiques, c'est-à-dire de l'épiscopat, le méthodisme est donc une force de subversion intérieure qu'il faut combattre par des arguments rationnels.

L'opposition des évêques aux méthodistes a avant tout des raisons politiques et sociologiques. La prédication en plein air et les réunions des sociétés méthodistes chez des particuliers semblent menacer cet espace social qu'est l'église paroissiale, où l'on se réunit traditionnellement pour assister aux offices et pour écouter les sermons. L'église paroissiale anglicane est en effet, depuis le milieu du XVIIe siècle et les controverses religieuses des guerres civiles, un lieu extrêmement réglementé où les corps des fidèles sont disciplinés et où l'on a insisté sur une hiérarchisation des espaces pour lutter contre l'horizontalité et la sociabilité possiblement anarchique des « puritains »[1]. De plus, la prolifération de publications tant pour que contre le méthodisme au milieu du XVIIIe siècle contribue également à redéfinir la sociabilité aussi bien des anglicans orthodoxes que des méthodistes. Le défi que les pratiques des méthodistes représentent amène les anglicans orthodoxes à reconsidérer certaines de leurs positions. D'autre part, les assauts répétés contre le méthodisme jouent un rôle non négligeable dans la création d'un sentiment d'identité communautaire chez les membres de ce mouvement.

Les querelles suscitées par le développement du méthodisme à partir du tournant des années 1730 et 1740 sont des querelles théologiques, certes, mais aussi des débats sur le rôle que jouent l'espace et son organisation dans la pratique religieuse, qui est considérée comme une pratique éminemment sociale. En somme, ce mouvement remet en question la « production d'un espace » dans les églises paroissiales en proposant de nouvelles façons de penser la « distance qui sépare l'espace "idéal", relevant des catégories mentales (logico-mathématiques) de l'espace "réel", celui de la pratique sociale » (Lefebvre, 1974 : 24).

Le sermon méthodiste, outre qu'il s'affranchit de l'espace de l'église paroissiale, pose également problème du fait de la conception particulière de l'efficace homilétique qu'il met en œuvre. Ce qui est censé être un moment d'enseignement vertical chez les anglicans orthodoxes devient, lors des assemblées méthodistes, un moment d'expérience partagée et prétendument d'intervention directe de l'Esprit saint là où la communauté des fidèles se réunit. Tous ces débats sur la production d'un espace social par le culte religieux ont également une dimension politique, puisque la littérature polémique de l'époque compare constamment les méthodistes

---

1. Pour plus de détails sur la discipline des corps liée à une redéfinition de l'espace de l'église paroissiale au milieu du XVIIe siècle, et sur l'opposition entre une conception « anglicane » et une conception « puritaine » de l'organisation de l'espace dans les lieux de culte, voir Lurbe, 2015.

aux puritains ou aux catholiques – c'est-à-dire à des ennemis de l'intérieur ou de l'extérieur – afin de mieux les exclure de la communauté nationale.

Où prêcher ? Des querelles d'espace

Les innovations principales apportées par le méthodisme, et qui en font à la fois un objet d'intérêt aux yeux des foules et un objet de critiques de la part des dignitaires de l'Église établie, concernent la prédication et l'organisation du culte. Au sédentarisme du clergé paroissial, normalement tenu à résidence et qui prêche dans les églises consacrées, les méthodistes opposent la prédication itinérante et la prédication en plein air, la parole divine devant être partagée auprès du plus grand nombre. Ce changement de paradigme suscite de nombreuses réactions violentes et amène à reconsidérer la façon d'appréhender l'espace et les échanges sociaux qu'il suppose dans le cadre religieux.

Les débuts de la querelle : où participer au culte ?

Bien que l'on se serve du terme « méthodiste » dans des écrits polémiques pour désigner des groupes et des situations divers, il est d'abord utilisé péjorativement pour faire référence à John Wesley et à son « Holy Club », qui se réunit à Oxford dans les années 1730. Wesley lui-même accepte finalement l'appellation et fait paraître plusieurs lettres destinées aux « gens qu'on appelle méthodistes » afin de renverser le stigmate attaché au mot. Wesley et ses premiers disciples – notamment George Whitefield – cherchent à revitaliser le culte et la pratique au sein de l'Église d'Angleterre. Pour ce faire, ils défendent le fait de chanter des hymnes et de prêcher des sermons qui cherchent à émouvoir l'auditoire. Ils insistent également, sur le plan théologique, sur la « lumière intérieure » et la « nouvelle lumière », dont les fidèles doivent faire l'expérience pour être purifiés du péché. Wesley défend également la prédication itinérante et la prédication en plein air. Ces pratiques permettent aux prédicateurs méthodistes de s'adresser aux masses et de mettre en valeur l'inadéquation du clergé traditionnel de l'Église établie qui s'occupe de « la bureaucratie de l'âme » (Cragwall, 2013 : 62).

La querelle du méthodisme commence en 1739 avec une publication qui oppose l'office dominical dans une conception purement orthodoxe aux excès perçus de la pratique méthodiste. En effet, quand l'évêque de Londres, Edmund Gibson – l'une des plus grandes autorités en matière de droit canonique dans les années 1730 – publie sa *Pastoral Letter to the People of his Diocese* après avoir précédemment rencontré Wesley sans s'opposer à lui, il présente sa position comme un juste milieu entre, d'une part, la « tiédeur » et, d'autre part, « l'enthousiasme ». La première partie de la lettre est consacrée à la critique de la « tiédeur » et vise à justifier l'ordre établi et l'organisation de la société. Gibson y insiste sur la présence obligatoire des fidèles à l'église, et sur la nécessité d'y pratiquer une sociabilité religieuse sérieuse et encadrée par la hiérarchie, qu'il s'agisse du curé ou de l'évêque (Gibson, 1739). Pour l'évêque de Londres, la pratique religieuse en dehors de l'espace réglementé de l'église paroissiale est suspecte et il faut insister sur les vertus de l'organisation « ordinaire » de l'Église, qui assure le salut des âmes.

Dans la deuxième partie de sa lettre, Gibson reconnaît que les termes qu'emploie Whitefield sont théologiquement pertinents et renvoient à des articles de foi canoniques, mais il s'oppose à leur utilisation par les prédicateurs méthodistes afin de défendre l'efficace immédiate de leurs prêches ainsi que les critiques qu'ils font du travail ordinaire des ministres anglicans. Gibson croit en une Église établie dans le sens le plus spatial du terme, c'est-à-dire dans une institution représentée par des églises bâties dans tout le royaume et par des hommes chargés de guider les fidèles, et estime que les discours et les pratiques des méthodistes la menacent. Pour l'évêque de Londres, l'Église d'Angleterre ne peut accomplir sa mission qu'en étant durablement ancrée dans un territoire. C'est parce qu'une relation de confiance s'établit entre le ministre et ses ouailles que le service peut devenir un véritable moment d'enseignement. L'organisation spatiale du royaume en paroisses garantit l'union nationale en promouvant un idéal de sociabilité modérée et ordonnée.

Face à cela, Gibson voit le développement de la prédication itinérante et en plein air comme un péril, alors que les méthodistes y voient un remède au délabrement de l'enseignement religieux et aux limites des édifices consacrés. George Whitefield, dans une réponse qu'il adresse à Gibson plus tard dans la querelle, souligne d'ailleurs que l'itinérance et la prédication en plein air sont des solutions de fortune que les circonstances imposent du fait de la petitesse des églises et du fait que l'on n'y administre que peu l'eucharistie. Il conseille ainsi aux fidèles de rester dans leur paroisse, pourvu qu'ils puissent y recevoir le sacrement (Whitefield, 1744b).

La réponse de Whitefield souligne que la querelle s'est envenimée depuis 1739, notamment parce que Gibson a fait paraître anonymement une autre brochure en 1744 qui adopte une perspective plus explicitement légale pour critiquer les méthodistes. Il ne s'agit plus uniquement de les attaquer sur le principe de la prédication en plein air et de l'itinérance, mais aussi de trouver des arguments juridiques qui suggèrent que la sociabilité religieuse des méthodistes, affranchie de la paroisse, est potentiellement subversive. Ce qui est en jeu, du point de vue de l'évêque, c'est l'organisation religieuse du royaume par la loi, qui ne doit laisser proliférer aucune parole religieuse susceptible de remettre en cause l'édifice théologico-politique construit après les guerres civiles et l'*Act of Toleration*.

Réguler le culte : l'organisation de l'espace par la loi

L'anonymat de Gibson dans ses *Observations* n'est qu'une simple affaire de formes : Whitefield, quand il y répond, les considère immédiatement comme de la plume de l'évêque. La deuxième étape de la controverse voit Gibson faire directement allusion au contrôle exercé par le pouvoir politique sur les congrégations religieuses : il explique que l'on peut estimer que les rassemblements méthodistes sont illégaux. Les réunions à l'intérieur des maisons privées sont déjà considérées comme potentiellement subversives, mais les rassemblements en plein air sont présentés comme en violation complète de l'*Act of Toleration*. Pour Gibson, les méthodistes doivent choisir et ne peuvent être dans cet entre-deux spatial et théologique. S'ils veulent être membres de l'Église d'Angleterre comme institution, ils doivent alors se plier à sa discipline spatiale et pratiquer au sein des églises paroissiales. Ils doivent sinon devenir *dissenters* et obtenir des licences pour prêcher au sein d'établissements dûment désignés :

> Ils [les méthodistes] ont commencé par se réunir le soir dans des maisons particulières, mais ils poursuivent leurs activités et, depuis quelque temps, ouvrent des lieux de culte publics, comme si leur liberté était garantie par l'*Act of Toleration*. Non contents de cela, ils ont la hardiesse de prêcher dans les champs et en plein air et de convier, par voie de presse, la lie de la société à venir les écouter, faisant fi d'une disposition expresse dans une loi

(22. *Car. II.* c. I.) qui défend explicitement de se réunir dans un CHAMP (Anonyme [Gibson], 1744 : 4)[2].

L'accusation est étayée de références juridiques précises, et les méthodistes sont soupçonnés de s'affranchir des lois du royaume, qui garantissent la paix civile. Il ne faut pas sous-estimer l'importance de ces querelles dans l'élaboration d'une identité et d'une sociabilité propres aux méthodistes. Les thèses des premiers d'entre eux au sujet du sens de l'union de leur mouvement et de la spécificité de leur rapport à l'espace dans la pratique religieuse se forment dans le creuset de la querelle. En outre, la culture de l'imprimé joue un rôle majeur dans la constitution des réseaux méthodistes, que cela soit par l'intermédiaire des correspondances entre fidèles ou du fait de la dialectique entre satire et réaffirmation d'une identité commune (McInelly, 2014).

La querelle sur la légalité de la prédication en plein air et sur la centralité de l'église paroissiale dans la structuration sociale et morale du royaume se poursuit avec l'intervention d'un subordonné direct de Gibson, Thomas Church, et avec les réponses qu'elle suscite. Pour Church, la querelle ne porte pas sur la conscience des fidèles, mais bien sur leurs pratiques sociales. Dieu seul sonde les cœurs et les reins, mais il importe de respecter la loi des hommes, qui porte sur leurs actions et que la prédication en plein air menace. Il enjoint donc aux méthodistes, qui sont dans un entre-deux liturgique et théologique, de « se conformer entièrement, ou au moins de devenir légalement des dissidents » (Church, 1744 : 34-35), afin que l'organisation sociale de l'Église – c'est-à-dire l'entité sociale composée des fidèles ainsi que l'intégralité des bâtiments ecclésiastiques du royaume – soit préservée.

Dans toutes les réponses qu'il écrit, Whitefield insiste sur son orthodoxie vis-à-vis de l'Église établie et souligne que rien ne lui interdit de prêcher en plein air et qu'il est prêt à défendre sa cause devant un tribunal ecclésiastique, puisqu'il appartient à l'Église d'Angleterre. Il va même jusqu'à défendre la prédication en plein air en soulignant que c'est ainsi

---

2. "They began with Evening-Meetings at private Houses; but they have been going on, for some Time, to open and appoint *publick Places* of Religious Worship, with the same Freedom, as if they were warranted by the Act of *Toleration*. And, not content with that, they have had the Boldness to preach in the *Fields* and other open Places, and by publick Advertisements to invite the *Rabble* to be their Hearers; notwithstanding an express Declaration in a Statue (22 *Car.* II. c. I.) against assembling in a Field, by Name."

que Jésus prêchait. De même, ce serait lui faire un mauvais procès que de l'accuser d'agiter la « populace » puisqu'il cherche avant tout à parler et à édifier le plus grand nombre, comme le Christ.

Cette argumentation des méthodistes pose problème dans une perspective anglicane orthodoxe parce qu'elle suppose qu'il faut revenir aux temps évangéliques, alors que l'Église établie se pense comme une institution ordinaire ayant pris le relais des dispositions extraordinaires des temps apostoliques. Pour résumer, puisqu'il existe maintenant des églises bâties en pierre et une Église instituée, il faut obéir à l'organisation spécifique de l'espace et aux règles de sociabilité de l'institution au risque de mettre en péril la société et la religion. La prédication méthodiste est donc perçue comme une reconfiguration des espaces sociaux traditionnellement régis par l'Église puisqu'elle fait usage du vocabulaire de l'Église établie, mais produit des effets nouveaux. Dans la querelle du méthodisme, on se dispute au sujet de la rhétorique religieuse tout comme on se dispute sur les lieux appropriés pour la prédication. En somme, ce qui est en jeu, c'est la question de la possibilité ou non d'une sociabilité horizontale et non gouvernée par la hiérarchie centrale de l'Église établie.

Comment prêcher ? Organisation de l'espace et de la sociabilité par le sermon

Outre la pratique de la prédication itinérante et de la prédication en plein air, les prélats de l'Église établie trouvent aussi à redire à la rhétorique employée et aux thèses théologiques défendues par Wesley, Whitefield, et leurs disciples. En effet, les sermons méthodistes attirent de nombreuses foules du fait de la rhétorique enflammée des prédicateurs et de l'insistance théologique sur la rédemption et la justification par la foi que l'on y trouve. Les débats autour de la prédication méthodiste permettent ainsi d'appréhender la façon dont est pensée, dans la Grande-Bretagne du XVIIIe siècle, l'articulation entre rhétorique, espace et sociabilité dans le domaine religieux.

Le sermon comme performance

Au XVIIIe siècle, le sermon tient une place centrale dans l'office dominical dans les églises paroissiales en Grande-Bretagne. Dans la plupart des paroisses, la communion n'est en effet administrée aux fidèles qu'une fois l'an, à Pâques, ou, à la rigueur, dans les paroisses les plus pieuses, quatre fois par an, à l'occasion des grandes fêtes. Le sermon, quoique prononcé en chaire, est la plupart du temps lu à haute voix par le prédicateur, qui n'improvise pas. La hiérarchie ecclésiastique exerce donc un contrôle important sur les enseignements délivrés dans les églises au moyen de sermons imprimés. Le clergé paroissial cherche aussi à développer le catéchisme et l'instruction à l'intérieur des familles, mais tout cela reste encore extrêmement encadré par l'entremise de traités imprimés et présentés sous la forme de questions et de réponses.

C'est dans cette perspective qu'il faut comprendre les innovations rhétoriques apportées par le développement du méthodisme. Pour ses tenants, la prédication doit être plus vivante et doit avoir une efficacité immédiate, et parfois même visible, sur l'auditeur. La pratique de la prière et du sermon improvisés est par conséquent encouragée. De plus, les sermons méthodistes ne reculent pas devant l'emploi d'images tirées de la vie quotidienne afin de mieux émouvoir les ouailles.

Le sermon devient donc, dans la pratique méthodiste, un moment qui suppose la participation du public, et non un simple moment d'enseignement unilatéral. Les sermons méthodistes proposent même un modèle paradoxal de sociabilité afin d'assurer une efficacité maximale à la prédication. L'assemblée doit écouter et s'unir en prière afin de laisser agir l'Esprit saint, mais il ne faut pas que le sermon devienne un simple divertissement auquel on assiste pour voir, être vu, et échanger. George Whitefield consacre d'ailleurs un sermon entier aux dispositions dans lesquelles il faut être afin qu'un sermon fasse son œuvre. Il y suggère que chacun doit s'interroger personnellement et écouter en son cœur la prédication, car les conversions, même si elles sont spectaculaires et appartiennent au domaine de l'extraordinaire, ont vraiment lieu. Assister à un sermon, dans une église ou en plein air, revient, pour Whitefield, à faire une expérience particulière de l'espace partagé dans l'écoute (Whitefield, 1739). Un sermon n'est efficace que si chacun y participe, mais cette insistance sur la place des émotions intérieures fait que celui-ci risque de ne devenir qu'un divertissement comme un autre, qu'une occasion de sociabilité parmi les nombreuses autres qu'offre le monde.

L'ambivalence du sermon méthodiste, qui est à la fois un moment d'enseignement religieux et une expérience à partager, se voit tant dans les *Journaux* des prédicateurs que dans les brochures que font paraître leurs critiques, puisque l'on y trouve des mentions des réactions du public, c'est-à-dire des larmes, des grognements, des convulsions et des accès de glossolalie. De plus, la comparaison entre les prêcheurs et les comédiens est un lieu commun des publications anti-méthodistes afin de discréditer les innovations rhétoriques apportées notamment par Wesley et Whitefield. En cherchant à faire du sermon une expérience à partager, les méthodistes transformeraient l'église en un simple lieu de sociabilité ordinaire, soumis à la mode. Le parallèle entre les prédicateurs méthodistes et les comédiens est d'autant plus facile à faire que l'itinérance peut facilement ressembler à une tournée dans les provinces du royaume (Anderson, 2012 : 134).

L'argumentaire méthodiste souligne également que les nouvelles pratiques ne visent aucunement le schisme ou la séparation, mais s'inscrivent dans la tradition de l'Église d'Angleterre et de ses différentes organisations et congrégations. Whitefield écrit ainsi que les méthodistes ne font que suivre l'exemple de la Society for the Promotion of Christian Knowledge, fondée en 1698, tandis que Wesley insiste sur le fait que bien qu'ils se réunissent en petits comités dans des domiciles particuliers, ils ne cherchent en rien à faire sécession, bien au contraire. On peut même aller plus loin et ajouter que ce transfert de la sociabilité religieuse depuis l'église paroissiale jusqu'au cœur des maisons permet le développement de nouvelles sociabilités et donne notamment aux femmes la possibilité de créer des réseaux indépendamment du cadre familial (Mack, 2008). Les discussions légales et théologiques sur l'efficacité de la prédication en plein air débouchent donc sur des interrogations politiques quant à la potentielle sédition que la sociabilité méthodiste pourrait nourrir.

Les sociabilités religieuses horizontale et verticale

Pour les ecclésiastiques orthodoxes qui s'en prennent aux pratiques méthodistes, Whitefield, Wesley et leurs soutiens ne peuvent aucunement se réclamer du précédent des sociétés religieuses et de la prédication apostolique pour défendre leurs réunions et leurs prêches exaltés. Thomas Church, dans sa défense de la brochure de Gibson, écarte ainsi le parallèle entre méthodisme et sociétés religieuses :

Ils ne sont pas impliqués dans des querelles obscures et complexes susceptibles de créer la confusion dans leurs esprits, mais ils ont borné leurs médi-
tations à des sujets concrets ; vous avez fait revivre les vieilles disputes
calvinistes au sujet de la prédestination, etc., qui sommeillaient heureusement
depuis de longues années. Ils sont toujours restés dans les limites de la
sobriété intellectuelle ; vous vous êtes complus dans toutes sortes d'envolées
enthousiastes des plus extravagantes. [...]

Ils n'ont jamais eu recours aux prières improvisées en public : ils n'ont jamais
appliqué à leur propre situation les expressions par lesquelles l'esprit de Dieu
a décrit les actes de notre Sauveur béni, et ceux des Apôtres, qui avaient reçu
une inspiration particulière et une mission extraordinaire (Church, 1744 :
30, 43)[3].

La prédication méthodiste et les réunions à domicile, où l'on insiste sur
la Grâce et son action directe, semblent menacer la paix publique en se
réclamant d'une autorité usurpée. On reproche aux méthodistes, par
exemple, de faire semblant d'accomplir des miracles lors de leurs prêches.
L'utilisation de citations scripturaires par les méthodistes pour toute
occasion se rapproche même, pour certains, d'une forme de sacrilège,
puisque les Écritures servent à donner une dignité à ce que les autorités
orthodoxes estiment être de simples impostures.

Les deux camps opposés sont donc les suivants : d'une part, les autorités religieuses expliquent que la paix sociale et le salut des âmes sont
assurés par l'*establishment*, dans son sens littéral et figuré. C'est parce
qu'il existe une hiérarchie ecclésiastique, une verticalité de l'enseignement
religieux que vient souligner l'architecture même des églises, que les
prédicateurs n'ont pas besoin d'inspiration directe et que les vies ordinaires peuvent servir à la gloire de Dieu. D'autre part, pour les méthodistes, l'ordination diaconale et sacerdotale doit être prise littéralement.
Le ministre est directement inspiré par l'Esprit saint, et ses ouailles
peuvent l'être aussi, dans la continuité de l'esprit de la Réforme, qui veut

---

3. "They have not meddled with any dark intricate controversies to perplex their
minds, but have confined their meditations to practical subjects: You have revived the old
Calvinistical disputes concerning predestination, *&c.* which had happily slept for so many
years. They have kept themselves within the bounds of soberness of mind: You have
indulged yourselves in all manner of the most extravagant and enthusiastical flights. [...]
They never used extempore prayer in public; they never applied to themselves the
language in which the spirit of God described the acts of our blessed Saviour, and the
Apostles, who were particularly inspired, and had an extrordinary [*sic*] commission."

que chacun puisse être ministre. Il s'agit de remettre la religion au cœur de ces vies ordinaires, en assumant pleinement sa dimension extraordinaire. Il faut donc aller prêcher au plus près des gens, sous les arbres, dans les maisons, s'assurer d'une sociabilité religieuse où les fidèles lisent ensemble et font leur examen de conscience, afin que l'étincelle divine puisse finalement prendre. La sociabilité horizontale promue par les méthodistes est censée renvoyer constamment à ce qui dépasse tous les agencements humains, à savoir Dieu.

Dans cette perspective, la publication d'un long traité, *Enthusiasm of the Methodists and Papist Compared*, se comprend mieux, puisque l'on assimile les méthodistes à des manipulateurs qui complotent pour faire croire aux masses qu'ils ont des pouvoirs particuliers. De plus, cela permet de suggérer que la sociabilité religieuse hors des églises que les méthodistes appellent de leurs vœux est en vérité un ferment de subversion politique qui rappelle les troubles du milieu du XVIIe siècle.

Les politiques de l'espace : entre régicides, jacobites et méthodistes

Dans les deux premières décennies de la querelle du méthodisme, et donc à une époque où l'Église établie se considère comme le principal appui de l'ordre social et politique, les méthodistes sont constamment comparés aux catholiques et aux puritains, les deux extrêmes que la Glorieuse Révolution de 1688 est censée avoir éliminés. L'avènement de Guillaume III et de son épouse Mary est en effet dépeint comme une solution tant au catholicisme de Jacques II qu'aux excès du protectorat cromwellien après 1649. Dans cette perspective, la prédication en plein air, l'insistance sur la participation à l'eucharistie et les réunions en petits groupes à l'intérieur des maisons, c'est-à-dire trois des principaux apports du méthodisme, apparaissent comme des pratiques susceptibles de mener au complot et à la sédition.

Le méthodisme : un nouveau puritanisme ?

L'accent mis sur la justification par la foi seule dans les sermons de Wesley et de Whitefield – bien qu'ils soient en désaccord sur la possibilité d'une grâce gratuite et universelle – semble mettre en péril le rôle prescriptif de l'Église établie dans le domaine de la moralité pratique et de l'organisation de la sociabilité. Si les bonnes œuvres n'ont aucune utilité pour le salut, alors on peut estimer de façon simpliste que la participation au culte et le fait d'aider son prochain n'ont plus de raison d'être.

Les méthodistes sont donc souvent accusés d'antinomisme et de puritanisme. On sous-entend par là qu'ils menacent la légitimité de la tradition anglicane et de la hiérarchie ecclésiastique. Edmund Gibson, au début de la querelle, fait explicitement référence aux violences auxquelles peuvent conduire les orateurs qui se disent «inspirés» et affirme que les troubles des guerres civiles et du protectorat en sont un bon exemple (Gibson, 1739). Dans les années 1740, l'interrègne sous la férule du Lord Protecteur est perçu comme une aberration dans l'histoire d'Angleterre, comme le confirme la persistance des sermons du 30 janvier, afin de commémorer le supplice du roi Charles Ier.

Vingt ans après le début de la querelle, Warburton, quand il publie sa *Doctrine of Grace* en 1762, utilise encore cette stratégie rhétorique qui fait des méthodistes de nouvelles incarnations des puritains régicides, et il le fait en philologue. Il cite ainsi longuement des sources primaires et compare les *Journaux* de Wesley et de Whitefield à ceux des puritains du milieu du XVIIe siècle :

> Quiconque lit les longs récits traitant de la vie spirituelle des régicides alors qu'on les condamnait (et qui ont été, à l'époque, écrits et publiés par leurs amis afin de les faire passer auprès du peuple pour des saints et des martyrs) et les compare avec les journaux détaillés des *méthodistes* trouvera une similarité si exacte dans la frénésie des sentiments, et même dans le jargon employé pour s'exprimer, au sujet de la Foi, de la Grâce, de la Rédemption, de la Régénération, de la Justification, etc., qu'il pourra être pleinement convaincu que les deux groupes proviennent de la même souche (Warburton, 1763 : 186)[4].

On répond au défi que représentent les nouvelles pratiques religieuses et sociales des méthodistes en réaffirmant la modération et la dimension irénique de l'Église établie, censée calmer la violence et l'antinomisme des puritains. La querelle du méthodisme se déroule donc selon deux axes.

---

4. "Whoever reads the large accounts of the *Spiritual state of the Regicides* while under condemnation (written and published, at that time, by their friends, to make them pass, with the People, for Saints and Martyrs) and compares them with the circumstantial Journals of the *Methodists*, will find so exact a conformity in the frenzy of sentiment, and even in the cant of expression, upon the subject of Faith, Grace, Redemption, Regeneration, Justification, *&c.* as may fully satisfy him, that they are both of the same Stock."

D'une part, les latitudinaires ne cessent d'affirmer leur appartenance à une Église établie, liée au pouvoir politique et garante de la paix sociale et de la moralité ordinaire, parce qu'ils se sentent menacés par les innovations sociales des méthodistes, grâce auxquelles l'office religieux devient une expérience à partager, qui quitte l'espace réglementé de l'église paroissiale. D'autre part, les méthodistes, face aux accusations de sédition, font front et clament leur foi dans les articles au cœur de la religion anglicane. Ce concours où chacun cherche à affirmer son orthodoxie connaît son paroxysme aux environs de l'année 1745, alors qu'on assiste à un changement de stratégie rhétorique pour exclure les méthodistes de la communauté nationale. On les compare désormais aux catholiques du fait de la menace que représente la rébellion jacobite en Écosse cette année-là.

Le soulèvement de 1745 : vers la réglementation des espaces de culte

Le pamphlet anonyme de Gibson paru en 1744, *Observations upon the Conduct and Behaviour of a Certain Sect*, ne compare pas explicitement les méthodistes aux catholiques, mais il présente la sociabilité propre au mouvement, où chacun appartient à un petit groupe de fidèles qu'il rencontre régulièrement, comme une chose suspecte. Pour l'évêque, les méthodistes ont finalement créé une petite armée prête à leur obéir dans l'hypothèse de bouleversements politiques parce qu'ils sont parvenus à développer une pratique religieuse en dehors des églises. La prédication itinérante et les réunions fréquentes dans les domiciles permettent de constituer des réseaux de comploteurs qui s'affranchissent de leur ancrage territorial dans une communauté villageoise et la prédication en plein air peut soulever les foules :

> Peut-on, dis-je, considérer ces pratiques et ces manœuvres, qu'aucune loi ne vient autoriser, autrement que comme une tentative présomptueuse d'ériger une nouvelle constitution de l'Église, en application d'un plan *venu de l'étranger*, au mépris de ces sages maximes de gouvernement, de discipline et d'organisation du culte, que nos pieux ancêtres avaient jugées être les moyens les plus vertueux et les plus efficaces de préserver et de maintenir la religion ainsi que la paix et l'ordre public dans l'Église et dans l'État ? (Anonyme [Gibson], 1744 : 20)[5]

---

5. "Whether, I say, these Practices and Proceedings, not warranted by any Law, can be otherwise treated, than as a presumptuous Attempt to erect a new Church-Constitution,

Le fait que le mot « *foreign* » (« venu de l'étranger ») soit souligné suggère que la peur d'une invasion par le prétendant Stuart existe dès les premiers mois de l'année 1744. De plus, Gibson dissèque l'organisation des sociétés méthodistes et indique clairement qu'il s'agit selon lui du remplacement d'un modèle d'organisation sociale et religieuse par un nouveau modèle de sociabilité qui échappe à tout contrôle et qui permet une discipline accrue des fidèles. Cette interprétation se trouve confirmée par la réponse que Whitefield adresse à Gibson, où le prédicateur méthodiste se sent obligé de conclure par une grande déclaration patriotique. Face à Gibson qui lui reproche de prêcher à la lie de la société (« *the rabble* ») de façon désordonnée et de promouvoir une sociabilité religieuse anarchique où chacun peut parler et s'exprimer sur les grandes vérités théologiques, Whitefield avance la chose suivante :

> Et j'estime plus spécifiquement qu'il est de mon devoir de convier cette *lie de l'humanité* et de prêcher devant elle dans tous les endroits où la Providence m'enverra, *en ce moment précis*, afin que je puisse les avertir des terribles effets qu'ont les *principes papistes*, et les exhorter à redoubler d'efforts pour empêcher qu'un prétendant *papiste* ne s'asseye jamais sur le trône d'Angleterre (Whitefield, 1744b : 14)[6].

Pour Whitefield, en mars 1744, prêcher en plein air, prêcher en utilisant les émotions des gens simples revient à conforter la succession hanovrienne puisqu'il va porter la parole de l'Écriture aux plus humbles, là où ils sont, et qu'il leur enseigne l'obéissance au monarque et la supériorité du protestantisme sur la superstition papiste.

L'accusation de catholicisme cesse pendant quelques années après cette passe d'armes pour ressurgir en 1749, bien que la possibilité d'un retour du papisme en Grande-Bretagne ait complètement disparu après la défaite des troupes jacobites à Culloden en 1746. En effet, l'évêque Lavington fait paraître son long traité, *Enthusiasm of Methodists and Papists Compared*, qui joue sur la haine anti-catholique afin de discréditer

---

upon a *foreign* Plan; in Contempt of those wise Rules of Government, Discipline and Worship, which were judged by our pious Ancestors to be the best and most effectual Means for preserving and maintaining Religion, together with public Peace and Order in Church and State?"

6. "And more especially do I think it my Duty to invite and preach to this *Rabble* in all Places, where Providence shall send me, *at this Season*, that I may warn them against the dreadful Effects of *Popish Principles*, and exhort them to exert their utmost Endeavours to keep out a *Popish* Pretender from ever sitting upon the *English* Throne."

définitivement le méthodisme. Pour Lavington, l'implication même des méthodistes dans les querelles est une preuve de leur duplicité et de leur nature quasi jésuitique. Les échanges et la sociabilité particulière que suppose l'existence d'une querelle deviennent, pour Lavington, la preuve de l'existence d'un complot méthodiste. Il explique ainsi que Wesley, par exemple, change de langage selon qu'il répond aux évêques ou qu'il s'adresse à ses ouailles, comme s'il n'était pas tenu au respect de la parole donnée :

> Et il est facile de voir quelles *nuances* et quelles *réserves* sont susceptibles d'être utilisées dans une situation comme dans l'autre, selon les nécessités de l'occasion ; quelles interprétations *différentes* des mots il peut donner selon qu'il est parmi sa propre *société*, ou qu'il est engagé dans une *querelle* (Lavington, 1749 : 80-81)[7].

Lavington revient aussi sur le comportement des méthodistes lors du soulèvement jacobite et estime qu'il s'agissait d'un sophisme. En effet, Wesley considère dans une de ses brochures que la rébellion est le signe du courroux de Dieu en raison du traitement que subissent les méthodistes en Grande-Bretagne. Selon l'évêque d'Exeter, cela montre surtout l'inanité de la théologie méthodiste, qui tend à voir des signes divins dans tous les événements. Si la rébellion de 1745 est un signe de mécontentement divin, alors son issue heureuse pour l'Église établie, puisque le catholicisme n'a pas été rétabli, devient problématique dans la perspective de Wesley. La victoire contre le prétendant Stuart ne saurait donc être liée à la façon dont on considère les méthodistes. Au contraire, pour Lavington, on peut combattre et les méthodistes et les jacobites puisqu'il s'agit, en dernière analyse, des mêmes personnes :

> Supposons qu'on lui demande de citer une *tentative publique – ou quoi que ce soit de similaire – d'exalter ou de favoriser les méthodistes avant que la nation ne connût cette bénédiction et ce soulagement que fut la bataille de Culloden,* quelle réponse recevable pourrait-il donner ? (Lavington, 1749 : 89)[8]

---

7. "And 'tis easy to see what *Shiftings and Reserves* may be ready at Hand either Way, as Occasion shall require; what *different* Constructions may be put upon the Words among his own *Society*, and when engaged in *Controversy*."

8. "Suppose one should *ask* him, What *Public Attempts* there was, or *any Thing like it*, to *raise up* or *favour the Methodists*, before the Nation was *blessed, and relieved by the Battle of Culloden*; what tolerable *Answer* could he make?"

Au début des années 1760, William Warburton fait aussi usage de toutes les stratégies rhétoriques dont il dispose pour s'attaquer au méthodisme puisqu'il pense que la polémique religieuse est une nécessité absolue alors que la sociabilité rationnelle et idéale qui sous-tend l'efficacité et l'organisation de l'Église d'Angleterre semble menacée par les ratiocinations des déistes et par l'enthousiasme des méthodistes. Il peut donc comparer dans l'espace de deux pages John Wesley à Ignace de Loyola et à Oliver Cromwell pour suggérer qu'il s'agit avant tout d'un hypocrite avide de pouvoir. Toutes les accusations de puritanisme ou de catholicisme visent, en dernière analyse, à exclure les méthodistes de la communauté nationale, à leur nier la possibilité de partager l'espace public, de participer aux différents débats, et d'appartenir à l'Église nationale tout en préservant leurs pratiques religieuses particulières, qui redéfinissent les rapports de la sociabilité et de l'espace dans le domaine religieux.

Le méthodisme et la communauté nationale

Wesley et Whitefield participent à toutes les querelles au sujet du méthodisme et défendent constamment le mouvement dans des brochures bon marché. Alors que les années passent, on retrouve tout au long des publications les mêmes arguments qui sont, semble-t-il, répétés en boucle. À l'accusation d'antinomisme, par exemple, on oppose presque toujours la lettre des 39 articles de foi de l'Église d'Angleterre qui, dans la continuité des épîtres pauliniennes, des thèses de saint Augustin, et de la Réforme protestante, affirment que le salut n'est qu'une affaire de foi (Whitefield, 1744a)[9]. De plus, les méthodistes, dans la tradition des *dissenters*, se voient comme de nouveaux représentants de premiers chrétiens et estiment par conséquent que les critiques qu'ils suscitent viennent prouver qu'ils disent vrai. La persécution devient un témoignage de la justesse de leur foi, ils deviennent, au sens étymologique, des martyrs. Wesley, par exemple, dans sa réponse au parallèle de Lavington, explique qu'il est impossible de parvenir à un accord puisque le rire et le ridicule sont la marque de l'œuvre

---

9. "This is the great fundamental Point in which we differ from the Church of *Rome* [...] This is the grand Point of Contention between the Generality of the established Clergy, and the Methodist Preachers: We plead for free Justification in the Sight of God by Faith alone, in the imputed Righteousness of Jesus Christ, without any Regard to Works past, present, or to come."

du diable et que, par conséquent, personne ne l'écoutera. La querelle est en même temps un signe de la nécessité d'une sociabilité méthodiste et la preuve qu'un idéal de sociabilité dans le combat rhétorique est impossible. Il ne s'agit plus de débattre d'un désaccord théologique avec un coreligionnaire, il faut faire front commun contre un adversaire :

> Que pouvait faire le Dieu de ce monde dans un pareil cas afin d'empêcher que cette *religion sérieuse et sobre* ne se diffuse ? La même chose qu'il fait depuis le début du monde. Afin d'éviter que la Lumière de ceux que Dieu avait ainsi changés ne brillât devant les hommes, il les affubla tous, en général, d'un sobriquet. Il les appela *méthodistes*. Et ce nom, pour insignifiant qu'il fût en lui-même, lui permit en effet d'accomplir son dessein. Car par ce moyen, cette lumière se vit bientôt obscurcie par le préjugé contre lequel ni l'Écriture ni la Raison ne pouvaient résister. Du fait des idées odieuses et ridicules associées à ce nom, ils furent condamnés en masse, sans qu'on les entendît jamais (Wesley, [1750] 1812 : 42)[10].

La querelle devient donc une épreuve permettant d'affirmer sa foi et un moyen paradoxal de renforcer les liens unissant les fidèles au sein des sociétés méthodistes. Whitefield, malgré ses désaccords avec Wesley, répond à Lavington en utilisant une stratégie similaire puisqu'il retourne l'accusation de cryptocatholicisme à l'accusateur. Selon Whitefield, seul un papiste peut douter de la possibilité d'être assuré de sa foi, et les attaques contre la notion méthodiste de la « nouvelle naissance » sont par conséquent un écart par rapport à l'orthodoxie anglicane (Whitefield, 1749).

Et Whitefield d'affirmer, ensuite, que les pratiques méthodistes permettent de rendre son véritable sens à la religion protestante puisqu'elles remettent en cause la domination des prêtres, des papes, et qu'elles libèrent des superstitions. Pour les méthodistes, la véritable sociabilité chrétienne peut exister en dehors des églises paroissiales. La prédication en plein air et les réunions des sociétés méthodistes ne sont donc plus des innovations

---

10. "What could the God of this World do in such a Case, to prevent the Spreading of this *serious*, *sober Religion*? The same that he has done from the Beginning of the World. To hinder the Light of those whom God had thus changed, from shining before Men, he gave them all in general a Nick-name: He called them *Methodists*. And this Name, as insignificant as it was in itself, effectually answered his Intention. For by this Means, that Light was soon obscured by Prejudice, which could not be withstood by Scripture or Reason. By the odious and ridiculous Ideas affixt to that Name, they were condemned in the Gross, without ever being heard."

dans cette perspective, mais des réactualisations de pratiques anciennes. L'église n'est plus uniquement un bâtiment qui réglemente l'espace, il s'agit de faire revivre, par l'insistance sur un nouveau partage de l'espace et sur une sociabilité religieuse plus fréquente, plus disciplinée et paradoxalement plus ouverte, le message évangélique. L'église n'est pas au cœur du village, mais là où deux ou trois s'assemblent au nom du Christ[11].

* * *

Au milieu du XVIIIe siècle, l'Église d'Angleterre se considère comme une *via media*, comme un lieu de rencontre et de sociabilité modérée grâce à l'union de la hiérarchie ecclésiastique et de la liberté vis-à-vis du pape. Les offices religieux en eux-mêmes sont cependant assez ternes. Le ministre du culte lit un sermon à haute voix et les ouailles ne participent pas véritablement à l'office. De plus, les églises, en tant que bâtiments, sont trop petites et trop peu nombreuses. L'espace de l'église paroissiale est donc un lieu complètement réglementé où les échanges sont assez limités. L'Église établie a cependant une influence majeure à l'époque étudiée ici, notamment grâce à ce réseau serré, quoiqu'imparfait. Elle est également très liée au pouvoir politique.

C'est pourquoi le développement du méthodisme dans les années 1740 peut représenter un défi. Puisque les prédicateurs prêchent en plein air, n'hésitent pas à improviser des diatribes enflammées et recherchent systématiquement une participation de leurs ouailles, ils remettent en question la division traditionnelle des espaces religieux et redéfinissent la sociabilité religieuse. Les querelles religieuses reprennent donc de plus belle durant ces années alors qu'elles s'étaient calmées depuis la controverse de Bangor en 1717. L'enjeu principal de ces querelles, c'est le sens qu'il faut donner à la participation à un office religieux. L'office dans l'église paroissiale est un rituel extrêmement réglé, où chacun connaît son rôle et la place qui lui est assignée dans l'espace. D'autre part, les méthodistes exigent de leurs fidèles une discipline individuelle extrêmement stricte, mais proposent, du fait de la prédication en plein air et de leurs sermons et prières improvisés, une approche plus libérée des offices religieux.

---

11. « Car là où deux ou trois sont assemblés en mon nom, je suis au milieu d'eux » (Matthieu, 18, 20).

Après la mort de John Wesley en 1791, les méthodistes deviennent cependant officiellement des *dissenters* et sont reconnus comme une dénomination à part. Ils ne sont plus à la fois à l'intérieur et à l'extérieur de l'Église établie. Il devient donc plus aisé de les accepter dans la communauté nationale, et ce, d'autant plus qu'ils montrent un soutien indéfectible à la Couronne pendant les révolutions américaine et française.

CHAPITRE 3

Poésie ouvrière et paternalisme en Grande-Bretagne

Fabienne Moine

Grâce à la circulation de poèmes écrits par les ouvriers, la manufacture[1] victorienne du milieu du XIXe siècle peut être considérée comme un lieu de sociabilité qui atténuerait les effets de l'industrialisation et de la destruction de la sphère familiale. La production et la consommation de poésie sont des pratiques sociales et culturelles courantes qui permettent de renforcer la communauté et la solidarité ouvrières autour de la figure du barde-ouvrier[2], porte-parole des travailleurs. Au même moment, le nouveau paternalisme soutient un fonctionnement de la manufacture en vase clos, protégeant les ouvriers des influences extérieures, socialisme ou syndicalisme. Ce paternalisme prend des formes nouvelles au milieu du XIXe siècle, mais s'appuie sur le paternalisme utopique de Robert Owen, qui déploie dès 1800 des mesures philanthropiques innovantes dans sa manufacture de New Lanark. Le système d'obligations et de devoirs qui contrebalance le pouvoir du maître soutient les initiatives poétiques individuelles et collectives, qui consolident l'organisation sociale de la manufacture.

---

1. Le terme de « manufacture » sera préféré à ceux de « fabrique » ou d'« usine » parce que la manufacture place l'ouvrier et son savoir-faire manuel au cœur du dispositif. La fabrique et l'usine, au contraire, situent la machine au centre de celui-ci, avec des ouvriers interchangeables et employés précisément pour faire fonctionner les machines.

2. Il s'agit d'une référence à la communauté des « bardes d'origine modeste » (« *lowly bards* »), l'un des trois groupes de poètes populaires selon Brian Maidment dans *The Poorhouse Fugitives. Self-Taught Poets and Poetry in Victorian Britain* (1987), les deux autres étant les « Parnassiens » et les « Radicaux ».

Cette poésie est en conformité avec les modèles canoniques, mais possède ses propres modalités de création et de diffusion, dont les spécificités méritent d'être étudiées, car rares sont encore les initiatives qui tendent à montrer que la manufacture peut aussi être perçue comme un lieu de production poétique. Ce chapitre aborde les spécificités de la poésie produite au sein de la manufacture par le prisme des pratiques sociales qui s'y développent et le rapport qu'elle entretient avec la construction d'une sociabilité poétique ouvrière dépendante de l'institution[3].

Les poèmes écrits au milieu de l'époque victorienne sont bien souvent des témoignages de la douloureuse réalité du travail à la manufacture, mais aussi, parfois, des tentatives de résistance pour échapper au labeur quotidien. L'anthologie de poésie populaire de femmes dirigée par Florence Boos (2008) souligne la souffrance des ouvrières et le rapport de forces qui s'établit avec la source du pouvoir. Les travaux de Patrick Joyce (1980), par ailleurs, suggèrent que les conflits et la résistance sont des considérations plaquées *a posteriori* sur cette production poétique. Il faut aussi considérer que la déférence envers le système industriel et la volonté de paix sociale du point de vue de l'ouvrier sont très marquées lors du renouveau paternaliste. C'est précisément dans les pratiques sociales et culturelles qui renforcent une conscience de classe, plus au sens identitaire que politique, que l'on peut déceler cette harmonie. Les points de vue de Boos et de Joyce ne s'opposent pas : ainsi, la poésie encomiastique, à la louange du patron, témoigne du processus d'adhésion, souvent contre son gré, à la politique de l'entreprise et au système capitaliste ; mais elle souligne aussi la volonté de créer une sociabilité professionnelle et poétique qui redonne sa dignité au groupe de travailleurs.

Les mécanismes de fabrication de la sociabilité poétique au sein de la manufacture et autour de la figure du barde-ouvrier révèlent que toute une économie et une communauté d'acteurs de l'activité poétique sont nécessaires pour permettre l'émergence de la poésie ouvrière et faire de la manufacture une sociabilité poétique.

La vie sociale de l'ouvrier anglais du textile est rythmée par son travail, mais aussi par la cadence des pratiques culturelles structurées au sein

---

3. Voir principalement l'ouvrage de Kirstie Blair (2019a) et le projet qu'elle conduit avec Michael Sanders, « Piston, Pen and Press, Literary Cultures in the Industrial Workplace » (https://www.pistonpenandpress.org), dont l'objectif est d'explorer la manière dont les ouvriers écossais et du nord de l'Angleterre ont participé activement à l'élaboration de la culture populaire par la production de poèmes publiés dans la presse.

de l'institution, comme l'écriture de poèmes écrits pour des festivals, qui mettent la manufacture et le patron à l'honneur. Pratique culturelle d'usage au sein des manufactures du milieu du siècle, les poèmes encomiastiques témoignent de la très grande considération, souvent proche de la servilité, des auteurs pour l'institution de travail et pour l'industriel. Les poèmes en l'honneur de Titus Salt, capitaine d'industrie, et de sa manufacture modèle à Saltaire dans le Yorkshire illustrent une relation quasi féodale entre l'ouvrier et le patron, et construisent un modèle de collectivité au sein de la manufacture.

Les réponses poétiques des ouvrières au paternalisme sont particulièrement intéressantes, car certaines d'entre elles présentent l'institution non comme lieu d'aliénation et d'oppression, mais comme un espace qui consolide la communauté locale grâce à ses pratiques culturelles. La situation des ouvrières, notamment dans le cas d'Ellen Johnston, est particulièrement significative, car pour elles l'institution, plutôt que les habituels réseaux de production et de diffusion, leur fournit visibilité, respectabilité et reconnaissance à l'échelle locale, parfois nationale. Se conformer au modèle paternaliste permet ainsi d'utiliser le cadre professionnel et la sociabilité industrielle que propose l'institution pour renforcer son propre succès littéraire.

Les muses de la manufacture

Les recherches sur les pratiques poétiques ouvrières, fragmentaires encore aujourd'hui, soulignent que la production et la circulation de poésie démotique s'appuient sur la construction d'indispensables communautés poétiques au sein de la manufacture. Les pseudonymes derrière lesquels se cachent fréquemment les poètes locaux les aident à acquérir une notoriété dans leurs milieux professionnels : « une femme d'ouvrier », « l'ouvrière », ou encore « la muse de la manufacture ». Ces muses ne sont que l'une des catégories de poètes démotiques ; mais comme pour les autres groupes de poètes, fermiers, artisans ou petits employés, la poésie est une pratique sociale dépendante des réseaux locaux de sociabilité. Quels sont donc les éléments nécessaires à la construction de la communauté et à la production poétique populaire ?

Les lieux de production et de consommation de poèmes populaires ne sont pas rares puisque la poésie accompagne la vie du travailleur, « que ce soit dans la rue, chez l'imprimeur local, ou dans l'échoppe du libraire, dans des magasins dédiés comme le "Poet's Box" de Glasgow et Dundee, sur les panneaux publicitaires, dans les pubs, les théâtres, les music-halls et dans le cadre social ou familial, et surtout en position privilégiée dans la presse locale[4] » (Blair, 2019a : 25). Mais il est encore difficile de distinguer les poèmes directement écrits pour l'institution, que Kirstie Blair appelle « *associational verse* », alors même qu'il s'agit d'une pratique courante. En effet, si des centaines de poèmes sont récités ou chantés lors des fêtes locales, leur vie est éphémère. Les poètes retrouveront parfois leurs poèmes dans la presse locale, mais rares seront ceux qui pourront les publier dans un recueil ou entreprendre une carrière professionnelle.

Si les ouvriers sont exclus des cénacles et des salons habituels et se trouvent souvent sans ressource matérielle et relationnelle pour publier un recueil de poèmes, ils bénéficient pourtant de toute une économie poétique solidaire qui encadre la production puis la diffusion des poèmes. Les éditeurs de journaux locaux jouent un rôle primordial dans le destin poétique d'un ouvrier. Le choix de poèmes écrits par les poètes régionaux est extrêmement sélectif, ce qui apporte prestige et notoriété à celui dont les vers figureront dans le journal local. La compétition est si forte que certains éditeurs se plaignent d'être littéralement submergés par cette production poétique. Les concours de poésie organisés par les journaux peuvent aussi encourager les velléités locales. Une fois qu'un poème est choisi pour figurer dans le « Poet's Corner » du journal municipal, le poète connaîtra peut-être une gloire éphémère et locale.

Les exemples de poètes démotiques ayant connu une certaine renommée régionale ne sont pas rares, toute proportion gardée par ailleurs. Mais le succès même modeste ne vient qu'à ceux qui bénéficient du soutien financier de mécènes issus de la petite noblesse locale, notables ou patrons, pour la publication d'un volume de poésie. Les introductions qui précèdent les poèmes dans l'anthologie de poésie populaire dirigée par John Goodridge et Bridget Keegan (2006) soulignent que les poètes ne peuvent se passer du soutien de bienfaiteurs et que l'activité poétique dépend de toute une économie littéraire. Ils ne peuvent que rarement

---

4. "[W]hether in the streets, in the local printer or bookseller's shop, in dedicated new shops like the 'Poet's Box' of Glasgow and Dundee, on advertising hoardings, in pubs, theatres, music-halls and domestic social settings, and most of all in prominent positions in the local press".

abandonner leur travail à la manufacture pour se consacrer à l'écriture de poèmes. C'est le cas de Joseph Skipsey (1832-1903), ouvrier de Northumbrie connu sous le nom du «poète mineur» («*the Pitman Poet*») après avoir écrit un poème largement diffusé sur la catastrophe minière de Hartley survenue en 1862, de Samuel Bamford (1788-1872), tisserand et réformateur radical du Lancashire, de Ben Brierley (1825-1896), également tisserand dans la même région, ou encore de John Critchley Prince (1808-1866), ouvrier à Wigan et surnommé «barde de la manufacture» («*the factory bard*»). Quant aux femmes, plus nombreuses dans les manufactures de textile mais minoritaires parmi le groupe de poètes démotiques, elles sont exclues des occasions de célébrité locale par leur classe et par leur sexe. Contrairement à leurs confrères qui peuvent réciter leur poésie dans les sociétés littéraires, dans les cafés ou les goguettes, espaces de performance et de succès poétiques, elles ne bénéficient d'aucun espace physique de sociabilité.

L'exemple du réseau poétique tissé par Ellen Johnston (1835?-1874), ouvrière du textile à Dundee, Belfast et Glasgow, est à la fois typique, car il offre une synthèse de toutes les formes d'assistance apportées par la sociabilité poétique, et exceptionnel, car il était extrêmement rare pour une femme de mobiliser un tel réseau de diffusion et d'atteindre un succès aussi important. C'est une des très rares ouvrières qui a réussi à publier un recueil de poèmes, à atteindre une renommée au-delà des frontières de la région de Dundee et à construire sa *persona* poétique autour de son emploi à la manufacture. Mais le réseau de sociabilité qui se crée autour d'elle et de ses poèmes n'a pu exister que grâce à l'éditeur du *Penny Post* de Dundee entre 1860 et 1868, Alexander Campbell, socialiste de la première heure, qui soutient ses initiatives poétiques. Il annonce la future publication de son volume en appelant ses lecteurs à verser une souscription, distribue des cartes de visite qui font la publicité de Johnston et continue à informer ses lecteurs de ses activités, notamment les lectures publiques qu'elle donne de ses poèmes. Sans la solidarité générée par le réseau de Campbell, Johnston n'aurait jamais connu la célébrité, aussi fugace fût-elle, ni pu publier les deux éditions de son *Autobiography, Poems and Songs* préfacées par le critique et mécène George Gilfillian en 1867, puis en 1869.

Les échanges poétiques dans certaines sections des journaux renforcent une sociabilité locale : « [Les poèmes] contribuaient aussi à créer un sentiment d'appartenance à la communauté, comme les poètes s'adressaient aux lecteurs, se congratulaient mutuellement, et mettaient à l'honneur les "familles" de lecteurs et d'auteurs du [*People's*] *Journal* et du [*People's*] *Friend*. Les lecteurs avaient l'impression de connaître les poètes du journal personnellement et les considéraient comme des célébrités locales, comme le suggèrent les nombreux poèmes qui font l'éloge d'auteurs et de poèmes spécifiques[5] » (Blair, 2019a : XIX). Ainsi la section « Notices to Correspondents » du *Penny Post* tisse un lien social et poétique entre Johnston et ses admirateurs en publiant un grand nombre de poèmes écrits par ceux-ci, ce qui souligne aussi bien son succès littéraire que l'engouement pour sa personne. Dans son autobiographie, où elle ajoute de nombreux poèmes de ses admirateurs, Johnston se réjouit de son succès poétique : « [Mes vers] ont semblé charmer nombre de leurs lecteurs, dont j'ai reçu les courriers depuis différentes provinces et dans lesquels ils acclamaient vivement mes contributions et m'offraient leur sympathie, leur amitié et leur amour ; tandis que d'autres, inspirés par les muses, me répondaient en utilisant le même moyen populaire[6] » (Johnston, 1867 : 15). Si tous les poèmes rendent hommage à Johnston, muse des plus faibles, « jeune fille de la jolie Dundee » (« *maid o' bonnie Dundee* », 1867 : 152), « muse de la vieille Scotia » (« *Old Scotia's muse* », 1867 : 176) ou simplement « *Ellen* » (1867 : 189) et l'encouragent à poursuivre sa mission bardique collective « au milieu du vacarme des navettes et des métiers à tisser[7] » (1867 : 156), chaque poème exprime le souhait d'une relation particulière avec la poète. Mais la construction d'une sociabilité industrieuse est également liée au patron, figure essentielle de cette économie poétique.

---

5. "[Poems] also helped to create a sense of community, as poets addressed readers, praised each other, and celebrated the [People's] *Journal* and [People's] *Friend* 'families' of readers and authors. Readers felt that they knew newspaper poets personally, and treated them as minor celebrities, as the many poems in praise of particular authors and poems suggest".

6. "[My verse] seemed to cast a mystic spell over many of its readers whose numerous letters reached me from various districts, highly applauding my contributions, and offering me their sympathy, friendship, and love; while others, inspired by the muses, responded to me through the same popular medium".

7. "'mid din of shuttle and loom". Anonyme, "Lines by Edith to the Factory Girl", p. 156.

Une sociabilité féodale et une poésie paternaliste

Ceux que l'on appelle les «capitaines d'industrie», nom que l'historien Thomas Carlyle donne aux industriels qui forment une nouvelle aristocratie à même de créer de la richesse tout en préservant l'harmonie sociale et la loyauté mutuelle, développent leur entreprise et accroissent leurs bénéfices tout en s'appliquant à renforcer la relation avec les ouvriers par leur engagement paternaliste. Même si la responsabilité sociale des patrons a souvent pour but de neutraliser le pouvoir des premières organisations syndicales et de maintenir une main-d'œuvre stable, leur paternalisme vise aussi à renforcer l'image d'une communauté soudée, industrieuse, tournée vers les mêmes objectifs de développement économique et d'amélioration de la société. Pour décrire leur mission, ils écartent les termes de «subordination, condescendance, rang et position sociale» au profit de ceux d'«égalité, de liberté et d'intérêts communs» (Roberts, 2002: 67). Le paternalisme est ainsi fondé sur un engagement bilatéral dans la manufacture, qui devient une institution fédératrice. Selon Patrick Joyce, le paternalisme d'entreprise rappelle le rapport de féodalité entre le seigneur et ses vassaux, liés par un système de droits et de devoirs: «La forme la plus convaincante que prit la solidarité au XIXe siècle fut peut-être le modèle féodal du partage des droits et des devoirs, l'employeur ne manquant pas d'être la tête pensante et la force motrice dans n'importe quelle métaphore choisie pour exprimer cette union[8]» (1980: 140).

L'engagement dans cette sociabilité industrieuse s'exprime au cœur des nombreuses pratiques culturelles des ouvriers, encadrées et soutenues par les industriels. Ce sont des occasions de se divertir, mais aussi d'exprimer leur allégeance au patron et à sa famille. En voici quelques exemples, fournis par Patrick Joyce: «Dîners offerts aux employés et récompenses, excursions à la campagne et à la résidence du patron, bibliothèques, salles de lecture, cantines, bains, conférences, lectures, gymnases, coopératives destinées à assurer les frais funéraires, etc., devaient devenir la règle plus que l'exception parmi le grand patronat[9]» (1980: 148). Diverses

---

8. "The most compelling nineteenth-century version of solidarity was perhaps the feudal one of shared rights and obligations, the employer of course being the sentient and directing force in whatever metaphor was chosen to express union".

9. "Work dinners and treats, trips to the countryside and the employer's residence, libraries, reading rooms, canteens, baths, lectures, gymnasia, burial societies and the like were to become the rule rather than the exception among the big employers".

formes d'éloge au patron sont présentées à l'occasion de ces événements. Que ce soit sur leurs bannières caractérisant l'appartenance à une corporation ou bien dans leurs discours ou leurs poèmes, les ouvriers expriment leur soutien à l'institution garante de cette sociabilité. À la même époque en France, de nombreux poèmes, présentés sous la forme d'un inventaire de métiers, font l'éloge de ces corporations, mais ce sous-genre poétique disparaît dans la seconde moitié du siècle, lorsque la poésie ouvrière prend un tour plus social, se charge de dénoncer les conditions de travail inhumaines, rejette la loyauté à la manufacture et conteste l'existence d'une sociabilité laborieuse au sein de l'institution.

La récitation de poèmes encomiastiques, en l'honneur du patron, de la manufacture ou de la marque, lors des festivités annuelles est une pratique courante, dont le but est de consolider la communauté industrielle, comme le souligne Kirstie Blair : « il aurait été relativement inhabituel pour un lieu de travail de grande taille de n'avoir aucun employé qui produise une quantité raisonnable de poèmes, et de nombreux lieux de travail pouvaient se vanter d'avoir un ou plusieurs auteurs de poésie publiés[10] » (2019b : 137). Certains volumes de poésie ouvrière furent même dédiés aux patrons mécènes, comme *Flowers from the Glen*, que James Waddington, tisserand, adresse à Titus Salt (1803-1876), à la tête de la manufacture modèle de Saltaire à Bradford : « À Monsieur Titus Salt, dont la bienveillance reconnaît la valeur et le génie dans n'importe quelle classe sociale où ils se trouvent[11] » (1862).

Que le poème réponde à une commande ou soit écrit plus ou moins spontanément par un ouvrier de la manufacture, il n'efface pas totalement les réalités des classes sociales, mais fait aussi et surtout ressortir une sociabilité au sein de l'institution de travail. La déférence envers l'ordre patronal, selon Patrick Joyce, justifie l'utilisation de la poésie, qui soutient la sociabilité de la manufacture. Comme les autres pratiques culturelles, la poésie ne cherche pas à dénoncer la hiérarchie, mais à transformer les rapports de force et de classe en relations émotionnelles « dans [lesquelles]

---

10. "It would [...] have been relatively unusual for a large workplace to have no employees who could produce a reasonable set of verses, and many workplaces could boast one or more published poets".

11. "To Titus Salt, Esq., whose benevolent sympathy recognises worth and genius in whatever class it may appear". Salt soutiendra aussi les poètes John Nicholson (1790-1843), Abraham Holroyd (dates inconnues) et Robert Story (dates inconnues).

le travailleur consentait à sa propre subordination » (Joyce, 1980 : 90). Joyce ajoute que l'adhésion au modèle est facilitée par la construction d'une « sociabilité communautaire », dans laquelle les rôles, et non les groupes sociaux, sont clairement répartis[12] – l'employeur représentant la tête et les ouvriers les mains, le sang représentant généralement le capital.

L'exemple emblématique des fêtes en l'honneur de Saltaire et de son patron paternaliste permet de voir la manière dont la récitation de poèmes encomiastiques renforce la sociabilité au sein de l'institution. Le temps d'une célébration, la fracture entre les classes sociales disparaît. Les festivals de Saltaire font partie de la liste des nombreux événements paternalistes organisés par la plupart des grands industriels du textile, comme Samuel Greg, Thomas Ashton, Henry et Edmund Ashworth, Samuel Courtauld ou Edward Ackroyd. Selon Marlène Petit-Laudon, une part substantielle des profits de Saltaire était attribuée à l'organisation de festivités dans le but de concilier capital et travail[13]. Le festival de Saltaire fut organisé pour la première fois le 20 septembre 1853 pour célébrer l'ouverture de la manufacture, puis à fréquence régulière. Au programme, banquet, processions, discours de félicitations, feux de joie, concerts et récitations de poèmes. Ces festivités où se mêlent ouvriers, contremaîtres et patrons sont décrites par le révérend R. Balgarnie, témoin du festival et biographe de Salt.

Les poèmes, peut-être plus que les discours, font partie intégrante de la cérémonie, car ils peuvent être repris en chœur, chantés sur un air connu ou scandés aisément, rythmes et rimes étant faciles à retenir. Ces poèmes sont très convenus et souvent le produit d'une commande de la part de l'industriel lui-même. On en sait encore peu sur les pratiques de performance poétique au sein de la manufacture ou sur le temps de travail, mais on peut toutefois apprécier la place prépondérante de la poésie dans la construction du nouveau paternalisme. Les poèmes adressés à Salt témoignent de l'allégeance sans faille à la personne de l'industriel ainsi qu'au système économique qu'il a mis en place. Ils défendent et même revendiquent une subordination au modèle féodal en s'inspirant, par exemple, de la ballade traditionnelle *The Fine Old English Gentleman*,

---

12. « Communal sociability ». C'est aussi et d'abord la métaphore organiciste classique du « *body politic* » chez les Élisabéthains.

13. Je remercie Marlène Petit-Liaudon d'avoir attiré mon attention sur les pratiques culturelles des ouvriers dans la manufacture de Saltaire.

reprise régulièrement lors des festivals de Saltaire. Balgarnie souligne que Salt est un gentleman moderne qui a su adapter le meilleur de la gouvernance médiévale à sa propre manufacture victorienne.

Deux poèmes écrits et lus pour les festivals respectivement de 1853 et de 1861 font de Titus Salt un lord dans sa manufacture et dans son secteur économique, alors même qu'entre 1859 et 1861, il n'est que membre de la Chambre des communes, donc roturier. Abraham Holroyd, poète local, historien et journaliste de Bradford, est chargé de couvrir l'ouverture de la manufacture, lors de laquelle est lu son poème *The Lord of Saltaire*. En 1871, il reproduit ce poème dans son hagiographie de Titus Salt, *Saltaire and Its Founder*, ce qui accroît sa propre notoriété et signale que la poésie est un outil privilégié pour rendre hommage aux patrons. Il y présente Titus Salt comme « noble par nature », capable de magnifier l'environnement de travail de ses ouvriers : « Il a construit un palais en l'honneur du Travail[14] » (Holroyd, 1871 : 8). L'influence de Salt s'exerce aux quatre coins du monde, d'où il rapporte alpaga et mohair, avec lesquels seront fabriqués les chapeaux et les bonnets que ses ouvriers lanceront en l'air pour l'honorer. Pour Holroyd, Salt a réussi à fédérer tous les acteurs de son industrie autour de l'idée d'une noblesse du travail. Cet enthousiasme collectif pour le projet de Salt s'exprime lors des assemblées d'ouvriers de la région, invités à reprendre en chœur le refrain :

> Allons, chantons en chœur,
>   Et fêtons les qualités rares,
> De celui qui par nature est noble !
>   Et saluons-le comme le Lord de Saltaire[15] ! (Holroyd, 1871 : 8)

The Peerage of Industry, écrit par Robert Story, poète ouvrier bien connu dans le West-Riding, l'un des comtés du Yorkshire, est récité lors du banquet de 1861 où sont conviés 3 500 invités. Il poursuit des thématiques comparables en faisant l'éloge de la vraie noblesse, qui n'est pas héritée mais méritée, au vu du succès économique et social de Salt. Balgarnie, qui cite l'intégralité du poème et indique ainsi clairement la place que prend la pratique poétique au sein de la manufacture, raconte que ce poème est

---

14. "He has reared up a palace to Labour".
15. Then, let us join in the chorus,
    And sing of the qualities rare,
    Of one who by nature is noble!
    And hail him the Lord of Saltaire!

lu avec fierté par l'un des ouvriers, Mr. French :

> Le Pair qui hérite d'une ancienne propriété,
>   Et réchauffe les cœurs nombreux de ses richesses,
> Nous l'honorons et l'aimons, mais est-il moins grand,
>   Celui qui bâtit seul sa fortune ?
>
> Construit une ville autour de lui ; apporte de la joie à chaque foyer ;
>   Fait exulter le travailleur au labeur ;
> Et, tout en approvisionnant les marchés de la terre,
>   Enrichit son propre sol bien-aimé[16] ? (Balgarnie, 1877 : 83)

Le refrain fut probablement repris par l'assemblée, puisque la poésie de Story circulait largement dans les milieux ouvriers locaux.

Comme Holroyd et Story, des ouvriers reçoivent des commandes de la part du patron ou parfois de la municipalité afin de vanter les mérites de la manufacture sous forme poétique. C'est le cas de « Douglas » qui publie « A Visit to Saltaire » dans le *Bradford Observer* du 21 janvier 1858. Son identité et son parcours sont impossibles à retrouver ; mais la publication de son poème sert ses intérêts comme ceux de Salt. Douglas doit se sentir honoré de voir son poème publié dans la presse locale ; quant à Salt, il a la satisfaction de constater que ses succès sont déployés dans un journal libéral qui appuie ses positions politiques, dont son soutien à la réforme du suffrage, et ses initiatives sociales et paternalistes. Douglas souligne la volonté de Salt d'améliorer les conditions de vie de ses ouvriers, mais aussi d'encadrer leurs loisirs respectables sur le temps libre :

> Tout proche de la manufacture se dressent
> Les jolies demeures de toute la troupe diligente ;
> La nouvelle rue, ouverte et aérée
> Bordée de maisons spacieuses, solides, propres,
> Où tout est ordre et modernité,
> Bâties avec habileté et conçues avec application.
> Lieu de détente et refuge chaleureux !

---

16. The Peer who inherits an ancient estate,
    And glads many hearts with his pelf,
    We honour and love, but is that man less great,
    Who founds his own fortune himself?

    Who builds a town round him; sends joy to each hearth;
    Makes the workman exult 'mid his toil;
    And who, while supplying the markets of earth,
    Enriches his own beloved soil?

Ici aussi, le fruit de l'attention paternelle
(Lorsque les Sabbaths sur cette vallée et ces bois sourient),
Sanctuaire de paix, maison de prières ;
Où les artisans oublient les six jours de labeur,
S'inclinent devant leur Dieu avec crainte et humilité,
Et se réjouissent que leur pain quotidien est assuré[17] ! (1858)

Commodité, solidité, propreté et modernité du logement paternaliste d'une part ; ferveur religieuse, édification, dévouement à l'employeur et paix sociale chez l'ouvrier d'autre part. Le projet de Salt est solidement identifié comme un programme collectif, le bien-être de l'ouvrier conduisant à une acceptation de sa condition et, à terme, à plus de productivité.

A Song of Saltaire, écrit par Holroyd pour l'ouverture de l'Institut éducatif de Saltaire en 1871, renchérit sur la question de la collectivité industrielle en présentant cette institution comme une cité royale, véritable « joyau » qui ennoblit le caractère de ses membres grâce aux divertissements respectables qui leur sont présentés. Sources de loisirs et d'instruction, l'œuvre de Salt annonce l'aube de jours meilleurs, « où les hommes sont tous frères des autres hommes » (Holroyd, 1871), la finalité d'inspiration socialiste étant parfaitement compatible, selon Holroyd, avec le statut régalien de Salt.

Les festivals des manufactures réservent une place de choix à la récitation de poésie, car au-delà de sa fonction divertissante, elle accompagne la construction du paternalisme et participe au succès économique de la manufacture. Selon Marianne Debouzy, le paternalisme, et ici la poésie qui en découle, aiderait à « effacer la conscience de classe, le sentiment d'appartenance à un groupe opprimé » (1988 : 16), même si l'ouvrier peut percevoir sa singularité sans être persuadé de son oppression. La dispa-

---

17. Closely contiguous to the factory stand
The pleasant homes of all the active band;
The newly-fashioned, open airy street,
Of cottages commodious, solid, neat,
Where all is order of a modern kind,
With skill constructed and with thought designed.
Retreat for social joy, and homely rest!
Here, too, the object of paternal care,
(When Sabbaths on these glens and woodlands smile)
A sanctuary of peace, a house of prayer;
Where artisans forget their six days' toil,
And bend before their God in humble fear,
Rejoicing that their daily bread is sure!

rition de ce sentiment d'appartenance au groupe exploité est particulièrement visible dans des poèmes qui font l'éloge de l'institution. Quelles
sont les spécificités de ce sous-genre poétique qui associe allégeance et
puissance d'agir[18], et permet aux ouvriers et surtout aux ouvrières d'utiliser la sociabilité de la manufacture pour leur propre émancipation ?

La création d'une sociabilité institutionnelle et l'autonomie poétique

La poésie ouvrière, contrairement à la poésie bourgeoise, qui exalte souvent
le génie poétique individuel, soude la communauté de travailleurs autour
de la figure du poète-ouvrier. Depuis la tradition poétique chartiste des
années 1840, le travail au sein de la manufacture est généralement évoqué
de manière allégorique. Par exemple, même si le poème autobiographique
de Robert Jones Derfel, tisserand socialiste à Manchester, intitulé *Work,
Work, Work* (1890), raconte la journée d'un travailleur, il s'agit d'une
journée type dont la routine est exprimée par les multiples répétitions
lexicales et structurelles. La manufacture ne constitue que très rarement
le cadre narratif du poème, les poètes démotiques préférant s'affranchir
de l'environnement industriel. Ils insistent plutôt sur la solidarité entre
travailleurs ou la dignité du labeur, qui alimentent la rhétorique de la
conscience de classe. Tout comme les artisans saint-simoniens, dont
Jacques Rancière (1981) a étudié la production artistique et qui n'utilisent
pas leurs écrits pour promouvoir la lutte sociale, mais pour revendiquer
une vie intellectuelle, les poètes de la manufacture écrivent peu sur ce
monde-là. L'une des raisons de ce choix, selon Meagan Timney (2013), est
que l'espace institutionnel renvoie au carcan psychologique et social de la
ville industrielle. De plus, une critique de la manufacture, même sous la
forme poétique, pouvait valoir à son auteur une sanction de la part de ses
collègues de travail ou de ses patrons. L'intérieur de la manufacture et ses
pratiques sociales sont donc très rarement décrits dans le poème.
Considérer les pratiques poétiques, dont celles des femmes, permet de
mieux comprendre ce qui se passe derrière les murs de la manufacture,
mais aussi comment est vécu le paternalisme, et de reconstituer une
« archéologie du patronat » et une historiographie sur le paternalisme plus

---

18. L'expression « puissance d'agir » correspond à la traduction du terme « *agency* »
utilisé par l'historien E. P. Thompson.

complètes (Debouzy, 1988 : 4). En effet, cette dernière a généralement été effectuée uniquement à partir du point de vue des employeurs ou de celui des ouvriers hommes, qui profitent des bonnes œuvres patronales pour rétablir l'ordre patriarcal.

Le lien entre poésie et paternalisme est manifeste dans le témoignage laissé par Mary Merryweather, embauchée en 1846 par l'épouse de Samuel Courtauld, patron paternaliste à la tête de la manufacture de textile d'Halstead. Elle est chargée d'encadrer la vie culturelle des ouvrières et d'améliorer leur instruction. Pour elle, la pratique poétique transmet les valeurs respectables de la bonne société aux ouvrières et est utile pour promouvoir l'emploi féminin. Dans le récit qui rend compte des quatorze années qu'elle a passées dans la manufacture, Merryweather cite certaines œuvres poétiques qui, plus que d'autres supports éducatifs, l'ont aidée dans sa mission lors des cours du soir réservés aux élèves les plus motivées :

> La poésie était un excellent moyen pour transmettre les bonnes valeurs, qu'il s'agisse de chansons ou de poèmes récités. Au début, les soirs, elles chantaient des chansons apprises dans les écoles britanniques, mais nous en avons ensuite inclus d'autres, plus adaptées à leur âge et à leur situation. Parmi celles-ci, « The Old Arm-Chair », d'Eliza Cook ; « Spring », de C. Young ; « The Skylark », de James Hogg ; « Kind Words », extrait de *Douglas Jerrold's Magazine* (et mis en musique par un cordonnier de la ville) ; « Deal gently with the Erring Ones » ; « Thy Will be done » ; « Now the Evening Sun descending » ; et beaucoup d'autres figuraient parmi les préférées[19] (Merryweather, 1862 : 25-26).

Ces poèmes, qui mettent à l'honneur les vertus domestiques et sont écrits par des poètes appartenant à la classe populaire, rassurent la communauté des travailleuses. Il est plus aisé pour Merryweather de faire circuler certaines idées progressistes concernant l'emploi et les salaires féminins, une fois les ouvrières rassérénées par le modèle de respectabilité qui s'offre dans les poèmes. L'usage de la poésie permet d'éduquer, de responsabiliser et de rendre plus autonome un groupe toujours plus large d'ouvrières.

---

19. "Poetry was a great vehicle of good, whether in song or in verses to recite. At first in the evenings they sang the songs familiar to most British Schools, but we soon introduced others more suitable to their age and circumstances. Of these "The Old Arm-Chair," by Eliza Cook; "Spring," by C. Young; "The Skylark," by James Hogg; "Kind Words," from *Douglas Jerrold's Magazine* (and set to music by a shoemaker in the town); "Deal gently with the Erring Ones;" "Thy Will be done;" "Now the Evening Sun descending;" and many others, were great favourites."

L'influence de la poésie est encore plus vaste au sein de l'institution lorsque ce sont les ouvrières elles-mêmes qui écrivent leurs poèmes. Ceux qu'elles récitent ou chantent et qui sont repris en chœur lors des événements organisés par la manufacture nous éclairent sur la construction de la sociabilité ouvrière et la quête d'autonomie relative. La poésie paternaliste féminine souligne l'adhésion au modèle patronal, mais reste une forme précieuse de témoignage et le signe de la participation active des femmes à la vie culturelle de la manufacture, même si elles sont écartées des habituels réseaux de production et de diffusion. Grâce à leurs poèmes lus lors des excursions organisées par les manufactures de textile ou écrits en remerciement de l'initiative patronale, certaines femmes deviennent les porte-parole du groupe et acquièrent une petite notoriété locale.

« Violet », nom de plume de Mrs. D. H. Gordon, ouvrière du textile en Écosse, rend compte d'une excursion organisée par le patron de la manufacture Erskine Beveridge & Co. de Dunfermline. Comme pour la plupart de ces poèmes sur les festivités paternalistes, Violet met en évidence sa loyauté et son dévouement absolus au patron. Dans le poème *St. Leonard's Works Excursion* (1890), elle approuve les frontières économiques et sociales qui les séparent et soutient aveuglément le capitalisme industriel :

> [...] lorsque l'on commença à danser,
>   Les « maîtres » attaquèrent les premiers –
> Il ne faut pas s'étonner que tous les « travailleurs » les aiment,
>   Si aimables, si gracieux et gentils. [...]
>
> Que les affaires de Beveridge & Co.
>   Continuent à fructifier chaque année !
> Que la prospérité les embrasse et s'enlace
>   Autour d'eux et autour de ceux qui leur sont chers[20] (1890 : 21).

---

20. [...] when the dance was commencing'
    The "maisters" were first tae begin –
Nae wonder the "workers" a' like them,
    Sae friendly, sae gracious, an' kin'. [...]

May the business o' Be'ridge & Co.
    Still steadily increase each year !
May prosperity circle a' centre
    Roond them, an' roond a' they hold dear.

« Violet », comme d'autres femmes poètes, embrasse les valeurs paternalistes traditionnelles de la manufacture et suggère que le paternalisme lui permet de se placer, en tant que poète et en tant que femme, au centre de l'institution, puisqu'elle est autorisée, par la pratique poétique, à prendre en charge la voix ouvrière. Elle précise d'ailleurs à ceux qui voudraient lire le compte rendu des discours et des toasts qu'ils pourront le faire dans la prochaine édition du *Saturday Press*. Ce faisant, elle se réserve la partie strictement festive du récit de l'excursion, s'attribuant ainsi le rôle de barde-ouvrier de la manufacture.

Ellen Johnston a également produit un large corpus de poèmes paternalistes, qui restent peu explorés, car écrits sous une forme très convenue. Mais leur originalité réside dans le fait qu'elle y présente la manufacture comme un lieu de créativité. Sans minimiser toutes les difficultés des ouvriers dans l'industrie du jute à Dundee, elle souligne le fait que la manufacture, plus que la nature environnante, est source de vie sociale ritualisée intense et, partant, encourage la créativité poétique :

> Ce n'est pas dans le vallon parfumé que je cueille des fleurs d'été,
> Ni dans le joli jardin que je vagabonde sous les tonnelles enchantées ;
> C'est dans la poussière et le bruit des hauts murs de la manufacture
> Que je dois courtiser mon humble muse, pour toujours gagner ses faveurs.
> [...]
> C'est au milieu de l'huile pestilentielle que je prends chaque inspiration,
> Au milieu des lourds métiers à tisser qui tournent dans l'atmosphère mortifère[21] (1867 : 183).

Johnston fait toujours preuve d'une grande déférence envers ses supérieurs hiérarchiques lorsqu'elle les remercie de prendre en charge cette organisation solidaire, mais elle a aussi conscience que le bénéfice est grand pour elle-même. Dans son autobiographie, elle précise à plusieurs reprises que certains patrons lui ont fait parvenir une somme d'argent pour encourager son activité poétique, mais il est loisible de penser qu'ils l'ont fait pour la remercier de ses louanges.

---

21. 'Tis not within the fragrant vale I gather summer flowers,
Nor is it in the garden fair I roam through dreamland bowers ;
It is within the massive walls of factory dust and din
That I must woo my humble muse, her favour still to win. [...]
It is amidst pestiferous oil that I inhale my breath,
'Midst pond'rous shafts revolving round the atmosphere of death.

Johnston présente la relation bilatérale au service de la sociabilité qu'est la manufacture dans plusieurs poèmes, comme *Linfield, the Boast of Green Erin*, chanté lors d'une visite organisée au jardin botanique de Belfast en l'honneur de Charles Close, directeur de Linfield, manufacture de lin. Close y est décrit comme un empereur romain couronné de lauriers, traversant le temple de la renommée, également appelé par Johnston « pavillon du commerce ». Une note qui éclaire le contexte d'écriture du poème rend compte de la force du lien, aussi bien commercial que sentimental, qui soude le directeur et ses ouvriers :

> Jamais il n'y a eu, dans l'histoire ou la légende, un directeur qui a fait ce que M. Close a fait. Il a fait preuve d'une vraie et sublime noblesse de sentiment philanthropique envers les humbles fils et filles qui travaillent honnêtement à Linfield ; […] il a su exprimer sa reconnaissance du plus profond du cœur aux travailleurs de Linfield, ce qui doit être immortalisé sur les pages glorieuses du commerce. Il a aussi récompensé Mademoiselle Johnston en lui offrant une somme importante pour sa présence lors de cette occasion mémorable[22] (Johnston, 1867 : 219).

Dans la dernière phrase de cet extrait, Johnston, poète officielle de la manufacture, indique qu'elle a été généreusement récompensée pour son poème, ce qui souligne bien la centralité de la pratique poétique dans le modèle industriel philanthropique.

Dans *Kennedy's Factory for Ever*, récité lors d'une excursion à la Chaussée des Géants, Johnston présente la relation entre ouvriers et supérieurs hiérarchiques comme fondée sur des intérêts partagés qui créent une communauté solide et forte. Si elle s'applique à montrer que les employés ne sont pas des esclaves, les ouvriers étant souvent représentés comme des « esclaves blancs », elle ne nie pas qu'ils sont au service de leur maître, mais le font de leur plein gré. Contrairement à l'esclavage, fondé sur la domination d'un groupe par un autre, le travail à la manufacture permet de créer un équilibre entre richesse des uns et bien-être des autres :

---

22. "It has never been known, in history or romance, for a manager to do what Mr. Close has done. He has shown a truly noble and sublime feeling of philanthropic love towards the humble sons and daughters of honest toil in Linfield ; […] he has given a token of his heartfelt regard for the workers of Linfield, that shall be immortalised upon the pages of commercial fame and glory. He has also rewarded Miss Johnston most handsomely for her company on the memorable occasion."

Qu'il soit toujours fortuné ; que nous soyons toujours en bonne santé
Pour rester ses serviteurs au travail.
Nous sommes ses travailleurs, libres de tout joug,
Jamais nous n'avons enduré les chaînes ignobles de l'oppression[23] (Johnston,
1867 : 218).

Elle souligne aussi que l'institution non seulement accueille une communauté industrieuse, mais surtout est indispensable à sa construction. *Tennants' Excursion* décrit une procession à l'occasion d'une excursion organisée par la manufacture Charles Tennant & Co. de Glasgow, avec ses bannières, son orchestre puis son défilé agencé par corps de métier. Il offre une vision solidaire des travailleurs, unis par et pour la manufacture. Selon Patrick Joyce, ces rituels publics, « événements gargantuesques » organisés par les employeurs, servent à renforcer le système capitaliste et l'ordre social tout en présentant une forme carnavalesque d'inversion du pouvoir. Le patron se mêle à ceux qui paradent, leur laissant une prééminence d'une journée, conférée non par la naissance, mais par l'activité professionnelle et le dévouement à la manufacture. Pour Johnston, l'ouvrier devient « un roi le temps du voyage d'agrément chez Tennants » (« *a king at Tennants' pleasure trip* », 1867 : 212). Les ouvriers ont posé leurs outils et défilent sous leur bannière, mais c'est bien leur fière appartenance à la grande institution qu'est Tennants qui soutient la communauté industrielle, voire la nation écossaise tout entière.

La fierté d'appartenir à une communauté organisée autour du travail est aussi exprimée dans *Kennedy's Dear Mill*, poème probablement écrit pour fêter une sortie collective, qui gomme les frontières entre déférence, admiration et attachement. Selon Susan Zlotnick, « [Johnston] affirme avoir trouvé un foyer dans la manufacture de Kennedy et une famille auprès de ses compagnons de travail[24] » (2001 : 219). Elle associe trois formes de lien sentimental pour exprimer l'engagement total de la communauté envers la manufacture : au nom de tous, elle exprime par le pronom « *thou* » son amour du travail, son dévouement à la manufacture de Kennedy et son affection pour Kennedy lui-même :

---

23. "May he still have wealth; may we still have health
To remain his servants of toil.
His workers are we from all slavery free,
Oppressions vile chains we felt never;"
24. "[Johnston] claims to find a home in Kennedy's mill and a family among her fellow mill workers".

> Tu m'envoûtes mystérieusement
>> Comme tu le fais avec tous ;
> S'éprend de toi chaque fille
>> Qui a déjà travaillé pour toi.
> Elles peuvent quitter leur labeur béni ;
>> Mais, même si elles trouvent du travail,
> Elles reviennent sans tarder
>> À la chère manufacture de Kennedy[25] (Johnston, 1867 : 19).

En tant que poète officielle de la manufacture, Johnston devient muse de l'institution de travail. Dans son autobiographie, elle décrit ainsi son recueil de poèmes : « il pourra être source de plaisir social et intellectuel pour beaucoup et aussi soutien pour atténuer le labeur incessant de ma vie à la manufacture » (1867 : 15)[26]. Judith Rosen rappelle que la fonction de poète officiel de la manufacture était généralement dévolue aux hommes, ce qui montre à la fois le statut et le talent de Johnston. Lors des cérémonies en l'honneur de la manufacture, elle n'hésite pas à tirer profit de sa triple identité – ouvrière, femme, poète – afin de montrer qu'elle représente la manufacture à plus d'un titre. Dans la strophe finale de *An Address to Napier's Dockyard*, elle dit préférer au titre de reine celui d'ouvrière : « Mille fois, je resterais une ouvrière[27] » (Johnston, 1867 : 12). La poésie paternaliste de Johnston a une double vocation : comme celle de ses confrères, elle construit une sociabilité laborieuse fondée sur des gains partagés et place son auteure au centre de cette communauté bardique industrielle.

* * *

Nombreuses sont celles qui ont trouvé une autorité poétique par la description d'événements collectifs mineurs, mais elles ne figurent dans

---

25. Thou hast a secret spell
   For all as well as me;
Each girl loves thee well
   That ever wrought in thee.
They may leave thy blessed toil;
   But, find work they will,
They return back in a while
   To Kennedy's dear mill.

26. "[It] may prove a means of social and intellectual enjoyment to many, and also help to relieve me from the incessant toils of a factory life".

27. "A thousand times, I'd be a factory girl"

aucun canon. Ce constat est partiellement dû au fait que l'institution sociale, tels que la manufacture, la prison ou l'hospice, fait en principe obstacle aux aspirations poétiques. Et pourtant les voix des femmes poètes n'existent souvent qu'à travers le collectif et l'institution. Nul doute que l'exploration des pratiques culturelles ouvrières enrichira l'historiographie sur le paternalisme.

La poésie en l'honneur de la manufacture est le signe de la quête nécessaire d'une sociabilité au sein de la manufacture pour maintenir l'ordre social et donner l'illusion d'une communauté de femmes et d'hommes partageant intérêts communs et déférence envers le capitalisme industriel. Mais les pratiques de production et de consommation poétiques témoignent aussi du besoin pour certains d'acquérir une puissance d'agir rendue possible par l'institution elle-même.

La poésie paternaliste décline dans les années 1880, à partir du moment où le nouveau paternalisme doit faire face à l'essor du syndicalisme, au développement des mouvements ouvriers et à la naissance d'une réglementation plus stricte et uniforme du travail. Ce n'est que sporadiquement que certains poètes choisiront encore ce sous-genre de poésie, notamment à l'occasion d'événements locaux importants. Violet, par exemple, écrit plusieurs poèmes en l'honneur de la venue du grand mécène d'entreprise, Andrew Carnegie, lors de l'inauguration de la bibliothèque municipale de Dunfermline, qu'il a financée dans les années 1890[28]. Avec le passage de la loi fixant les jours fériés du pays, le *Bank Holiday Act* de 1871, et le développement de la société des loisirs populaires dans le dernier quart du XIXe siècle, l'organisation du temps libre est plus rarement prise en charge par la manufacture et sa direction. Ce sera aux clubs, aux écoles du dimanche, aux syndicats naissants d'organiser les loisirs ouvriers. Dans son poème écrit en 1881, *The Bank Holiday*, George Abel montre bien le nouvel engouement pour les loisirs en dehors de la manufacture :

> Les travailleurs saluent le jour des loisirs,
> Quittent les scènes de conflits au travail,
> La fumée, le bruit et les allées fétides,
> Se débarrassent de leur souci et s'adonnent au plaisir,
> Boivent à la coupe de vie de la nature[29] (Abel, 1885 : 214).

---

28. Voir *A Welcome to A. Carnegie* et *The Carnegie Demonstration*.
29. Toilers hail the day of leisure,
Leave the moiling scenes of strife,

Au tournant du siècle, la poésie ouvrière tend aussi à disparaître, remplacée par d'autres types de pratiques culturelles, comme la production et la consommation de chansons et de spectacles au music-hall, autre forme de sociabilité populaire.

Noisome smoke and foetid alleys,
Shake off care and seize on pleasure,
Drink from nature's cup of life.

DEUXIÈME PARTIE

CERCLES ET RÉPUTATIONS

CHAPITRE 4

Objets et pratiques aristocratiques dans l'espace domestique

Sihem Kchaou

Si l'historiographie de la sociabilité s'est considérablement étoffée depuis ces dernières décennies, en particulier celle de l'espace public, celle consacrée à la sociabilité au sein de l'espace domestique est bien plus lacunaire. La sociabilité est un aspect essentiel de la vie de la noblesse française au XVIIIᵉ siècle, et les éléments matériels qui composent l'habitat aristocratique à cette époque nous renseignent sur les manifestations d'une sociabilité domestique. L'étude de ces éléments nous permet donc d'imaginer des pratiques sociales, des gestes et des comportements. En effet, la maison, considérée comme «le domaine privé par excellence, fondement matériel de la famille» (Gherchanoc, 2006 : 11), est aussi un espace de rencontre et de construction de liens sociaux, car une partie de cet espace privé est consacrée à la réception.

Les réflexions du présent chapitre porteront sur une ancienne lignée, les Montmorency-Luxembourg de Tingry, l'une des nombreuses branches de la grande famille de Montmorency. Sa naissance date de l'alliance de Louis-Christian de Montmorency-Luxembourg et Louise-Madeleine de Harlay en 1711. Comme pour toutes les grandes lignées de la noblesse française, la résidence joue un rôle essentiel dans l'art de vivre de cette famille, à la fois symbole de leur autorité et lieu de mémoire de leur lignage.

En raison de l'usage que les individus font des objets, ces derniers sont porteurs de significations multiples et renvoient à l'expérience personnelle des hommes qui s'en servent. L'étude de la culture matérielle permet ainsi d'interroger le fonctionnement des sociétés à travers leur rapport aux objets. Une analyse des traces matérielles de la sociabilité dans l'espace domestique et des pièces qui lui sont dédiées met en évidence l'importance qu'accorde l'aristocratie française à ses relations avec autrui et à la culture des apparences.

Une présentation des sources et des lieux

Évoquer la sociabilité dans l'espace domestique suggère le croisement de plusieurs types de sources : traités d'architecture, documents iconographiques, inventaires après décès, plans, témoignages littéraires et autres. Or, toute cette documentation peut difficilement être rassemblée pour l'étude d'une seule famille et d'un logis bien spécifique. La présente étude repose donc essentiellement sur six inventaires après décès de certains membres des Montmorency-Luxembourg de Tingry. L'inventaire énumère les biens d'une personne avec leur valeur marchande et offre des descriptions minutieuses qui permettent de reconstruire le cadre matériel de la vie quotidienne. Bien que ce document fixe un moment bien précis de la vie d'un individu, il permet néanmoins d'approcher les gestes par les choses, et de « représenter, en imagination, la vie des individus dans leurs espaces quotidiens, au milieu de leurs objets familiers » (Pardailhé-Galabrun, 1988 : 26). Notre réflexion sera enrichie par certains plans publiés par l'architecte Blondel et par le procès-verbal de vente du château de Beaumont conservé aux Archives départementales de Seine-et-Marne. Nous disposons par ailleurs de quelques contrats de vente des hôtels de cette famille, mais qui ne présentent que des éléments fragmentaires sur ces lieux.

Le corpus étudié concerne sept personnes de la famille Montmorency-Luxembourg de Tingry et treize demeures sises aussi bien en ville qu'à la campagne.

D'après le tableau 4.1, il s'avère que les membres de cette famille pratiquent la double résidence, entre la ville et la campagne. C'est une pratique courante à l'époque : la noblesse parisienne partage son temps entre Paris, où elle passe l'hiver et le printemps, et les demeures champêtres, où elle s'installe l'été et une partie de l'automne. Cette période correspond à la saison de la chasse, qui est le loisir de prédilection de cette élite urbaine.

TABLEAU 4.1

Demeures des Montmorency-Luxembourg de Tingry au XVIIIᵉ siècle

Personne	Date de l'inventaire	Demeures inventoriées
La princesse de Tingry	1741	Hôtel à la rue Richelieu, paroisse Saint-Roch, Paris.
Le maréchal de Montmorency	1746	Hôtel de Montmorency, rue Saint-Dominique, paroisse Saint-Sulpice, faubourg Saint-Germain, Paris.
La maréchale de Montmorency	1749	Une maison à côté de l'Église des Théatins, Paris.
La comtesse de Montmorency	1751	Hôtel à la rue de Varenne, paroisse Saint-Sulpice, Paris.
Le comte de Montmorency	1762	Le petit hôtel d'Estrée, rue de Grenelle, Faubourg Saint-Germain, paroisse Saint-Sulpice, Paris.
Le prince de Tingry	1787	1. Hôtel de Tingry, rue de Varenne, paroisse Saint-Sulpice, Paris. 2. Château de Beaumont-en-Gâtinais (Seine-et-Marne). 3. Château d'Avernes (Val-d'Oise). 4. Hôtel de Tingry à Fontainebleau, rue Basse, paroisse Saint-Louis (Seine-et-Marne). 5. Appartement au château de Fontainebleau. 6. Château de Bréval (Yvelines). 7. Hôtel de Tingry, rue Neuve Notre-Dame, Versailles. 8. Appartement au château de Versailles.
Le duc de Beaumont, prince de Tingry	1793	Château de Beaumont

C'est aussi l'occasion de veiller sur ses terres et de diriger ses affaires à la campagne. Comme nous ne disposons pas de tous les inventaires des demeures champêtres des Montmorency-Luxembourg de Tingry, nous examinerons ainsi ceux de trois châteaux et deux appartements dans des châteaux royaux. Le château de Beaumont-en-Gâtinais est le château ancestral hérité de la famille de Harlay, qui s'est éteinte en 1717. D'après l'inventaire de 1787, ce vaste château composé de 116 pièces et 10 appartements passe du père au fils aîné au cours du XVIIIᵉ siècle, jusqu'à sa confiscation comme bien national en 1793, à la suite de la déclaration de l'émigration d'Anne-Christian de Montmorency-Luxembourg. Quant au château d'Avernes, il arrive au deuxième prince de Tingry par sa troisième épouse Éléonore-Josèphe-Pulchérie des Laurents. Avec ses 57 pièces, 13 appartements et ses annexes (greniers, caves, hangars, etc.) inventoriés par les notaires, le bâtiment est imposant. Le château de Bréval est le plus petit des châteaux de cette famille, avec 22 pièces mentionnées dans l'inventaire de 1787.

Le deuxième prince de Tingry bénéficie par ailleurs du privilège très convoité d'avoir un logement à la « Maison du roi », ce qui est le signe d'une distinction sociale et politique. Son épouse (la troisième) est présentée à la cour le 3 mars 1765 et prend un tabouret chez la reine cinq jours plus tard[1]. Cette distinction est remarquable aussi lorsque nous observons les surfaces importantes des appartements de sa famille dans les châteaux royaux. Celui du château de Versailles, donnant sur la rue du Réservoir, sur la rue de Fontaine et sur la cour de l'Opéra, est constitué de caves et de 23 pièces distribuées sur trois étages. Quant à l'appartement dépendant du château de Fontainebleau, il est constitué de 22 pièces et ouvre sur la cour royale et sur les parterres et les jardins. À Versailles et à Fontainebleau, le prince de Tingry, en raison de son train de vie, prend une deuxième résidence dans la ville, résidence qu'il nommera « Hôtel de Tingry ». L'hôtel versaillais se compose de 21 pièces, il ouvre sur une petite cour et comporte un ensemble de remises, d'écuries et de caves. Celui sis à Fontainebleau est formé d'une cave, d'un caveau, d'écuries, de remises et de 22 pièces, qui se répartissent sur un rez-de-chaussée et sur deux étages, et qui ouvrent sur deux cours. Cet hôtel est probablement hérité de la famille de Harlay, qui a acquis la moitié de l'hôtel en 1713[2].

Quant aux hôtels urbains parisiens de cette famille, qu'ils soient loués ou possédés, ils sont tous situés au faubourg Saint-Germain, sur la rive gauche, où s'implante l'aristocratie au cours du XVIIIᵉ siècle. Dans la mesure où les notaires procèdent à l'inventaire des pièces dans le désordre, il n'est pas possible de tracer les plans de ces hôtels à partir des inventaires après décès ; néanmoins, nous pouvons déduire à partir de ces documents qu'il s'agit de demeures généralement spacieuses. Le 10 février 1725, le père fondateur de cette branche des princes de Tingry, le futur maréchal de Montmorency, achète de Michel-Charles Amelot de Gournay, moyennant

---

1. *Gazette de France*, vol. 3, 1765, p. 202.
2. ANF, MC, étude XIV, liasse 210. Vente de maison.

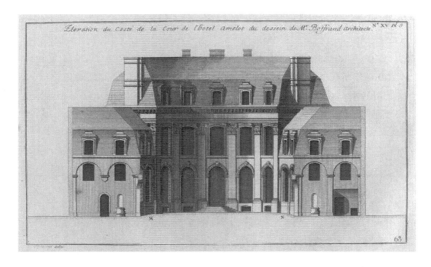

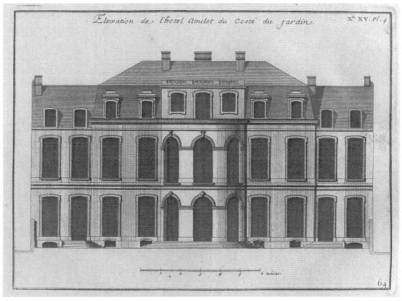

Figures 4.1. et 4.2. Deux élévations de l'hôtel Amelot
(puis Montmorency) d'après Boffrand
Source : Jacques-François Blondel, *De la distribution des maisons
de plaisance et de la décoration des édifices en général*, Paris,
Charles-Antoine Jombert, 1737, vol. 2, planches 63 et 64.

320 000 livres, l'hôtel qui correspond aujourd'hui au numéro 1 de la rue Saint-Dominique[3]. Cet hôtel – appelé aussi « hôtel de Gournay », « hôtel de Tingry » ou « hôtel de Montmorency » – a été construit par l'architecte Germain Boffrand en 1695 pour l'ambassadeur Michel Amelot, marquis de Gournay. Outre les cours, les caves, les écuries et le jardin, le corps de l'hôtel est composé de 49 pièces distribuées entre un rez-de-chaussée et deux étages, d'après l'inventaire de 1746.

Après le décès du maréchal en 1746, sa veuve quitte cet hôtel et s'installe dans une maison mitoyenne à l'église des Théatins, une manière pour elle de vivre le veuvage en se consacrant à Dieu, mais sans rompre avec le monde matériel. Avec ses 38 pièces, ses caves, écuries et remises, la maison louée est en accord avec les exigences requises par le statut de maréchale de France.

Quant au fils aîné, le deuxième prince de Tingry, les actes notariés montrent qu'il change souvent de logement. Quand sa première épouse Anne-Sabine Olivier de Sénozon, princesse de Tingry, meurt le 29 septembre 1741, il est locataire d'un hôtel situé rue Richelieu, de taille moyenne et composé de caves, de remises, d'écuries et de 28 pièces distribuées entre un rez-de-chaussée et quatre étages. Ce deuxième prince de Tingry ne devient propriétaire que le 18 septembre 1769, avec l'acquisition, moyennant 210 000 livres, de l'hôtel, qui prendra dès lors le nom d'« hôtel de Tingry », rue de Varenne[4]. Cet hôtel a été construit en 1728 par la veuve de Bernard du Prat. Il se compose, d'après le contrat de vente, d'« un grand corps d'hôtel, grande cour, basse cour, remises, écuries, une terrasse au fond de la cour, ayant vue sur plusieurs jardins dépendant des hôtels voisins ». Le corps d'hôtel renferme 69 pièces, selon l'inventaire de 1787.

Quant au comte de Montmorency, fils cadet du maréchal, il logeait d'abord, avec sa première épouse Françoise-Thérèse-Martine Le Pelletier de Rosambo, dans un hôtel rue de Varenne, composé de 31 pièces avec les caves, les écuries et les remises. Il s'installe ensuite, à partir du 19 juin 1754, avec sa seconde épouse, Marie-Jeanne-Thérèse L'Espinay de

---

3. ANF, MC, étude CXVII, liasse 341. Vente de maison.
4. ANF, MC, étude XCII, liasse 726. Vente d'hôtel. Cet hôtel correspond au n° 60 de la rue de Varenne. Dans cette même rue, le père, le premier prince de Tingry, a acheté en 1719 le terrain sur lequel est bâti l'hôtel n° 57. Il a confié les travaux à Jean Courtonne, en 1722, mais ne pouvant faire face aux dépenses, il le vend, une année plus tard, à Jacques de Matignon.

Marteville, au petit hôtel d'Estrée, acheté de la duchesse d'Estrée, moyennant 60 000 livres[5]. L'hôtel, qui donne sur la rue de Grenelle, se compose de 33 pièces distribuées entre un rez-de-chaussée et deux étages. Il renferme deux cours, un bûcher, des caves et un jardin « composé de quatre quarrés de potagers [...] [et] en outre [d']une petite futaye, d'après le contrat de vente.

Dans ces châteaux de campagne, ces appartements dans des châteaux royaux et ces hôtels urbains se mêlent différentes formes de sociabilité. C'est à partir des descriptions minutieuses des objets domestiques et du mobilier par les notaires que nous allons essayer de déceler les gestes de sociabilité et la variété des interactions qui se déploient dans ces demeures. Compte tenu de la richesse de notre documentation, nous avons choisi de nous concentrer sur les sociabilités qui s'épanouissent à l'intérieur de l'habitat aristocratique. L'extérieur de ces lieux (jardins, parterres, parcs, etc.) constitue un monde riche et complexe, qui mérite d'être étudié à part.

Des objets aux gestes

Une approche aussi bien quantitative que qualitative des inventaires après décès permet d'analyser le degré d'ouverture des occupants des foyers inventoriés sur le monde et la nature des relations qu'ils entretiennent avec leurs proches. Au sein de l'espace domestique, la sociabilité est avant tout familiale : il s'agit d'interaction entre époux, parents, enfants et petits-enfants. Elle intègre aussi les domestiques, dont le nombre est relativement important dans les foyers aristocratiques et des gens aisés en général. À l'hôtel parisien de Tingry par exemple, les serviteurs et domestiques logent dans 40 pièces, sachant qu'une seule pièce peut héberger plusieurs personnes à la fois. Les maître et maîtresse d'une maison reçoivent également chez eux des personnes choisies – amis ou parents que l'on souhaite voir –, mais aussi « obligées », comme le sous-entend l'expression « noblesse oblige » – relations que l'on est contraint d'avoir.

L'étude d'une panoplie d'objets domestiques et d'un mobilier varié, recensés par les notaires, permet de rendre compte de trois formes de

---

5. ANF, MC, étude LXXIII, liasse 781. Vente de maison. C'est le n° 21 de la rue de Grenelle, construit en 1709 pour la duchesse d'Estrée. Voir Hillairet, 1997, vol. 1 : 608.

sociabilité : une sociabilité épulaire, une sociabilité ludique, liée essentiellement au jeu, et une sociabilité « cultivée », liée au livre (Corbin, [1995] 2001 : 17).

La sociabilité autour de la table

Au sein de l'aristocratie française à l'époque moderne, toute une sociabilité s'organise autour de la table, que ce soit lors du repas quotidien familial ou pendant les repas qui donnent lieu à des invitations, à des rencontres et des festivités. Quelques données quantitatives dans les demeures des Montmorency-Luxembourg de Tingry en témoignent. Prenons l'exemple de la batterie de cuisine de l'hôtel parisien de Tingry, en 1787. Le notaire compte « soixante casserolles a queue de differantes grandeurs avec leurs couvercles, vingt quatre marmittes et leurs couvercles aussi de differentes grandeurs, huit casserolles rondes et leurs couvercles, six casserolles a bins marie et leurs couvercles, quatre tourtieres, quatre braisieres et leurs couvercles, trois poissonnieres, trois casserolles ovales », etc. L'abondance de ces ustensiles répond certainement aux besoins réguliers et exceptionnels de ce grand hôtel.

D'autres objets, comme le linge de table et d'office, la vaisselle en porcelaine, en argent ou en d'autres matières, sont recensés aussi en grande quantité dans ces demeures. Chez la haute noblesse, l'exposition de ces objets pendant les réceptions et les banquets est liée à un art de la table, imité de la cour, faisant partie de ce que Claudine Marenco appelle « les manières de table » : « C'est un ensemble complexe, plus ou moins structuré [...] au carrefour de l'affectif, du culturel, du social, soumis à une pluralité d'influence et de pesanteurs, et qui reflète les façons habituelles de penser et de se comporter – les mœurs – d'une formation sociale ou d'une société » (1992 : 7-8). Pour l'aristocratie française, l'acte de se réunir autour d'une table témoigne d'une volonté d'honorer et de faire plaisir, mais aussi, simultanément, du désir ostentatoire du paraître. Cela passe par l'étalage des richesses, dont les manifestations sont aussi bien quantitatives que qualitatives, d'où l'abondance et le raffinement du linge de table des Montmorency-Luxembourg de Tingry, constatés à partir des inventaires après décès.

Comme le montre le tableau 4.2, la quantité de linge de table est impressionnante. Elle dépend aussi de la grandeur de la demeure et de la fréquence de la présence du maître, de sa famille et de ses invités dans ces

TABLEAU 4.2

Linge de table des Montmorency-Luxembourg de Tingry (1741-1787)

Demeures	Nappes[1]	Serviettes
Hôtel de la rue Richelieu (1741)	112	51
Hôtel de Montmorency (1746)	100	125 D + 4
Maison de la maréchale (1749)	141	65 D + 7
Hôtel de la rue de Varenne (1751)	61	46 D
Hôtel d'Estrée (1762)	3	34
Hôtel de Tingry (1787)	113	98 D + 6
Château de Beaumont-en-Gâtinais (1787)	29 D	104 D
Château d'Avernes (1787)	7 D + 6	148 D
Château de Bréval (1787)	18	25 D + 2
Hôtel et appartement à Versailles (1787)	105	103 D
Hôtel et appartement à Fontainebleau (1787)	0	2 D

1. D = douzaine.

lieux. Ce linge de table peut être dressé aussi bien pendant le service de bouche quotidien que durant les repas priés (banquets) ou les tables ouvertes organisées par cette famille. Les descriptions minutieuses du linge de table par les notaires, indiquant le nombre de couverts associés à chaque nappe (« seize nappes de toile ouvrée à œil de perdrix pour vingt-cinq couverts », « vingt-huit nappes de pareille toile pour dix couverts », etc.), montrent qu'il est possible de réunir au moins 680 commensaux en une seule journée autour de 44 tables dans l'appartement de Tingry au château de Versailles[6]. La quantité du linge de cuisine et d'office est aussi conséquente, témoignant d'une activité régulière liée à la table dans ce même appartement : 13 douzaines de serviettes d'office, 5 douzaines de linges à vaisselle, 6 douzaines de tabliers d'office, 12 nappes de cuisine, 3 douzaines de serviettes pour les plats, 21 douzaines de tabliers de cuisine, 22 douzaines de torchons, etc.

C'est la qualité du tissu et ses motifs, indiqués par les notaires, qui aident à distinguer le linge de table des maîtres de celui du service et des domestiques. Le premier est souvent plein (toile unie) ou ouvré (dit aussi « linge de Venise ») ; il prend dans les inventaires différents noms, comme

---

6. Ces indications ne sont pas exhaustives puisque le nombre des couverts n'est pas toujours précisé.

« œil de perdrix » ou « grain d'orge ». Le second est, par contre, en grosse toile. Souvent, la nappe et les serviettes sont assorties, les plus belles sont certainement réservées aux repas pris en compagnie. L'art de dresser ce linge pour réjouir les commensaux est décrit soigneusement dans les livres de cuisine. *L'école parfaite des officiers de bouche*, par exemple, présente des « instructions familières pour bien apprendre à plier toutes sortes de linges de tables », dont les serviettes, qui peuvent être pliées en 26 formes[7]. Aussi, les repassages et les pliages des nappes de table confèrent à la table une grande élégance.

Au sein de l'aristocratie française, on est également frappé par l'abondance de la vaisselle et par la variété de ses matières. C'est la vaisselle en porcelaine qui domine dans les logis des Montmorency-Luxembourg de Tingry. La vaisselle utilisée au quotidien n'est pas celle dressée lors des réceptions. Les pièces en porcelaine sont souvent inventoriées dans les espaces et dans les meubles dans lesquels elles étaient disposées. Parfois, elles font l'objet d'un inventaire à part[8]. Il s'agit d'une porcelaine blanche, colorée ou à fleurs, qui vient soit des ateliers locaux (de Saint-Cloud, de Flandre, de Sèvres, de Chantilly, etc.), de Saxe, ou de l'Orient, du Japon et de la Chine, reflétant l'exotisme du goût de l'époque. Le bois, le verre, la faïence, le cristal, la « terre blanche », le cuivre argenté sont d'autres matières utilisées pour la fabrication d'autres pièces de vaisselle.

Si la vaisselle en porcelaine est utilisée quotidiennement par cette riche élite urbaine, ou pendant les réceptions familiales ou amicales, celle en argent devait être exposée pendant les banquets et les fêtes. L'exposition de ses objets de luxe permet d'affirmer sa position sociale. Le fait que la vaisselle en argent du maréchal de Montmorency représente le tiers de ses effets mobiliers inventoriés après son décès est tout à fait significatif[9].

---

7. Parmi ces formes, citons : la serviette frisée ; pliée par bandes ; en forme de coquille simple, double ou frisée ; de melon simple ou double… Voir anonyme, 1680 : 94-108.

8. Tel est le cas de la porcelaine de l'hôtel de Montmorency. Estimée à 946 livres, elle se compose de 10 plateaux, 72 tasses, 52 soucoupes, 78 gobelets, 6 théières, 3 boîtes à thé, 40 assiettes, 5 pots à sucre, 8 coquetiers, 13 jattes, 2 saucières, 2 compotiers, etc. La vaisselle en porcelaine de l'hôtel parisien de Tingry compte 91 assiettes, 12 plateaux, 63 tasses et soucoupes, 3 autres grandes tasses, 15 sucriers, 17 pots, dont 8 à lait et 3 à eau, 3 « theyeres », 3 écuelles, 9 jattes, 2 bouilloires du levant, 8 saladiers, 9 compotiers, 2 glacières avec leurs soucoupes, 1 poêlon, etc.

9. La valeur de ses meubles, livres, linge, tableaux, vaisselle et autres inventoriés en 1746 est de 127 941 livres, 8 deniers.

TABLEAU 4.3

Vaisselle d'argent des Montmorency-Luxembourg de Tingry (1746-1787)

Personne et date	Cuillères	Fourchettes	Couteaux	Plats	Assiettes	Valeur totale[1]
Le maréchal de Montmorency (1746)	90	36	61	27	96	37 107 livres, 18 sous, 1 denier
La maréchale de Montmorency (1749)	99	47	39 (27 manches)	24	72	31 018 livres, 16 sous, 7 deniers
La comtesse de Montmorency (1751)	55	27	1	11	48	13 041 livres, 17 sous, 2 deniers
Le deuxième prince de Tingry (1787)	213	143	108	56	120	50 309 livres, 3 sous, 7 deniers

1. La vaisselle en argent ne comporte pas uniquement la vaisselle de table, mais aussi plusieurs autres pièces qui ont d'autres usages.

Le soir aux chandelles, cette riche argenterie brille et crée un décor d'une éblouissante beauté. Ce soin accordé à la table aristocratique reflète la richesse et le statut social des maîtres et de leurs convives. La table peut être considérée ainsi comme un rituel, « pour lequel sont établies des règles précises quant aux horaires, au lieu de consommation, au choix des aliments, à l'emploi d'ustensiles spécifiques, à la disposition des plats sur la table, à la présentation des mets selon un certain ordre, et enfin, bien sûr, aux manières de la table et autres règles de bienséance » (Capdeville, 2008 : 145). Ces règles sont décrites soigneusement dans les livres de cuisine et dans les manuels de savoir-vivre : « Tout y a été pensé de l'ordonnancement du repas, de la place des convives, de la succession et de l'appariement des mets, des vins d'accompagnement » (Rivière, 1995 : 195). Ce cérémonial, complexe et codifié, a pour fonction de transmettre des valeurs et d'instaurer une cohésion sociale :

> Élément d'architecture de la vie sociale et moment clef de la vie familiale, le repas se présente comme une ritualisation du partage de la nourriture, dont les cadres [...] se transmettent à travers les générations, et qui répond à la loi culturelle d'alliance et d'échange qu'est la commensalité. Au sein de la famille, il contribue à l'apprentissage des rôles, de la solidarité et de la distinction sociale. Au sein du groupe des commensaux, il assure la transmission

et la permanence des valeurs culturelles, au moyen de codes et de règles socialement définis, la conformité au modèle exprimant l'appartenance au milieu (Rivière, 1995 : 195).

Être ensemble autour du repas stimule par ailleurs la parole, et instaure le plaisir et la convivialité. En fait, « c'est pendant le repas que durent naître ou se perfectionner les langues, soit parce que c'était une occasion toujours renaissante, soit parce que le loisir qui accompagne et suit le repas dispose naturellement à la confiance et à la loquacité » (Brillat-Savarin, 1848 : 157). Outre le plaisir que peut générer le repas, par sa diversité et l'originalité de son goût, ainsi que par les styles culinaires et l'ordonnancement des services, l'aménagement et le décor de l'espace de la table, plusieurs loisirs mondains peuvent accompagner le temps de la table, et concourent au renforcement du lien social. En fait, aller souper chez quelqu'un à l'époque moderne ne signifie pas obligatoirement se mettre à table. Ceux qui ne souhaitent pas manger peuvent converser ou jouer pendant le repas (Lilti, 2005), ce qui explique le nombre important de tables de jeu répertoriées dans les salles à manger – et dans les pièces mitoyennes – des demeures des Montmorency-Luxembourg de Tingry.

Notons par ailleurs que d'autres formes de sociabilité se tissent autour des boissons exotiques consommées après les repas, ou indépendamment, lors d'une visite organisée ou spontanée. La vaisselle liée à cette consommation figure en grande quantité dans tous les logis inventoriés, témoignant d'une modification importante de la culture alimentaire grâce à l'introduction de ces nouvelles boissons. Cette vaisselle variée est utilisée dans la préparation de ces boissons jusqu'à leur présentation : des moulins à café, « une mesure à café », « une passoire à thé », des théières « à pieds » ou « à manche », des chocolatières, des cafetières, des boîtes à thé, des coupes et des soucoupes, des gobelets à chocolat, des cuillères à café, à chocolat et à sucre, des plateaux à café, etc. Ces objets sont fabriqués en matières nobles (la porcelaine, le bois de chine, l'argent). Le rituel a aussi son propre linge, comme les serviettes à café, rangées dans les coffres et les armoires de mesdames.

La dégustation du café s'impose comme un rituel mondain dès la seconde moitié du XVIIe siècle. Ce breuvage sert « d'amusement et d'entretien dans une longue conversation » d'après le *Dictionnaire* de Richelet (1732 : 258). Dès le début du XVIIIe siècle, il est consommé « à toute heure, et surtout le matin » (Meyzie, 2010 : 116). Dans le service à la française, instauré et codifié à partir de la deuxième moitié du XVIIIe siècle, le café est pris après le dîner, au dernier service (le dessert). Dans ce service, «tous les plats sont disposés en même temps et de manière symétrique sur la table : chaque convive se sert alors des plats qu'il désire en toute liberté et selon l'ordre qui lui convient. Le repas est en outre divisé en plusieurs services liés au renouvellement complet des plats sur la table» (Meyzie, 2010 : 270). En quittant la salle à manger pour s'installer au salon, le café «se fait (souvent) sous les yeux des convives et sert à les recréer» (Audot, 1896 : 50). La préparation du café à son invité est un geste élevé de ce fait au rang de symbole de l'hospitalité. S'il est préparé par des domestiques, c'est souvent la maîtresse de la maison qui se charge de la distribution. Selon Antoine Lilti (2005), la dégustation du café et surtout du chocolat relève plutôt de l'intimité familiale et domestique : en témoignent quelques peintures montrant des familles de l'élite qui prennent du café ou sirotent du chocolat dans leurs salons ou dans leurs jardins (Loussouarn, 2006). Prendre un café est par ailleurs associé à la «prise» du tabac sous l'Ancien Régime, comme le rapportent Annie Duchesne et Georges Vigarello. Une consommation raffinée de cette denrée âpre, odorante et mystérieuse s'installe en France dès la deuxième moitié du XVIIe siècle. Si le fumoir ne figure pas dans nos inventaires, plusieurs objets témoignent d'une prise du tabac chez les hommes et les femmes de cette famille et leurs convives : deux tabagies et deux caves à tabac à l'hôtel de Montmorency ; une tabatière chez la comtesse de Montmorency ; une autre cave à tabac chez la princesse de Tingry. Ces boîtes et cassettes à serrer la poudre, le tabac et les pipes deviennent chez certains des articles de luxe et un signe de distinction sociale, comme la tabatière de la comtesse qui est «d'or en navette cizelée avec ornemens d'or de couleur [...] prisée deux cens quarante livres». Café et tabac meublent en fait les longues conversations : «L'usage du caffé et du tabac font des inventions admirables pour remplir le vuide des conversations ; on se lasse quelquefois de parler, et dans le même moment ceux qui nous écoutent ne manquent guere de se lasser de donner leur attention : le tabac et le caffé font que l'on prend haleine» (La Bruyère, 1720 : 252). Le tabac est par ailleurs un «stimulant» qui renforce le jugement et la pensée, et donne «le temps de la réflexion lorsqu'il s'agit de discuter des affaires sérieuses» (Duhamel du Monceau, 1771 : 1). Les gestes du tabac sont codifiés par les traités de politesse : civilité et bienséance sont bien recommandées dans cette pratique.

Quant à la consommation du thé, elle prend à la fin du XVIIIe siècle la forme d'une véritable cérémonie qui donne lieu généralement à des invitations spécifiques. Le *Dictionnaire de l'Académie Française* de l'année 1798 note : « On appelle *Thé*, depuis quelques années, une espèce de collation, dans laquelle on sert du thé, et qui sert d'occasion pour réunir le soir une société nombreuse. » Il est d'usage aussi que le thé soit servi « à l'anglaise », c'est-à-dire sans domestiques, comme le montre le tableau de Michel Barthélemy Ollivier de 1764, *Le thé à l'anglaise*. Favorisant la convivialité, la cérémonie du thé encourage la conversation et renforce la cohésion entre convives.

Aussi, les vins de qualité, comptés en quantité dans les caves des demeures aristocratiques et dont la consommation importante est constatée à partir du nombre considérable de pots, de gobelets et de vases inventoriés par les notaires, sont servis pendant les grands repas et lors des soupers fins, d'une manière qui reflète le vrai sens du partage. En fait, jusqu'au XVIIIe siècle, pendant les repas d'apparat, le vin n'est pas disposé sur les tables, mais sur les dessertes et les convives doivent faire appel à des domestiques pour être servis dans un verre qui n'est pas individuel, mais partagé (Meyzie, 2010).

L'acte de manger et de boire ensemble ne se limite pas au partage de l'« objet alimentaire », c'est également une manière d'apprendre à « vivre ensemble, à manier un système de signes et à partager une culture » (Rivière, 1995 : 205).

Les jeux dans l'espace domestique

Le jeu compte parmi les loisirs mondains qui s'épanouissent dans l'espace domestique. Les intérieurs s'équipent du mobilier adéquat, tables de jeu, « couvertes de draps verts », de forme carrée, circulaire et triangulaire, munies de tiroirs, mais aussi des coffrets pour les jeux de table et des boîtes marquetées pour y serrer cartes et jetons. 109 tables et 16 boîtes de jeu se trouvent dans les logis des Montmorency-Luxembourg de Tingry, dont presque la moitié n'est pas identifiée (57). Celles dont la nature est précisée par les notaires renvoient à trois types de jeux en vogue à l'époque : les jeux de hasard, les jeux mixtes, où le hasard se mêle à l'adresse, et les jeux de dés. Les jeux de cartes et de dés sur lesquels on mise de l'argent forment l'élément essentiel de la sociabilité chez cette famille. En fait, en dépit d'une réglementation sévère contre les jeux de hasard aux XVIIe et XVIIIe siècles en raison de leurs méfaits sociaux, un jeu modéré entre amis et en famille est toléré. Le «cadrille» est le jeu de prédilection chez les Montmorency-Luxembourg de Tingry, avec 15 tables et 16 boîtes ; ensuite viennent le brelan, le trictrac et le piquet (9 tables pour les deux premiers et 8 pour le dernier). On s'adonne moins au jeu de trou-madame, de biribi, de cavagnole, de tri ou tritrille et de siam à la toupie. Les membres de cette famille et leurs invités jouent aussi au billard, à Beaumont, dans le château des parents et des grands-parents, jeu des élites par excellence, dont la durée longue permet de converser.

Les soirées de la bonne société sont longues et le besoin de jouer se fait vite sentir. L'espace domestique garantit la permanence et le confort que la durée parfois prolongée du jeu rend indispensable : la chaleur, l'éclairage, la nourriture, le mobilier confortable et luxueux, le cadre agréable (décor, verdure, etc.). L'offre du jeu dépend d'une demeure à une autre chez les Montmorency-Luxembourg de Tingry. L'hôtel urbain du maréchal de Montmorency est doté de 13 tables en 1746, celui de son fils, le comte de Montmorency, inventorié en 1751, compte 10 tables. La maréchale, quant à elle, met à la disposition de sa famille et de ses convives 16 boîtes de quadrille et 3 autres tables de jeu. Même si elle consacre sa vie à l'église des Théatins, elle accorde une place non négligeable aux réceptions et aux pratiques de sociabilité[10]. Le nombre le plus important de tables de jeu est relevé chez le deuxième prince de Tingry, dans son hôtel parisien (17 tables) et dans son château de Beaumont (21 tables). Un témoignage du duc de Luynes montre son enthousiasme pour le jeu et son avidité pour le gain : «M. le prince de Tingry a perdu hier 1 500 louis et aujourd'hui 1 000 ; il en avoit gagné 1 600 avant hier au trictrac et au piquet» (Luynes, 1863 : 150). Cela montre que les sommes misées dans ces parties de jeu ne sont pas négligeables : elles peuvent même mettre en péril des fortunes. Plusieurs motifs expliquent donc l'adhésion de la haute société au jeu. C'est une occasion de s'amuser, de converser, de combattre l'oisiveté et de dissiper l'ennui, de faire grande figure et de briller, de soutenir son train de vie et de rechercher des ressources supplémentaires. Même les domestiques, chargés de surveiller le jeu, en profitent, puisqu'ils

---

10. Voir l'abondance du linge de table de la maréchale et l'importance de sa vaisselle d'argent (tableaux 2 et 3).

sont rétribués pour chaque partie, en cas de gain. Le jeu permet par ailleurs de montrer son appartenance sociale à travers ces tables faites en bois noble et ornées des armes de la famille (cas des boules et fiches d'une table de trictrac du deuxième prince de Tingry et d'un « binet de trictrac » en argent trouvé chez la maréchale de Montmorency).

Toutes ces pratiques, apprises à la cour, sont calquées et transposées dans les demeures aristocratiques, qui fonctionnent comme de petites cours. Entre époux, entre parents et enfants, entre amis, le jeu renforce les liens et suscite l'effusion des émotions et des sentiments, comme l'a bien noté Ortigue de Vaumorière : « il semble que le jeu soit [...] l'endroit où les passions paroissent mieux dans leur naturel » (1701 : 423).

Les lectures de société

La lecture est l'un des piliers de la sociabilité mondaine au XVIIIe siècle. C'est un loisir cultivé, qui « permet de parfaire sa culture, de jouir de ses collections et de pratiquer l'art de la conversation » (Corbin, [1995] 2001 : 58). La quantité et la qualité du mobilier, ainsi que le raffinement du décor des bibliothèques dans certaines demeures de cette famille témoignent de l'ouverture de ces pièces à une société choisie. La bibliothèque du maréchal de Montmorency, par exemple, est l'une des pièces les plus cossues de son hôtel. Chauffée par une cheminée, éclairée par des chandeliers et décorée par 20 tableaux, dont 5 portraits de famille, par une grande tenture de tapisserie et par une grande quantité de bibelots, cette pièce peut accueillir un « cercle » de lecteurs grâce à ses 11 sièges, dont un fauteuil de commodité. La pendule, prisée 400 livres, peut servir pour contrôler le temps pendant la lecture. À la bibliothèque du deuxième prince de Tingry dans son château d'Avernes, les convives peuvent se réunir autour d'une grande table de trou-madame, hors du temps de lecture. La bibliothèque est de ce fait un lieu d'ostentation sociale destinée à la rencontre mondaine. La lecture collective à haute voix est une activité codifiée, prisée par la bonne société. Celui qui lit doit maîtriser l'art de bien lire et produire un effet sur ses auditeurs, il doit insister sur la ponctuation, éviter que la lecture n'ennuie l'auditoire, etc. Aussi, ces lectures de société sont souvent associées à la conversation et aux plaisanteries. Entre amis, le livre lu, écouté ou discuté tisse un lien fort et durable. Il fortifie les amitiés et nourrit les pensées.

La « privatisation » de la lecture, considérée comme l'« une des évolutions culturelles majeures de la modernité » (Chartier, 1999 : 126), laisse également des traces dans les appartements privés des Montmorency-Luxembourg de Tingry : on trouve en effet des meubles dédiés au rangement des livres, appelés « armoires à bibliothèques », dans l'appartement du deuxième prince de Tingry en 1741, et dans les chambres à coucher de la maréchale en 1749 et de la comtesse de Montmorency en 1751. Cela témoigne du fait qu'une lecture individuelle et silencieuse peut se tenir dans ces pièces privées, mais aussi des lectures familiales, qui prennent la forme soit d'une lecture paternelle et biblique, soit de lectures collectives à haute voix, suivies souvent d'une conversation entre époux ou avec les enfants et les petits-enfants.

En partant des descriptions minutieuses, par les notaires, des objets domestiques et du mobilier dans l'habitat aristocratique, et en nous fondant sur des données quantitatives et qualitatives construites à partir des inventaires après décès, nous avons constaté que la maison aristocratique est un lieu qui permet l'épanouissement de la sociabilité. En fait, les moments passés ensemble autour d'un repas ou d'une boisson, d'une table de jeu ou d'un livre sont des moments privilégiés de la vie de la haute société et associés à des rituels bien spécifiques, appris à la cour, dont le succès est garanti par leur strict respect. L'affirmation du statut social et la culture des apparences sont au cœur de ces gestes de sociabilité. Le fait de recevoir – tout comme celui d'être reçu – est une pratique régulière chez les hommes et les femmes de la bonne société, leurs habitations doivent donc être aménagées en conséquence.

L'aménagement intérieur et le décor

Parler des pièces dévolues à la sociabilité au sein de l'espace domestique invite à réfléchir à l'aménagement intérieur et à la spécialisation des pièces de l'espace domestique au siècle des Lumières. Exposer le décor de ces intérieurs permet également d'apprécier la place qu'attribue la noblesse à la réception et à la vie en société.

La variété des pièces de réception

Le plan de l'hôtel Montmorency (ou Amelot), publié par Jacques-François Blondel, et l'essai de reconstitution du plan du château de Beaumont, publié par Marc Verdier (fig. 4.3 à 4.6), montrent l'emplacement central des «locaux sociaux», conçus autour d'un vestibule, pièce par laquelle on accède à un bâtiment. Ces locaux se divisent en un «appartement de société» et un «appartement de parade», au sein desquels se trouvent les pièces de réception et de sociabilité, salons et salles à manger en particulier.

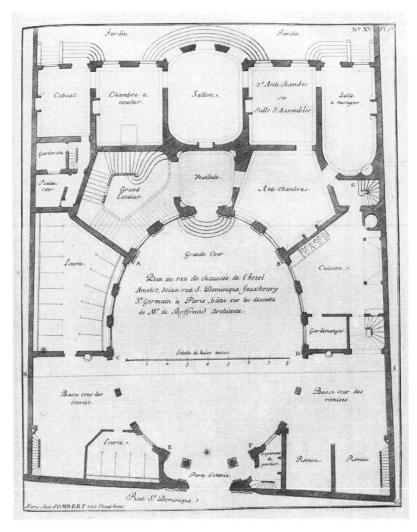

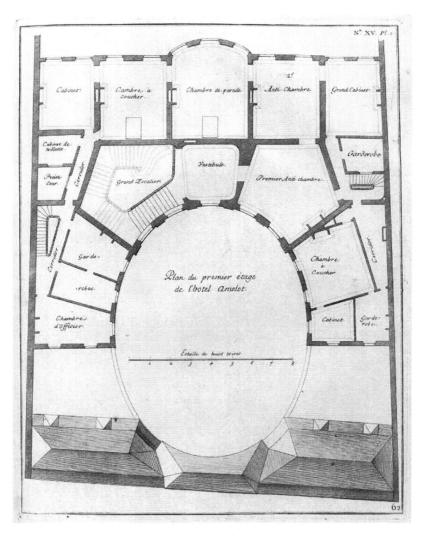

Figures 4.3. et 4.4. Plans du rez-de-chaussée et du premier étage
de l'hôtel Amelot (Montmorency)
Source : Jacques-François Blondel, *De la distribution des maisons de plaisance
et de la décoration des édifices en général*, Paris,
Charles-Antoine Jombert, 1737, vol. 2, planches 61 et 62.

Au moins un salon est aménagé dans toutes les demeures des Montmorency-Luxembourg de Tingry. Venue de l'Italie et introduite dans l'habitat français dès le XVIIᵉ siècle, cette pièce « dédiée à la société » prend, dans les inventaires après décès, des noms différents : « sallon », « sale », « salle de compagnie », « sallon de compagnie » et « salle d'assemblée ». La terminologie est différente, mais l'usage est le même : la réception. Au XVIIᵉ siècle, les notaires utilisent le mot « sale », défini par Richelet comme une « grande chambre parée où l'on reçoit ordinairement le monde qui rend visite ou qui vient nous parler des affaires ». Quant au « sallon », c'est « une grande sale ou anti-sale » (Richelet, 1732 : 340-341). Ces deux définitions mettent l'accent sur la dimension spatiale de la pièce. Michel Figeac (2006) parle de pièces grandioses dans les châteaux de campagne qui reçoivent les soirées, les bals et les concerts, de plus en plus fréquents au siècle des Lumières. Les définitions de Richelet renvoient aussi à une diversité dans les modes de réception, une diversité qui a poussé les architectes à prévoir plus d'un salon dans certaines demeures spacieuses. L'hôtel de Montmorency dispose ainsi de deux salons : le « grand sallon » et le « sallon du maréchal » ; le château de Beaumont aussi : « le sallon » et « le petit sallon », d'après l'inventaire de 1787, et quatre salons d'après l'inventaire de 1793.

Le salon de l'appartement de société est souvent réservé à la société élective et aux relations intimes. Il est dédié à la réception de l'après-midi, au cours de laquelle la représentation et l'étiquette passent au second plan par rapport au confort. Quant au salon de l'appartement de parade, il est, en revanche, destiné aux réceptions de fin de matinée, aux visites officielles d'égaux ou de personnages d'un rang plus élevé (Elias, 1985). Ces salons sont hiérarchisés selon un choix électif des convives : la salle d'assemblée est pour les personnes qui méritent d'être distinguées, le grand salon est pour les amis, les artistes, les philosophes et les savants. Le salon devient ainsi un lieu de sociabilité publique à part entière tout en appartenant au domaine du privé.

Les réceptions autour de la table s'organisent souvent dans la salle à manger, une pièce de réception apparue dès le milieu du XVIIᵉ siècle. Avant cette date, le choix des lieux où se tiennent les repas est très varié, et dépend de la saison et du nombre des convives. « Dans l'architecture des élites, la chambre, la salle ou l'antichambre peuvent très bien tenir ce rôle, avant que s'impose la salle à manger » (Lestienne, 2019 : s. p.). Cécile Lestienne

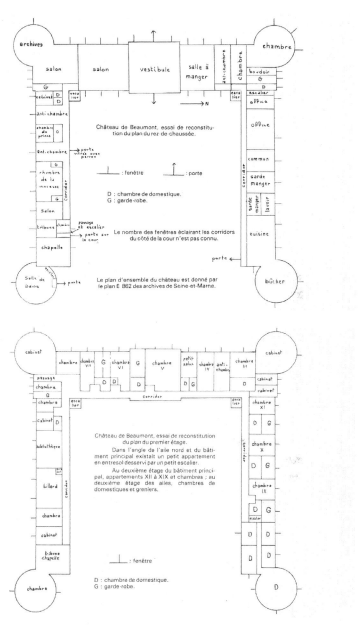

Figures 4.5. et 4.6. Plans du rez-de-chaussée et du premier étage
du château de Beaumont
Source : Marc Verdier, *Le château de Beaumont-en-Gâtinais avant la Révolution*,
Monuments et sites de Seine-et-Marne, 1977 : s. p.

inscrit le processus d'adoption de cette pièce dans un mouvement plus large de spécialisation des pièces à l'époque moderne. Elle l'associe à un changement durable des mentalités, qui aboutit à une recherche de l'intimité et de commodités. Huit des treize logis des Montmorency-Luxembourg de Tingry sont dotés de salles à manger, sises au rez-de-chaussée. Pour desservir facilement les plats, cette pièce se place souvent à l'enfilade de la cuisine, comme nous le constatons sur le plan de l'hôtel de Montmorency (fig. 4.4). Le plan du château de Beaumont montre en revanche une salle à manger éloignée de la cuisine et de l'office (fig. 4.6). Dans ce cas, un corridor est aménagé pour relier cette pièce au département de bouche. Pour ne pas perdre la chaleur des plats dans les longs corridors sans chauffage, une antichambre est aménagée à côté de la salle à manger pour recevoir les plats et les réchauffer avant le service, ce qui explique que ces pièces soient équipées de poêles. La salle à manger n'est néanmoins pas présente dans toutes les demeures des Montmorency-Luxembourg de Tingry. Dans ce cas, les repas sont pris dans des pièces à usages multiples, comme la chambre, la salle, la sallette, mais surtout dans l'antichambre. Dans l'appartement du château de Versailles, les notaires notent que l'antichambre sert de salle à manger. Aussi, l'antichambre de l'hôtel de la rue de Varenne des Montmorency est équipée de tables à manger, celle du premier étage de l'hôtel de la rue de Richelieu est dotée d'une fontaine à laver les mains, un geste d'hygiène associé au repas. Notons par ailleurs que bien que l'hôtel parisien de Tingry soit doté d'une salle à manger au rez-de-chaussée, l'antichambre du premier étage, équipée d'une fontaine à laver les mains et d'un bas de buffet, semble être réservée à une sociabilité choisie liée à la table. Nous pouvons ainsi en conclure que jusqu'à la fin du xviiie siècle, la salle à manger n'intègre pas tout l'habitat aristocratique ; la réception des convives et des commensaux et l'organisation des repas et des festins s'organisent donc dans des pièces à usages multiples.

Quant aux repas quotidiens, ils n'ont pas de pièces fixes. On peut prendre un repas dans une chambre, une antichambre, une garde-robe, etc. Notons par ailleurs que l'évolution de l'intimité au xviiie siècle a séparé les maîtres et les domestiques au moment des repas. La « salle du commun », dans la maison de la maréchale, et la « salle à manger de l'office », au château de Beaumont, sont dévolues aux repas des domestiques. En l'absence de cette pièce, les domestiques peuvent manger dans la cuisine ou dans l'office, où sont dressées des tables à manger.

La naissance de ces deux nouvelles pièces n'a pas supplanté le rôle attribué depuis longtemps à l'antichambre. Cette pièce continue d'être affectée à la réception. La quantité et la qualité de son mobilier en témoignent : sièges, tableaux, tapisserie, meubles de rangement où l'on dresse bibelots et vaisselle en porcelaine. Une demeure peut avoir plusieurs antichambres qui assurent la fonction de réception, souvent dans des étages différents et dans des appartements distincts. Les maître et maîtresse de la maison continuent par ailleurs à recevoir dans leurs appartements privés. Deux indices relevés dans les inventaires après décès le montrent : d'abord, les tables de jeu trouvées dans les appartements du prince et de la princesse de Tingry en 1741, de la maréchale en 1746 et du deuxième prince de Tingry en 1787, ensuite, les ustensiles qui servent à préparer le thé, le café et le chocolat et la vaisselle en porcelaine dans laquelle ces boissons sont servies et qui sont rangés dans les chambres à coucher des femmes et dans les cabinets de toilette. C'est autour de ces boissons exotiques que ces femmes aristocratiques organisent leurs réceptions.

Notons enfin qu'il est d'usage qu'un hôte reçoive dans son lit. Ce mobilier est parfois repéré dans des pièces destinées à la réception, comme la salle d'assemblée de l'hôtel de la rue Richelieu, meublée d'un lit et d'une couche. Il s'avère donc que jusqu'à la fin de l'époque moderne, les espaces de sociabilité à l'intérieur des maisons ne semblent pas clairement délimités, certaines pièces conservent encore plusieurs usages (coucher, manger, recevoir, etc.). La spécialisation des pièces progresse, mais sans être définitive. C'est la bourgeoisie qui va séparer définitivement vie privée et vie publique à partir du XIXe siècle.

Le décor intérieur entre luxe et commodité

Les inventaires après décès ne permettent pas de connaître l'architecture d'une demeure ; c'est donc au monde des objets et du mobilier que nous nous intéressons, car celui-ci a connu une révolution quantitative au siècle des Lumières. Au sein de l'espace domestique, les pièces de réception sont les plus cossues, car elles reçoivent toute l'attention du maître et de la maîtresse. La décoration et l'ameublement de ces pièces doivent refléter le rang social : « Un haut rang oblige son détenteur à posséder une maison et à lui assurer une belle apparence » (Elias, 1985 : 32). Les dimensions et les décorations de la maison ne dépendent donc pas de la richesse de son propriétaire, mais exclusivement de son rang social et de l'obligation de « représenter » qui en découle.

Les salons des onze demeures inventoriées sont de ce fait les pièces les plus raffinées. La valeur du mobilier du grand salon du maréchal atteint 2 641 livres, celle du grand salon du château de Beaumont 2 590 livres, et celle de l'appartement versaillais 2 337 livres. On déduit les dimensions de ces pièces par la quantité de meubles qu'elles hébergent : 2 canapés, 10 fauteuils à la reine, 2 bergères, 10 fauteuils en cabriolet, 2 chaises à dossier, 2 chaises à la reine dans le salon de Versailles ; 2 petits écrans, 3 tables de marbre, une petite secrétaire, 2 grandes bergères, 12 cabriolets, 2 sofas, 12 fauteuils, 12 chaises et une petite table en guéridon dans le salon de l'hôtel parisien de Tingry. Dans toutes ces pièces, les meubles, œuvres d'ébénistes, les lustres, les miroirs, les tableaux, les tapisseries reflètent le faste. Chauffage, éclairage et instruments d'hygiène témoignent de la conquête d'un luxe de bien-être, car l'objectif est aussi de réjouir les sens. Généralement, ces pièces ouvrent sur des espaces verts ou des pièces d'eau (salon du château de Beaumont). C'est dans ce cadre agréable et opulent, indicateur du rang du maître et de la maîtresse et moyen d'autoaffirmation sociale, que les Montmorency-Luxembourg de Tingry accueillent leurs convives et organisent leurs réceptions et leurs soirées.

Observons de plus près le luxe des pièces de réception au château de Beaumont. Nous avons déjà noté que nous disposons de deux inventaires de ce château. Effectués à des dates proches (1787 et 1793), ces inventaires ne permettent pas de saisir une évolution de l'espace ou du décor. Notons toutefois que le deuxième inventaire est plus détaillé que le premier. S'agissant du grand château de la famille, qui incarne la mémoire d'une maison et l'honneur d'un lignage, il retient toute l'attention de ses propriétaires. Un grand soin et une ostentation remarquable sont accordés à la décoration intérieure des pièces dédiées à la sociabilité dans ce bâtiment.

Les descriptions de Verdier à partir de l'inventaire de 1793 présentent l'appartement de réception à Beaumont comme suit :

> [L]e vestibule accueille sièges, canapés et fauteuils recouverts de maroquin jaune et de soie cramoisie. Une lanterne de cuivre à cinq pans garnis de verre éclaire la pièce le soir. Deux bustes de marbre blanc s'installent sur des consoles de marbre, l'un représentant le chancelier Boucherat et l'autre le

premier président Achille de Harlay, aïeux des princes de Tingry. À gauche et à droite s'ouvrent des pièces aux murs recouverts de boiseries où sont encastrés des portraits de famille. Dans la salle à manger, à droite, la boiserie est ornée de quatre tentures de cuir doré et de cinq portraits encastrés. Deux lanternes en cuivre doré identique à celle du vestibule pendent du plafond. Une grande fontaine de cuivre peint en gris prend sa place dans cette salle. Un grand buffet bas à trois portes peintes en gris à dessus de marbre et des chaises en hêtre recouvertes de moquette rouge forment le mobilier. Le chauffage est assuré par un poêle de faïence à dessus de marbre. La table est absente dans cette salle, mais les commissaires notent que des tréteaux et des panneaux de bois sont dans le vestibule. La table est ainsi dressée selon le besoin et suivant le nombre de convives. L'antichambre à côté est meublée d'une table à pieds de biche de différents bois avec un dessus de marbre, quatre fauteuils rouges «à l'ancienne mode» et trois tapisseries à personnages. Des dessus de porte peints représentant des bustes de femmes sont encastrés dans la boiserie.

Le grand salon est éclairé par six fenêtres, trois donnent sur le parterre et trois sur la cour. La pièce est immense et renferme nombreux sièges, fauteuils, canapés, bergères en bois de couleur jaune recouvert de velours d'Utrecht cramoisi. L'un des murs porte un dais composé de pièces de tapisseries de la Savonnerie […]. Au plafond sont suspendues à des cordons de soie, deux lanternes à cinq pans garnies de girandoles à quatre bobèches. Il y a aussi des guéridons sculptés et peints en gris, et un billard. Aux murs des tapisseries et des tableaux : portrait de Louis XIV et un autre du maréchal de Montmorency. Le petit salon donnant sur le parterre est meublé de fauteuils, d'ottomanes, recouvertes de tapisserie à l'aiguille représentant des fleurs et des ramages de diverses couleurs. Un lustre à huit branches éclaire la pièce (Verdier, 1977 : 26-27).

Trois éléments autour de l'observation du décor et de l'ameublement de l'«appartement de société» au château de Beaumont retiennent notre attention : le cadre luxueux, le souci de bien-être et la volonté de se distinguer. D'abord, une impression de luxe et de profusion inégalée se dégage, reflétant l'opulence des maîtres. Lumières, couleurs, images, boiseries sont harmonisées pour conférer du faste à la demeure. Ébénistes et menuisiers offrent des modèles diversifiés de meubles somptueux et fournissent des sièges d'apparat. L'agrément qui résulte de cette harmonie crée une impression de plaisir et de bien-être sur les propriétaires et leurs convives qui viennent goûter aux joies de la vie champêtre et jouir des divertissements mondains offerts par la campagne. Ce luxe est associé à un confort qui se manifeste dans l'aménagement de l'espace en source de chaleur et d'éclairage, deux éléments fondamentaux dans le choix des lieux propices à la sociabilité, notamment pendant ce long temps nocturne, qui devient progressivement le moment privilégié de la sociabilité. Si la cheminée est considérée comme la principale source de chaleur pendant les hivers glaciaux, le poêle, qui répartit beaucoup mieux la chaleur, retient de plus en plus l'intérêt des classes les plus aisées au XVIIIᵉ siècle. La cheminée peut servir, accessoirement, de mode d'éclairage, mais d'autres luminaires sont aussi utilisés tels les lustres et les lanternes. À cela s'ajoutent des sièges de plus en plus confortables, favorisant la sociabilité, tels les bergères, les ottomanes, les fauteuils, etc. Enfin, la mise en scène de soi passe par le souci d'affirmer son appartenance sociopolitique, en arborant ses armoiries sur des objets luxueux, mais aussi en exposant des bustes et des portraits des parents et des aïeuls, choisis souvent parmi les figures emblématiques du lignage, pour affirmer son sang noble et rappeler ses origines lointaines. S'agissant du château d'un duc (le duc de Beaumont), le rappel de sa position dans la hiérarchie nobiliaire, dans cet appartement dédié à la société, est prévu par l'aménagement d'un dais dans le grand salon. Ce « meuble précieux qui sert de parade et de titre d'honneur chez les princes et les ducs, fait en forme du haut d'un lit, [et] composé de trois pentes, d'un fonds et d'un dossier » (Furetière, 1690 : s. p.), est un signe de distinction sociale.

* * *

L'espace domestique aristocratique se présente comme un lieu de rencontre, de communication et d'échange, qui répond au besoin qu'ont les hommes de vivre ensemble, en offrant à ces derniers les conditions favorables au développement de la sociabilité. Dans un souci de séparer le public du privé au sein de cet espace, qui s'inscrit dans une évolution des mœurs et un changement des mentalités au XVIIIᵉ siècle, on observe l'aménagement de pièces dédiées à la sociabilité, mais cette évolution n'est pas encore définitive et les frontières entre le public et le privé restent ambiguës et mouvantes jusqu'à la fin du siècle.

CHAPITRE 5

Sociabilités féminines à la cour de France

Aurélie Chatenet-Calyste

Lorsqu'elle arrive à la cour de Versailles en 1725, la jeune reine Marie Leszczynska découvre un mari, un nouveau pays, une nouvelle société et un nouvel entourage. À Versailles l'attend une maison formée de domestiques à son service, mais aussi d'une suite aristocratique qui l'accompagne dans son quotidien. Les entourages royaux ou princiers tendent aujourd'hui à être mieux connus et les spécialistes, essentiellement des historiennes, se sont intéressés aux reines, aux princesses ou, dernièrement, aux maîtresses royales et aux femmes de ministres, depuis les travaux fondateurs de Fanny Cosandey (2000 et 2010). Dans ce courant de recherche foisonnant, une attention particulière a été portée aux dames servant les reines, aux carrières féminines à la cour, laissant cependant de côté la figure de Marie Leszczynska. La personnalité discrète – pour ne pas dire effacée – de la reine a certainement dû jouer dans le désintérêt des chercheurs. Or, étudier l'entourage royal à partir des dames servant la reine de 1725 à 1768 permet d'apporter un éclairage sur les sociabilités aristocratiques et curiales, de réfléchir à la spécificité de cette sociabilité féminine à l'intersection de plusieurs espaces – les espaces curiaux, urbains et castraux – et de voir comment celle-ci est traversée, organisée par des forces, des influences, des réseaux qu'il convient de mettre au jour.

Les dames au service de la reine

Alors que les historiens ou les érudits se sont attardés sur les figures les plus marquantes de l'entourage royal – à l'instar des favorites du roi, qui furent souvent dames du palais de la reine, et en premier chef la marquise de Pompadour –, les autres dames suivantes demeurent des figures de l'ombre, qui n'ont jamais fait l'objet d'études approfondies.

Un entourage discret et méconnu

Les récits des mémorialistes ont laissé de la société de la reine l'image d'un repère de bigots et d'un conservatoire de douairières de l'ancienne cour sans rôle politique. Les descriptions de Dufort de Cheverny sont célèbres : « À Versailles, j'allais chez la duchesse de Luynes, dame d'honneur de la reine son amie chez qui les vieux courtisans allaient régulièrement. [...] [O]n y jouait, et elle causait ou jouait. [...] enfin, presque toutes les vieilles dames du Palais ». Il poursuit : « la coterie de la reine était chez madame de Luynes ; c'était le président Hénault, Moncrif, beaucoup de dévots et toutes les dames validées de la cour » (Cheverny, 1990 : 123). Cette image a été sérieusement révisée par Bernard Hours, qui a montré que l'entourage de la reine ne constituait en rien un parti politique, mais plutôt un cercle, une génération (2002 : 100).

Toutefois, ces descriptions ont fossilisé l'image de l'entourage de la cour en le réduisant à quelques figures importantes et à une chronologie resserrée. Or, il faut rappeler que la suite aristocratique de la reine est en renouvellement constant et que sa composition en 1725 est bien différente de celle de 1768, ou encore de celle évoquée par Dufort de Cheverny en 1752. Le milieu du siècle marque un tournant dans la vie de la reine, qui se replie dans ses intérieurs auprès d'une compagnie rajeunie et qui se renouvelle progressivement. L'image de la reine en majesté cède la place à la reine intime en habit de ville[1], célébrant la félicité domestique. Au total, 50 femmes de tous âges se succèdent à son service pendant la période, et l'on peut suivre les changements au sein des 12 charges de dames du palais grâce à la liste établie par le Centre de recherche du châ-

---

1. Voir Jean-Marc Nattier, *Marie Leszczynska, reine de France (1703-1768), représentée en 1748 en habit de ville, coiffée d'une marmotte de dentelle et lisant les évangiles*, huile sur toile, 146 x 113 cm, Musée national du château de Versailles, 1748.

teau de Versailles (CRCV, 2012). L'analyse conjointe des récits des mémorialistes, des actes notariés et des archives personnelles de ces dames permet de mieux saisir les contours de cet entourage et de faire la lumière sur la place des dames suivantes dans la société curiale et au-delà dans les sociétés aristocratiques.

Un rôle différencié auprès de la reine

Sous le terme générique de « dame suivante » sont regroupées des femmes de la noblesse qui exercent des fonctions diverses auprès de la reine. Cet entourage s'inscrit dans le cadre de la maison formée en 1725 sur le modèle de celle du roi ou des princesses antérieures : Marie-Thérèse, épouse de Louis XIV (qui meurt en 1682) ; la dauphine, épouse du grand dauphin, fils de Louis XIV (qui meurt en 1690) ; et la duchesse de Bourgogne (qui meurt en 1712), épouse du petit-fils de Louis XIV, mère de Louis XV et dernière « première dame » du royaume avant la princesse polonaise. La maison des reines de France s'est lentement structurée à la fin du Moyen Âge et au début de l'époque moderne, et ses effectifs ont largement crû : 72 officiers au milieu du XIVe siècle, 357 à la fin du XVIe siècle, entre 500 et 700 pour le premier XVIIe siècle. Au XVIIIe siècle, la maison royale est dirigée par une surintendante[2] et organisée autour de plusieurs départements, bouche, écurie, chapelle… La reine est également entourée d'une suite nobiliaire formée d'écuyers et de dames suivantes. Depuis 1687, en effet, il n'y a plus de filles d'honneur élevées à la cour, mais des dames, soit des femmes mariées ou ayant été mariées : une dame d'honneur, une dame d'atours et 12 dames du palais, ayant chacune des attributions propres.

Les dames suivantes participent au cérémonial qui entoure une princesse, que ce soit dans la vie quotidienne ou pour des occasions spécifiques. La dame d'honneur joue un rôle d'introductrice des visiteurs auprès de la reine et organise les audiences, contrôle l'accès à la reine, à ses appartements. La dame d'atours est chargée officiellement de la garde-robe de la reine, ce qui inclut des devoirs cérémoniels et administratifs. Elle prend une part active à la toilette du matin et occupe une place intermédiaire entre la dame d'honneur et les dames du palais. Les dames

---

2. Marie-Anne de Bourbon-Condé, de 1725 à 1741 ; ensuite, cette fonction est abolie jusqu'en 1775.

du palais sont des femmes choisies pour tenir compagnie à la reine, sans fonction définie. Douze charges de dames du palais ont été créées en 1725 et pourvues par le duc de Bourbon et madame de Prie, sa maîtresse. Les dames servent par semaine, par trois, souvent par affinités ou liens familiaux. Le renouvellement des charges est lié au départ des dames qui quittent le service pour des motifs divers, en raison de leur vieillesse, de leur santé ou de leur situation maritale – la mort du mari ou des enfants les conduit à fuir le monde –, ou encore de leurs aspirations spirituelles, qui amènent certaines d'entre elles à quitter la cour pour le couvent. Occupant une fonction de proximité avec la reine, toutes ont en commun d'appartenir aux plus grandes familles de la noblesse.

Des dames issues des plus grandes familles nobiliaires

La suite aristocratique de la reine est par définition formée des représentantes du second ordre du royaume. Dès 1725, elle est établie suivant une répartition en proportions égales entre les épouses des ducs, maréchaux de France ou des grands d'Espagne et des dames de la haute noblesse portant le titre de comtesse ou de marquise, qui, à la différence de celui de duchesse, ne donne pas le droit de s'asseoir sur un tabouret en présence du roi.

Malgré cette hiérarchie des rangs et des lignages, ces dames sont issues de familles présentant des profils similaires : ancienneté de la noblesse, tradition militaire et de service auprès des rois ou des princes. Leur noblesse remonte en général au Moyen Âge, ce qui est très important dans une société où l'ancienneté de la noblesse est un critère de sélection pour des charges et des emplois et un élément de prestige. La présentation aux souverains, ou honneurs de la cour, devient une condition *sine qua non* pour obtenir une charge auprès de la reine. Avec le règlement de 1759-1760, le ou la requérante doit prouver une filiation depuis 1400. Pour les femmes mariées, les preuves doivent être celles de la belle-famille, ce qui signifie que l'ancienneté de sa noblesse est un atout décisif pour un candidat au mariage. Ces familles se sont illustrées à la guerre et exercent des fonctions militaires prestigieuses, comme gouverneur de province ou de places fortes, connétable, secrétaire d'État à la Guerre, ou sont à la tête des régiments royaux. Elles ont servi depuis longtemps la monarchie et le roi de toutes les manières. Leurs membres peuplent les maisons royales ou princières. Ils ont en général entamé leur carrière dans les écuries royales comme pages ou en servant le roi enfant comme menins. Adultes, ils sont gentilshommes de la chambre, aumôniers... Ils bénéficient de la faveur royale et accumulent richesses et charges lucratives.

Naissance et service royal caractérisent ce groupe en contact avec plusieurs cercles qui s'entrecroisent entre la ville et la cour.

La cour, la ville, le château

L'appartenance au second ordre se distingue par un mode de vie fondé sur l'ubiquité. Les dames suivantes participent à une sociabilité qui s'organise autour de trois pôles : la cour ou plutôt les espaces curiaux – Versailles et ses satellites ; la ville, les sociétés parisiennes – car, quand elles ne sont pas de semaine, ces femmes sont souvent dans la capitale et intègrent les cercles du beau monde parisien ; et le château familial ou encore les folies autour de Paris, qui polarisent une société à mi-chemin entre monde provincial et vie parisienne.

L'intégration dans la sociabilité curiale

Le service royal fonde l'identité du groupe et induit une sociabilité spécifique, obligatoire, qui s'épanouit à Versailles et dans ses satellites. La présence aux grandes festivités du temps curial (fêtes religieuses ou dynastiques comme la Saint-Louis, déplacements de la cour...) est une nécessité sociale. Au service de la reine, les dames l'accompagnent partout dans ses déplacements quand elles sont de semaine. Or, la reine voyage peu dans la première partie du règne en raison de ses multiples grossesses. Ensuite, la reine se déplace avec le roi à Fontainebleau, Choisy, Marly, Compiègne... Grâce à Luynes, on suit la mobilité de la reine et de ses dames ; l'une d'entre elles, la duchesse de Fitz-James, rapporte dans ses lettres ses propres voyages, comme à l'été 1757. Marie de Thiard de Bissy passe ainsi trois semaines à Fontainebleau, non parce qu'elle est de semaine, mais parce que Fontainebleau est considéré comme un voyage incontournable pour qui appartient à la cour. Les dames jouent un rôle dans le cérémonial curial : elles reçoivent les hôtes de marque, participent aux fêtes religieuses en faisant la quête ou en tenant la nappe lors de la Cène. Cette sociabilité s'inscrit dans les espaces de réception de la cour, et surtout dans les appartements de la reine, désormais mieux connus.

Comme l'a montré Manuel Lalanne (2012), en 1725, la jeune Marie arrive dans une cour qui n'a plus connu de reine depuis la mort de Marie-Thérèse en 1683. Les appartements de la reine ont été occupés par la dauphine puis la duchesse de Bourgogne, mais, à la différence de ceux du roi, n'ont pas fait l'objet de réaménagements. Quelques travaux ont été réalisés au moment du mariage, mais il faut noter que la vie de la reine se déroule exclusivement dans ses appartements de parade, auxquels s'ajoute le salon de la Paix, où se tient le jeu de la reine et où se déroulent les concerts. Il faut attendre la seconde partie du règne pour qu'elle bénéficie d'aménagements d'ampleur lui permettant d'avoir des cabinets pour se retirer.

En plus de cette sociabilité officielle et de réception, les dames appartiennent aux cercles restreints qui entourent la reine, voire le roi. Les privances de la reine sont formées d'une petite compagnie, qui n'est pas exclusivement féminine. On y trouve ses dames et ses intimes, comme le président Hénault, qui décrit dans ses *Mémoires* une journée de la reine :

> La Reine ne vit point au hasard : ses journées sont réglées et remplies au point que, quoiqu'elle passe une grande partie toute seule, elle est toujours gagnée par le temps. La matinée se passe dans les prières, des lectures morales, une visite chez le Roi, et puis quelques délassements. […] Son dîner fini, je la suis dans ses cabinets. C'est un autre climat ; ce n'est plus la Reine, c'est une particulière. […] La cour se rassemble chez elle vers les six heures pour le cavagnole ; elle soupe à son petit couvert depuis la mort de M. de Luynes (car auparavant il avait l'honneur de lui donner à souper chez lui, où il la servoit), et de là elle se rend chez madame la duchesse de Luynes vers les onze heures. Les personnes qui ont l'honneur d'y être admises se réduisent à cinq ou six personnes au plus, et à minuit et demi, elle se retire (Hénault, 1855 : 223).

Le groupe des intimes de la reine est un cercle réduit de moins d'une douzaine de personnes, dont l'intérêt se tourne vers l'activité artistique, les concerts, la conversation et le jeu, avec la pratique intensive du cavagnole, une forme de loto, pour la reine. La tranquillité semble caractériser ce cercle, très calme, voire ennuyeux, comme le rappelle par exemple le comte de Croÿ (1907) ou encore la duchesse de Fitz-James, dans l'une de ses lettres adressées à son époux, le 8 juin 1757 : « nous faisons ici une bien triste semaine. La solitude est plus grande que je ne l'ai jamais vécue. C'est nous qui composons le cavagnol [*sic*] et, pour comble d'ennui, la reine s'est remise à souper et n'a pour toutes convives ces deux jours-ci que Mme de Bouzols et moi. Jugez comme cela est amusant » (Surreaux, 2013 : 50).

Les dames peuvent être aussi les invitées du roi lors de ses déplacements, comme à Choisy, ou à l'occasion de petits soupers. Cette insertion dans la sociabilité réduite du roi n'est pas liée à leurs fonctions auprès de la reine, mais au fait que certaines d'entre elles sont les favorites du roi ou proches de celles-ci. N'oublions pas que nombre de dames du palais, telles les sœurs Mailly, la duchesse de Châteauroux ou la marquise de Pompadour, ont été les maîtresses de Louis XV. D'autres sont invitées en tant qu'épouses ou filles d'hommes au service du roi ou des maisons royales.

En plus de leur insertion dans la sociabilité curiale, les dames polarisent elles aussi une société dans leurs appartements, car l'un des nombreux avantages du service royal est l'octroi d'un logement de fonction près des appartements de la reine. Ces espaces constituent les lieux privilégiés de la sociabilité de la reine. Les privances de la reine se déplacent vers les appartements de ses dames, telles la duchesse de Luynes et la duchesse de Villars, avec qui elle noue de vraies relations d'amitié. Les soirées de la reine se déroulent en général dans les appartements de la duchesse de Luynes, comme le note scrupuleusement son époux : en 1747, la reine soupe chez les Luynes 198 fois. De même, la reine est très attachée à sa dame d'atours, la duchesse de Villars, qu'elle surnomme « Papette » : « voyez mes soirées, écrit la reine au duc de Luynes, je vais chez Papette et quand elle a mal à la tête, je joue un triste piquet » (Armaillé, 1870 : 225). Elle se rend souvent chez les dames du palais : selon Luynes, « la reine va tous les jours chez Mme de Mazarin » (Luynes, 1860-1865, vol. 4 : 215). De surcroît, leur charge les conduit à exercer un rôle d'accueil, de réception inscrit dans leurs fonctions. Être reçue par la dame d'honneur est un préalable avant de faire son entrée dans le monde, d'être présentée aux souverains. Leurs vastes appartements – décrits par William R. Newton – permettent de recevoir facilement. On retrouve les dames dans l'aile du Midi, ou aile des Princes, c'est-à-dire à proximité du corps central et du même côté que les appartements de la reine. Celui de la duchesse de Luynes en est un bel exemple. Situé au premier étage de l'aile du Midi, près de celui de la reine, sur le palier de l'escalier des Princes, il est composé de 6 pièces, entresols et cheminées[3], soit environ 92 m² – ce qui est confortable, mais en deçà du double appartement du duc et de la duchesse

---

3. Archives nationales (désormais Arch. nat.), O/1/1781, dossier 3, n° 46, plan de l'appartement de madame de Luynes, au principal étage de l'aile du Midi, entre la cour de la Bouche et la cour des Princes.

de Saint-Simon, qui mesure 250 m^2 en 1755 (Newton, 2000 : 53). L'inventaire après décès de la duchesse[4], qui ne décrit pas les pièces, énumère une vaisselle abondante, rappelant que la duchesse tient une table ouverte, entretient une commensalité liée à son rôle : théière, sucrier en argent ou porcelaine notamment de Sèvres. On y retrouve tous les éléments matériels propices à la sociabilité : nombre, variété et hiérarchie des sièges avec 3 canapés, un fauteuil en cabriolet, 6 fauteuils et 12 chaises…

Non seulement ces dames accueillent la reine, mais elles ouvrent leurs portes aux autres membres de la cour, qui, pour réussir à Versailles, doivent passer par ces lieux incontournables. Elles organisent aussi des festivités, comme la princesse de Chalais, qui ordonne le 1er mars 1737 un bal pour les jeunes gens de la cour (Luynes, 1860-1865, vol. 1 : 194).

Une sociabilité aristocratique ubique

Si la sociabilité versaillaise témoigne de l'identité curiale de ces femmes, leur insertion dans la bonne société parisienne donne à voir leur rang et leur influence. Cette sociabilité hors la cour précède souvent celle de Versailles. En 1725, les dames choisies sont des femmes accomplies : la duchesse de Boufflers, dame d'honneur, a alors cinquante-six ans[5], la première dame d'atours, la comtesse de Mailly[6], cinquante-cinq ans, la marquise de Villars[7], cinquante ans, la princesse de Chalais, trente-neuf ans[8]. L'intégration à la maison royale vient récompenser leur fidélité et prolonger un service antérieur, car certaines étaient déjà au service de la duchesse de Bourgogne. Elles ont donc un réseau de sociabilité déjà formé quand elles arrivent dans la maison de la reine. Leur expérience du monde s'est forgée dans les divers lieux en vogue dans le premier XVIIIe siècle : la cour de Sceaux autour de la duchesse du Maine, avec le président Hénault,

---

4. Arch. nat., MC/ET/XXXIII/656, inventaire après décès de la duchesse de Luynes, 28 septembre 1763.

5. Catherine-Charlotte de Gramont, duchesse de Boufflers (1669-1739).

6. Anne-Marie-Françoise de Sainte-Hermine, comtesse de Mailly (1670-1734).

7. Jeanne-Angélique Roque de Varengeville, marquise de Villars (1682-1763).

8. Marie-Françoise de Rochechouart-Mortemart, marquise de Cagny puis princesse de Chalais (1686-1771), nièce par alliance de la princesse des Ursins, veuve en premières noces du prince Blaise de Talleyrand-Chalais.

madame du Deffand, la maréchale de Mirepoix[9], la duchesse de Luynes[10] ; le cercle du Régent, avec la duchesse de Gontaut[11] ; l'hôtel de Brancas, avec la future maréchale de Luxembourg[12] ; l'hôtel de Sully, avec les duchesses de Villars[13] et de Gontaut. Cette sociabilité forgée dans ces années 1720 est ensuite transférée à la cour de Versailles, mais continue à s'exprimer à Paris. Comme l'a souligné Antoine Lilti (2005), la cour et la ville sont loin d'être antinomiques, comme le pensait une historiographie classique, mais constituent les deux facettes de la « bonne société » du XVIIIe siècle.

Les dames suivantes de la reine représentent les deux aspects de la sociabilité aristocratique. La vie de ces dames est marquée par l'ubiquité : si elles sont de semaine à Versailles, nombre d'entre elles regagnent Paris une fois leur service accompli. Sans surprise, elles logent dans de très confortables hôtels particuliers qu'elles possèdent en propre, avec leur époux, ou qu'elles partagent avec leurs parents ou beaux-parents. À Paris, elles appartiennent à la bonne société, qui organise sa vie autour des cercles, des salons où se pressent les élites sociales et intellectuelles du temps : nobles, diplomates, hommes de lettres, artistes… On retrouve ces femmes dans les grands salons courus, à l'instar de madame du Deffand, proche de la duchesse de Mirepoix, de la maréchale de Luxembourg, de la duchesse de Luynes, ou dans les cercles princiers, tel celui du prince de Conti au Temple, autour de la comtesse de Boufflers. Le tableau célèbre d'Ollivier, *Le thé à l'anglaise*[14], présente plusieurs personnages issus de l'entourage de la reine, comme les maréchales de Luxembourg et de Mirepoix, la comtesse d'Egmont[15] ou le président Hénault.

Les cercles princiers jouent le rôle d'interface entre la cour et la ville. Ces sociétés se déplacent entre la ville et les résidences autour de Paris, car les châteaux sont aussi des lieux de villégiature aristocratique, comme

9. Anne-Marguerite-Gabrielle de Beauvau-Craon, duchesse de Mirepoix (1707-1798).

10. Marie Brûlart de La Borde, alors marquise de Béthune-Charost (1684-1763).

11. Marie-Adélaïde de Gramont, duchesse de Biron, dite la duchesse de Gontaut (1700-1740).

12. Madeleine-Angélique de Neufville de Villeroy, duchesse de Boufflers, puis de Luxembourg (1707-1787).

13. Amable-Gabrielle de Noailles, duchesse de Villars (1706-1771).

14. Michel Barthélemy Ollivier, *Le thé à l'anglaise servi dans le salon des Quatre-Glaces au palais du Temple à Paris en 1764*, huile sur toile, 530 x 680 cm, Château de Versailles, 1766.

15. Henriette-Julie de Durfort de Duras, comtesse d'Egmont (1696-1779).

chez le prince de Conti à L'Isle-Adam, chez les Condé à Chantilly. Il en va de même pour les folies, comme la folie Gramont[16] ou celle du duc de Chartres[17]. Ces sociétés sont soudées autour de pratiques culturelles : théâtre de société, conversation, promenade.

Leur naissance, leur appartenance à l'aristocratie conduisent ces femmes à intégrer les cercles du Beau Monde qui se déplacent de Versailles à Paris en passant par les châteaux. Non seulement les dames suivantes sont insérées dans ces sociétés, mais elles polarisent elles-mêmes des réseaux de sociabilité en divers lieux.

Des dames au cœur des réseaux de sociabilité

On l'a vu, les dames ont un rôle d'accueil et de réception à la cour. Ces fonctions dépassent le simple cadre versaillais. Leur naissance, leur position sociale, leur aisance financière, leur connaissance de la cour, leur proximité avec les souverains ont alimenté leur capital social, lui-même renforcé par leur insertion dans ces espaces de sociabilité. L'exemple de la maréchale de Mirepoix et de la maréchale de Luxembourg montre que ces dames peuvent devenir à leur tour des salonnières. Néanmoins, elles ne le deviennent qu'après avoir quitté le service. En revanche, on peut aussi voir des dames qui conservent leur charge tout en polarisant une sociabilité autour de leur résidence, qu'elle soit parisienne – à l'instar de la duchesse de Mazarin[18], qui reçoit dans son magnifique hôtel particulier rue de Varennes[19] – ou provinciale – comme la duchesse de Fitz-James, qui accueille ses parents et amis dans le château de Fitz-James, dans l'Oise[20]. En effet, les multiples résidences de ces dames sont traversées par de non moins multiples sociabilités, où se superposent des réseaux familiaux. Les hôtels et les châteaux accueillent l'aristocratie, voire la cour, comme c'est le cas pour le couple Luynes dans son château de Dampierre, mais aussi une famille au sens très large. Ces vastes demeures sont souvent partagées par plusieurs générations et accueillent la parentèle. Dans ses lettres, la duchesse de Fitz-James évoque la présence de ses parents à Fitz-James comme à Paris, de sa belle-sœur la

---

16. Rue de Clichy dans le 9ᵉ arrondissement parisien.
17. Parc Monceau.
18. Françoise de Mailly, duchesse de Mazarin (1688-1742).
19. Dans le 7ᵉ arrondissement parisien actuel.
20. Au nord de Paris, entre Beauvais et Compiègne.

marquise de Bouzols, également dame du palais, du père de celle-ci ou encore du marquis des Cars – un parent depuis le mariage en 1736 entre François Marie de Pérusse des Cars et Marie Émilie de Fitz-James, fille de Jacques Fitz-James de Berwick, duc de Fitz-James[21] –, mais aussi de connaissances comme madame d'Aguesseau[22] ou encore de relations de voisinage. Comme l'a montré Éric Mension-Rigau (2017) pour les Rohan, les différentes résidences combinent plusieurs formes de sociabilité : parisienne pour les hôtels particuliers, familiales ou de voisinage pour les châteaux à la campagne. Mathilde Chollet (2016) a bien analysé le cas de madame de Marrans et décrit « la sociabilité au château » comme la combinaison de plusieurs réseaux : familial, parisien, de voisinage. Sont accueillis les élites locales, les nobles provinciaux du voisinage. Les dames de la cour, en développant une sociabilité dans des châteaux parfois éloignés de Paris, jouent le rôle d'interface, d'intermédiaire culturel entre la ville et la province. Cela est bien visible pour le cas de la duchesse d'Aiguillon, qui doit suivre son époux en exil dans le château d'Aiguillon en Agenais en 1775. Le château alors en mauvais état est reconstruit et la duchesse accueille dans son nouveau logis une sociabilité composite. Elle reçoit les alliés parisiens tout autant que la noblesse locale, les voisins, l'évêque d'Agen et de Condom. Elle fait construire un théâtre et fait jouer en amateur des pièces à la mode à Paris. Parallèlement, elle entretient une correspondance avec ses amis restés à Paris, tel le chevalier de Balleroy. La société parisienne la suit et se combine à une société plus locale.

La correspondance, on le sait, prolonge la sociabilité. Comme elle, les lettres sont à destination de plusieurs cercles, multiscalaires : hommes de lettres, nobles, diplomates, membres de la famille, époux parti dans ses régiments, en mission, à la guerre, parents, pour les tenir informés des affaires de la famille, amis proches. La correspondance de la duchesse de Luynes avec le président Hénault témoigne du besoin d'être informé et de tenir informé de ce qui se passe à la ville et à la cour, de maintenir le lien et l'appartenance au groupe. L'entregent de ces dames est facilité par le fait que ce sont des femmes instruites, entretenant une correspondance abondante, nouant des liens avec les hommes de lettres de l'époque, souvent bibliophiles ou collectionneuses d'œuvres d'art.

---

21. Dame du palais de Marie Leszczynska en septembre 1757.

22. Il s'agit soit de Françoise Marthe Angélique de Nollent, soit de Marie-Geneviève Rosalie Le Bret. Les d'Aguesseau partagent avec les Fitz-James des attaches limousines.

Les pouvoirs des sociabilités et les réseaux de pouvoirs

Les dames du palais sont insérées dans des sociabilités diverses. Les mémorialistes, les correspondances mettent au jour ce jeu des influences où la famille, la parentèle sont cruciales. Plusieurs études ont été menées sur les réseaux curiaux au XVIIIe siècle sans pour autant éclairer le rôle spécifique des femmes. Or, celles-ci apparaissent comme des intermédiaires dans la recherche de charges auliques.

Le poids des réseaux familiaux

Les espaces de sociabilité sont des lieux où la parenté joue un rôle prédominant. Les cercles autour des souverains sont traversés par les luttes d'influence autour des familles et des parentèles.

L'organisation de la maison de la reine est un exemple significatif. L'enjeu est de taille en 1725 : il s'agit de former l'entourage de la future reine et, par un choix judicieux de ses membres, d'essayer d'infléchir la politique royale. C'est un moyen pour les grandes familles d'être au plus près des réseaux de pouvoir, d'avoir la possibilité d'influer sur les affaires, mais aussi d'espérer bénéficier des retombées du service royal pour l'ensemble de la parentèle. La suite de la reine est formée autour de plusieurs réseaux familiaux réactivés en ce début de règne. On y retrouve des membres de l'ancienne cour, tel l'entourage de madame de Maintenon autour des Mailly et des Noailles, également apparentés au duc de Bourbon[23]. En 1725, le duc jouit d'une influence écrasante grâce à sa sœur, mademoiselle de Clermont, surintendante de la maison de la reine, à sa maîtresse, la marquise de Prie, à ses parentes, madame de Matignon, la duchesse de Tallard et la comtesse d'Egmont[24], ou encore grâce à des alliées comme la comtesse de Mailly[25], la comtesse d'Egmont, « cousine » de Monsieur le Duc[26], mais

---

23. Louis IV Henri de Bourbon-Condé (1692-1740), duc de Bourbon, duc d'Enghien et duc de Guise. Même après être devenu prince de Condé en 1710, on continue à l'appeler « Monsieur le Duc ».

24. La marquise de Prie est alliée à la famille de Ventadour, tout comme la duchesse de Tallard et la comtesse d'Egmont, petites-filles de la gouvernante de Louis XV.

25. Belle-mère du ministre la Vrillière, qui avait facilité la nomination de Monsieur le Duc comme premier ministre (Horowski, 2019 : 245, note 29).

26. Leonhard Horowski évoque une « cousine éloignée », dans sa thèse monumentale. Les liens familiaux sont cependant ténus et unissent les Duras à une branche illégitime des Condé, les marquis de Malause, depuis le mariage de Louis de Bourbon, marquis de

surtout « son amie intime » (selon la formule de la comtesse de Genlis), sans oublier la maréchale de Villars[27] et la marquise Mailly-Nesle[28]. Les autres grandes familles réussissent à placer quelques-uns de leurs membres, telle la famille de Noailles, proche des princes depuis le mariage du comte de Toulouse avec l'une des filles de la famille. Deviennent dames du palais la duchesse d'Epernon[29] et la duchesse de Gontaut[30]. L'influence de madame de Maintenon se manifeste également par l'entrée de membres de son réseau. La famille de Mailly, alliée à l'épouse morganatique du roi, est bien représentée, avec la comtesse de Mailly, dame d'atours et ancienne dame de Marie-Adélaïde de Savoie, duchesse de Bourgogne[31], ainsi que la marquise de Mailly-Nesle[32] et la duchesse de Boufflers[33].

Des membres de la parentèle de la princesse des Ursins[34], proche de madame de Maintenon, sont aussi présentes, avec Marie-Françoise de Rochechouart, marquise de Cagny puis princesse de Chalais, la duchesse de Tallard[35] ou la marquise de Rupelmonde[36]. Le renouvellement de la suite est un enjeu crucial pour les grandes familles, qui cherchent à placer l'une de leurs membres à chaque départ. C'est l'occasion de faire entrer

---

Malause, avec Henriette de Durfort, fille aînée de Guy Aldonce de Durfort, marquis de Duras, en 1658.

27. Épouse du maréchal membre du conseil des ministres.

28. Félice-Armande de La Porte-Mazarin, marquise de Mailly-Nesle, petite-nièce de Mazarin, épouse de Louis III de Mailly-Nesle et maîtresse de Monsieur le Duc (1691-1729).

29. Françoise-Gillette de Montmorency-Luxembourg (1704-1768), duchesse d'Epernon puis duchesse d'Antin, bru de la comtesse de Toulouse.

30. Née Gramont et nièce de la comtesse de Toulouse. Plus largement, les Gramont et les Noailles entretiennent une longue alliance et se qualifient entre eux de « cousins ».

31. Dont la maison formée en 1698 est composée des proches de madame de Maintenon.

32. Dont la fille, Louise-Julie de Mailly de Nesle, épouse en 1726 Louis Alexandre de Mailly-Rubempré, second fils de la comtesse de Mailly (ce qui fait d'elle la petite-nièce par alliance de madame de Maintenon), avant de devenir la maîtresse du roi.

33. Charlotte de Gramont (1669-1739), alliée au maréchal de Villeroy, proche de madame de Maintenon.

34. Marie-Anne de La Trémoille, princesse des Ursins, envoyée en Espagne auprès de Philippe V et de la reine comme dame d'atours par Louis XIV et madame de Maintenon, afin de garantir les intérêts du royaume de France.

35. Marie-Élisabeth-Angélique-Gabrielle de Rohan-Soubise, duchesse de Tallard (1699-1754), fille d'Hercule-Mériadec de Rohan, duc de Rohan-Rohan, et d'Anne-Geneviève de Lévis, elle-même fille de la duchesse de Ventadour.

36. Marie-Marguerite de Tourzel d'Alègre (1688-1752, famille alliée aux La Trémouille depuis le XIVᵉ siècle), épouse du comte de Rupelmonde, brigadier dans l'armée espagnole en 1706, puis maréchal de camp.

de nouveaux membres de la parentèle ou d'accompagner l'arrivée au pouvoir de nouveaux clans. En 1725, l'influence du cardinal de Fleury est encore fragile face à celle de Condé et ne se concrétise que par l'entrée de la duchesse de Béthune. Mais dès la fin 1725 et le début 1726, son pouvoir s'accroît et conduit à l'éviction du clan du prince du sang et à la démission de la marquise de Prie. Des changements dans la maison royale permettent au cardinal de faire entrer des membres avec la duchesse de Luynes, Marie Brûlart de La Borde, puis la duchesse de Chaulnes[37] et la duchesse de Fleury[38]. Maladies, décès, retraits de la cour font naître supputations et jeux de pouvoir, et offrent l'occasion de renforcer l'influence des familles, qui cherchent à patrimonialiser les charges. La composition de la suite de la reine témoigne de ce jeu des influences autour des grandes maisons telles les Béthune-Charost, les Noailles et les Mailly, ou encore les familles lorraines – comme les Beauvau, les Boufflers, les Mirepoix – liées au clan Choiseul, puissant à partir de 1761 et l'arrivée du comte au ministère de la Guerre. Ce jeu des influences est compliqué par le respect des proportions entre dames titrées/non titrées et la volonté des dames de conserver ces charges en se démettant au profit d'une membre de leur famille : une fille, belle-fille, sœur…

Les liens familiaux, même ténus, doivent donc être constamment ré/activés pour espérer une place. À l'inverse, le noble bien inséré à la cour cherche à favoriser de lointains cousins, ce qui est une manière de rehausser son prestige. De nombreux documents offrent la possibilité de voir comment le noble sollicite dans son entourage des appuis efficaces pour accéder à la maison princière (Bonvalet et Lelièvre, 1996). Chaque étape de la vie sociale nobiliaire est ainsi marquée par le recours au lignage : accès aux écuries royales, intégration d'un ordre, d'une école, obtention des honneurs de la cour, d'une charge, d'un logement. L'appui d'un patron est fondamental, et sa présence est requise et visible lors de la signature du contrat de mariage. Les unions contractées par les dames sont toutes des mariages de cour, avec des contrats signés et approuvés par le roi et la famille royale, et par une liste aussi prestigieuse qu'ample et hiérarchisée de témoins et parents susceptibles d'aider le jeune couple à s'installer. Ce besoin de parenté se manifeste aussi concrètement dans

---

37. Marie-Paule-Angélique d'Albert de Luynes, duchesse de Chaulnes (1744-1781).
38. Anne-Madeleine-Françoise d'Auxy de Monceaux, duchesse de Fleury (1721-1802).

l'espace curial et l'attribution d'un logement. Une grande attention est portée au voisinage, à la présence attenante d'alliés ou de proches. Après avoir obtenu un logement, les courtisans cherchent à annexer ou à échanger les pièces voisines, afin d'installer leurs parents. Les exemples de regroupements familiaux abondent, comme l'a bien montré William R. Newton (2000), qui évoque le voisinage des logements du clan du «petit troupeau» dans l'aile des Princes en 1689, des «rues de Noailles» formées à la fin du XVIIᵉ siècle et dont Luynes parle encore en 1743, ou encore de l'espace formé autour des sœurs Mailly, favorites du roi, autour de l'escalier d'Epernon. La proximité de la famille paraît essentielle pour stabiliser et consolider les liens dans une société marquée par une continuelle compétition pour les grâces et les faveurs.

Comme l'a montré naguère Roland Mousnier pour le XVIIᵉ siècle, le patronage des gens de cour est une nécessité absolue[39]. L'importance des femmes est essentielle et commence à être mieux étudiée. Les dames suivantes jouent ainsi un rôle charnière dans les sociabilités curiales du XVIIIᵉ siècle.

Les femmes au cœur des réseaux de pouvoir

La fonction d'intermédiaires ou de *brokers* remplie par ces dames est visible à plusieurs occasions. Elles cherchent à conserver leur charge au sein de la famille et multiplient les démarches pour en faire obtenir la survivance. Ces projets impliquent des tractations parfois ardues. La reine est une première interlocutrice, mais elle n'est guère décisionnaire et doit le plus souvent se plier à la volonté du roi. Il faut donc rechercher des appuis susceptibles de plaider leur cause. Le duc de Luynes rapporte les démarches entreprises par les dames au moment où elles quittent le service : «Hier fut déclaré que Mme la duchesse d'Ancenis, belle-fille de Mme la duchesse de Béthune, avoit la place de dame du palais. Plusieurs personnes avoient demandé cette place ; mais Mme de Béthune, avant de mourir, avoit prié M. le Cardinal de vouloir bien la demander au Roi pour

---

39. «À chaque stade de l'ascension, la faveur est indispensable, faveur d'un grand seigneur, d'un grand officier, puis d'un membre des cercles gouvernementaux, Chancelier, Surintendant, Prince du Sang, autre Prince, Ministre. La faveur est indispensable pour franchir les goulots d'étranglement jusqu'aux plus hauts rangs de la société, aussi nécessaire que la multiplicité des occupations» (Mousnier, 1979 : 75).

Mme d'Ancenis, et cette grâce avoit été accordée, dès avant la mort de Mme de Béthune; mais on n'en avoit pas parlé jusqu'à ce moment» (Luynes, 1860-1865, vol. 1: 314). Ainsi portée au cardinal de Fleury, parent de la duchesse de Béthune, la requête a toutes les chances d'aboutir. Le duc de Luynes évoque également le cas de la marquise de Rupelmonde, qui, en 1740, «sollicita beaucoup [...] pour remettre sa place de dame du palais à sa belle-fille», et grâce à l'appui de madame de Mailly, dame d'atours et proche du cercle de la marquise, la comtesse de Rupelmonde obtient la succession. Les maladies, les deuils au sein des dames suivantes engendrent supputations et tractations secrètes, comme le rappelle le duc de Luynes, qui réussit à faire obtenir pour sa belle-fille la charge de dame d'honneur détenue par son épouse, ainsi qu'il l'écrit au 10 février 1751: «La Reine a demandé ce matin au Roi de vouloir bien accorder à Mme de Chevreuse, ma belle-fille, la survivance de la charge de sa dame d'honneur, et le Roi a bien voulu y consentir. Pendant la maladie de Mme de Luynes, le Roi avoit été importuné des demandes qui lui avoient été faites pour cette place, que beaucoup de gens croyoient être bientôt vacante» (Luynes, 1860-1865, vol. 9: 40). Non seulement les dames cherchent à obtenir la patrimonialisation de leur charge au sein de leur famille, mais elles jouent également de leur proximité avec la reine pour favoriser les membres de leur parentèle.

Les postes vacants au sein de la maison de la reine et, au-delà, toutes les charges disponibles dans les maisons royales ou dans les régiments royaux suscitent discussions et conciliabules plus ou moins secrets. La correspondance entre les époux Fitz-James montre combien la duchesse multiplie les démarches relatives au régiment de son mari auprès du maréchal de Richelieu et du marquis d'Argenson. Elle en profite pour recommander au maréchal de Richelieu le chevalier de Nogent pour une place dans un régiment. On retrouve la même volonté chez la duchesse de Luynes, qui obtient une pension royale à madame du Deffand, sa parente, ou s'attache à établir des membres de sa famille, et notamment son neveu l'abbé Brienne. Pour cela, elle «fait beaucoup de politesse à l'abbé Dillon», qui vient d'être nommé évêque d'Évreux en 1752, et obtient une entrevue avec l'évêque de Mirepoix, Jean-François Boyer, ministre de la Feuille, précepteur du dauphin en 1735 et grand aumônier de la dauphine Marie-Josèphe en 1743. L'appartenance au même monde des cercles curiaux ouvre sans aucun doute des portes, car, comme l'indique l'abbé Dillon, «tout le monde n'est pas neveu de la dame d'atours de la reine» (Chevallier, 1959 : 223). La duchesse de Luynes introduit également ses nièces, la comtesse de Brienne et la marquise de Valbelle. Au-delà des bénéfices évidents, il est intéressant de réfléchir aux objectifs qui poussent la dame à favoriser certains parents ou certaines branches de sa famille : simple soutien familial ou enjeux politiques ?

Un rôle politique ?

Les historiens ont beaucoup glosé sur les luttes intestines et politiques à la cour, et discuté la présence ou l'absence de partis politiques ou dévots. Bernard Hours (2002), par exemple, conclut à l'inexistence d'un parti dévot à la cour, tandis qu'Agnès Ravel (2010) a traqué dans sa thèse les luttes d'influence de ces clans dévots. Leonhard Horowski (2019) a récemment repris la discussion et propose de parler de «factions» et de «coalitions» pour des groupes temporaires formés le temps de la poursuite d'un objectif particulier. Emmanuel Le Roy Ladurie avait bien montré dans son œuvre magistrale la division de la cour en cabales ou en factions émergeant autour des grands personnages de l'État, des différentes branches ou générations de la famille royale. Agrégats multiformes souvent temporaires, ces factions doivent se lire sur plusieurs générations. Dans les années 1720, la formation d'une nouvelle cour puis de la maison de la reine suscite les convoitises et réactive les anciens réseaux. Le clan ou «*holding* Maintenon» (Le Roy Ladurie, 1997 : 207) – représentant la vieille cour –, qui avait peuplé la maison de la duchesse de Bourgogne, reste puissant jusqu'en 1715, avant d'être marginalisé au cours de la Régence puis de se recomposer à l'avènement du nouveau roi. Il ne s'agit pas ici d'alimenter le débat, mais de comprendre comment les dames de la reine participent aux forces politiques, aux factions qui mêlent les grandes familles nobiliaires, les ministres, et parfois traversent et divisent les parentèles.

Plusieurs exemples témoignent de l'implication des femmes dans les groupes et clans. Sans aller jusqu'à parler d'un parti dévot, il n'en demeure pas moins qu'existent des forces, un cercle chrétiens… On peut ainsi évoquer le rôle de la duchesse de Gontaut, dame du palais, et de sa mère la maréchale de Gramont, «meneuse d'intrigues politiques» (Combeau, 1999 : 77). Elle est proche du comte d'Argenson qui prend la tête du département de la Librairie en 1737. Ce groupe semble incarner à la fin des années 1730, une force dévote, une vieille cour où l'on retrouve également la duchesse de Villars, qui entretient une liaison avec le comte d'Argenson avant de devenir une « grande dévote » après leur rupture en 1740.

Un autre exemple témoigne de la complexité des jeux de pouvoir et de parentèles : il s'agit du cas de la maréchale de Mirepoix. Fille du prince Marc de Beauvau-Craon au service du duc de Lorraine, elle épouse le prince Jacques Henri de Lorraine, prince de Lixin, puis Charles-Pierre-Gaston de Lévis, marquis puis duc de Mirepoix, maréchal de France. En 1763, elle devient dame du palais grâce au soutien du duc de Luynes, qu'elle sollicite, à son appartenance à une famille proche de Stanislas, ce qui est un argument convaincant pour la reine, et surtout grâce à la marquise de Pompadour, dont elle est proche. Sa complaisance envers la favorite est largement récompensée dès 1757, quand son époux devient maréchal : comme l'indique le duc de Luynes, « toutes ces grâces elle les doit à Madame de Pompadour » (Luynes, 1860-1865, vol. 16 : 316). Criblée de dettes, elle rejoint ensuite le clan de la comtesse du Barry, et elle est la première femme de distinction à recevoir la favorite du roi, la duchesse de Flavacourt, le 19 octobre 1769. Elle intègre ainsi la sociabilité sélective du roi et de sa maîtresse, qui met au jour les réseaux de pouvoir et d'influence. En rejoignant le clan du Barry, elle obtient les grandes entrées – qui lui donnent un accès privilégié au roi –, mais elle rompt avec une partie de sa famille, et notamment avec son frère le prince de Beauvau-Craon, qui choisit le clan lorrain de Choiseul, violemment opposé à celui de la favorite.

Un dernier exemple, celui de la duchesse d'Aiguillon, montre bien comment sociabilités aristocratiques urbaines et curiales, réseaux de parenté, de solidarités géographiques et de pouvoirs s'entrecroisent en un enchevêtrement complexe. Louise-Félicité de Brehan de Plélo est la fille du comte de Plélo, un noble breton. Sa famille a noué dès le milieu du XVIIe siècle des alliances avec la noblesse de cour bretonne, comme les Sévigné. Une autre branche a quant à elle formé des unions avec des familles robines bretonnes, qui viennent rencontrer le réseau breton de Louis II Phélypeaux de Pontchartrain[40]. En 1722, ce dernier épouse Louise

---

40. Premier président du parlement de Bretagne de 1677 à 1687.

Phélypeaux de la Vrillière[41] et devient ainsi le beau-frère des comtes de Saint-Florentin[42] et de Maurepas, qui favorisent sa carrière, elle-même stimulée par sa belle-mère, la duchesse de Mazarin, et la fréquentation du club de l'Entresol, où il entre en contact avec le président Hénault et d'Argenson. En 1734, le comte meurt en tentant de secourir Stanislas Leszczynski. Les deux oncles continuent de protéger la jeune orpheline, qui épouse en 1740 le duc d'Agenois, futur duc d'Aiguillon, petit cousin et protégé du maréchal duc de Richelieu, lié par sa mère aux Crussol d'Uzès et proche de la duchesse de Châteauroux[43]. En 1748, le remplacement de madame de Nivernais par la duchesse d'Agenois en qualité de dame de la reine[44] témoigne de l'ascension d'une nouvelle coalition alliée aux ministres Maurepas et de la Vrillière. Cette ascension est encore fragile, et la nomination de la duchesse subordonnée à celle de la princesse de Robecq, éphémère maîtresse du roi.

* * *

À la cour, à la ville, à la campagne, les sociabilités qu'entretiennent les dames de la reine sont polymorphes et à géométrie variable. Elles sont un moyen de maintenir des réseaux de relations variés : parentèles plus ou moins proches, solidarités géographiques, entourage mû par d'éphémères intérêts communs… autour de pratiques de convivialité policée, redoublées par des échanges épistolaires. Leur intégration à la maison princière apparaît comme la démonstration de la réussite d'un réseau familial, de l'activation d'un entourage forgé dans le cadre de ces sociabilités aristocratiques. Et parce qu'elles occupent désormais des charges au contact avec le pouvoir, elles deviennent à leur tour des intermédiaires précieux. Leur compagnie est recherchée et elles construisent autour d'elles des réseaux de sociabilité qui participent à leur rayonnement et à leur influence à la cour.

---

41. Fille de Louis II Phélypeaux, marquis de La Vrillière, secrétaire d'État de Louis XV, et de Françoise de Mailly, qui épouse en secondes noces Paul-Jules de La Porte-Mazarin, duc de Mazarin, et devient en 1731 dame d'atours de la reine.

42. Futur duc de la Vrillière.

43. Elle-même parente, par les Mailly, de la duchesse d'Aiguillon.

44. Sœur de Maurepas.

Liste des dames au service de la reine Marie Leszczynska (1725-1768)

N°	Nom	Fonctions	Dates de vie	Dates du service
1	★■ Boufflers, Catherine-Charlotte de Gramont, duchesse de	dame d'honneur	1669-1739	1725-1735
2	▲ Luynes, Marie Brûlart de La Borde, duchesse de	dame d'honneur	1684-1763	1735-1763
3	▲ Luynes, Henriette-Nicole Pignatelli d'Egmont, duchesse de Chevreuse, puis duchesse de	dame d'honneur en survivance	1719-1782	1751-1761
4	● Noailles, Anne-Claude-Louise d'Arpajon, comtesse de	dame d'honneur	1729-1794	1763-1768
5	◆★ Mailly, Anne-Marie-Françoise de Sainte-Hermine, comtesse de	dame d'atours	1670-1734	1725-1731
6	★◆ Mazarin, Françoise de Mailly, marquise de la Vrillière, puis duchesse de	dame d'atours	1688-1742	1731-1742
7	●▲◆ Villars, Amable-Gabrielle de Noailles, duchesse de	dame du palais puis dame d'atours	1706-1771	1727-1768
8	★◆ Tallard, Marie-Élisabeth-Angélique-Gabrielle de Rohan-Soubise, duchesse de	dame du palais (charge 1)	1699-1754	1725-1729
9	▲ Montauban, Catherine-Éléonore-Eugénie de Béthisy de Mézières, princesse de	dame du palais (charge 1)	1707-1757	1729-1757
10	■ Escars, Marie-Émilie Fitz-James, marquise d'	dame du palais (charge 1)	1715-1770	1757-1768
11	▲ Béthune-Charost, Julie-Christine-Régine Gorge d'Antraigues, duchesse de	dame du palais (charge 2)	1688-1737	1725-1737
12	▲ Ancenis, Marthe-Élisabeth de La Rochefoucauld de Roye, duchesse d'	dame du palais (charge 2)	1720-1784	1737-1745
13	▶ Nivernais, Hélène-Françoise-Angélique Phélypeaux de Pontchartrain, duchesse de	dame du palais (charge 2)	1715 ?-1781	1745-1748
14	▶ Agenois puis Aiguillon, Louise-Félicité de Bréhan de Plélo, duchesse d'	dame du palais (charge 2)	1726-1796	1745-1768
15	◆ Villars, Jeanne-Angélique Roque de Varengeville, marquise, puis duchesse de	dame du palais (charge 3)	1675-1763	1725-1727

N°	Nom	Fonctions	Dates de vie	Dates du service
16	★▼ Châteauroux, Marie-Anne de Mailly de Nesle, marquise de La Tournelle, puis duchesse de	dame du palais (charge 3)	1717-1744	1742-1744
17	▲ Périgord, Marie-Françoise de Talleyrand, comtesse de	dame du palais (charge 3)	1727-1775	1744-1768
18	★ Chalais, Marie-Françoise de Rochechouart-Mortemart, marquise de Cagny, puis princesse de	dame du palais (charge 4)	1686-1771	1725-1740
19	▲ Talleyrand, Marie-Élisabeth Chamillart, marquise de	dame du palais (charge 4)	1713-1788	1740-1768
20	◆ Antin, Françoise-Gillette de Montmorency-Luxembourg, duchesse d'Epernon, puis duchesse d'	dame du palais (charge 5)	1704-1768	1725-1757
21	▲ Clermont-Tonnerre, Marie-Anne-Julie Le Tonnelier de Breteuil, comtesse de	dame du palais (charge 5)	1716-1793	1757-1768
22	◆ Egmont, Henriette-Julie de Durfort de Duras, comtesse d'	dame du palais (charge 6)	1696-1779	1726-1728
23	■ Renel, Henriette Fitz-James, marquise de (dite comtesse de Clermont d'Amboise)	dame du palais (charge 6)	1705-1739	1728-1737
24	■ Bouzols, Laure Fitz-James, marquise de	dame du palais (charge 6)	1713-1766	1737-1762
25	■ Beaune, Marie-Hélène-Charlotte Caillebot de La Salle, vicomtesse de	dame du palais (charge 6)	1739-1766	1762-1766
26	▲ Chaulnes, Marie-Paule-Angélique d'Albert de Luynes, vidame d'Amiens, duchesse de Pecquigny, puis duchesse de	dame du palais (charge 6)	1744-1781	1766-1768
27	◆ Gontaut, Marie-Adélaïde de Gramont, duchesse de Biron, dite duchesse de	dame du palais (charge 7)	1700-1740	1725-1740
28	▲ Fleury, Anne-Madeleine-Françoise d'Auxy de Monceaux, duchesse de	dame du palais (charge 7)	1721-1802	1739-1763
29	▲ Beauvilliers, Marie-Madeleine de Rosset de Fleury, duchesse de	Dame du palais (charge 7)	1744-1803	1763-1768
30	◆ Prie, Agnès Berthelot de Pléneuf, marquise de	dame du palais (charge 8)	1698-1727	1725-1726

N°	Nom	Fonctions	Dates de vie	Dates du service
31	■ Alincourt, Marie-Josèphe de Boufflers, marquise de Villeroy, puis duchesse d'	dame du palais (charge 8)	1704-1738	1726-1734
32	■ Luxembourg, Madeleine-Angélique de Neufville de Villeroy, duchesse de Boufflers, puis de	dame du palais (charge 8)	1707-1787	1734-1749
33	■ Boufflers, Marie-Anne-Philippine-Thérèse de Montmorency-Logny, duchesse de	dame du palais (charge 8)	1730?-1797?	1750-1768
34	★* Rupelmonde, Marie-Marguerite de Tourzel d'Alègre, marquise de	dame du palais (charge 9)	1688-1752	1725-1741
35	★ Rupelmonde, Marie-Chrétienne-Christine de Gramont, comtesse de	dame du palais (charge 9)	1721-1790	1741-1750
36	■ Gramont, Marie-Louise-Sophie de Faoucq de Garnetot, comtesse de	dame du palais (charge 9)	1732-1798	1751-1768
37	★ Mérode, Garcie-Joséphine-Pétronille de Salcedo, comtesse de	dame du palais (charge 10)	1676-1746	1725-1746
38	▲ Saulx, Marie-Françoise-Casimire de Froulay de Tessé, comtesse de	dame du palais (charge 10)	1714-1753	1746-1753
39	■ Mirepoix, Anne-Marguerite-Gabrielle de Beauvau-Craon, princesse de Lixin, puis duchesse de	dame du palais (charge 10)	1707-1798	1753-1759
40	▲ Tavannes, Marie-Éléonore-Eugénie de Lévis de Châteaumorand, comtesse de	dame du palais (charge 10)	1739-1793	1759-1768
41	◆ Matignon, Edmée-Charlotte de Brenne, marquise de	dame du palais (charge 11)	1702-1756	1725-1741
42	■ Fitz-James, Victoire-Louise-Joseph Goyon de Matignon, duchesse de	dame du palais (charge 11)	1722-1777	1741-1762
43	■ Chimay, Laure-Auguste Fitz-James, princesse de	dame du palais (charge 11)	1744-1814	1762-1768
44	◆★ Nesle, Félice-Armande de La Porte-Mazarini, marquise de	dame du palais (charge 12)	1691-1729	1725-1729
45	★▼◆ Mailly, Louise-Julie de Mailly de Nesle, comtesse de	dame du palais (charge 12)	1710-1751	1729-1742

N°	Nom	Fonctions	Dates de vie	Dates du service
46	★ ▼ Flavacourt, Hortense-Félicité de Mailly de Nesle, marquise de Flavacourt	dame du palais (charge 12)	1715-1799	1742-1766
47	▲ Adhémar, Gabrielle-Pauline Bouthillier de Chavigny, marquise de Valbelle, puis comtesse d'	dame du palais (charge 12)	1735-1822	1766-1768
48	▲ Montoison, Alise-Tranquille de Clermont-Tonnerre, marquise de	surnuméraire	1724-1752	1749-1752
49	● Duras, Louise-Charlotte-Henriette-Philippine de Noailles, duchesse de	surnuméraire	1745-1832	1767-1768
50	▼ Pompadour Jeanne-Antoinette Poisson, marquise de	surnuméraire	1721-1764	1756-1764

◆ *Cercle du duc de Bourbon*

★ Cercle de madame de Maintenon et de ses alliés

● Cercle des Noailles

▲ Cercle du cardinal de Fleury, puis des Luynes et de leurs alliés

■ Cercle des familles lorraines et de leurs alliés

▼ Favorites du roi

▶ Cercle du duc d'Aiguillon

CHAPITRE 6

Médecine, société mondaine et célébrité
Medicine, worldly society and sociability

Giacomo Lorandi[1]

Résumé en français

*Genevois, néo-hippocratique, empiriste, Théodore Tronchin étudie à
Londres, puis à Leyde avec Herman Boerhaave. En 1756, il inocule les
enfants du duc d'Orléans avec succès, et devient par la suite le médecin le
plus à la mode de Paris et de l'Europe occidentale. Sa méthode bien particulière de soigner et d'inoculer les dames de l'aristocratie parisienne joua
un rôle non négligeable dans la construction de sa célébrité auprès des élites.
Les dames l'invitaient à se joindre au « beau monde » dans les salons, permettant ainsi la diffusion de sa renommée en Europe.*

*Le présent chapitre se propose d'examiner le rôle tenu par les dames,
dans un contexte aristocratique et courtisan, aussi bien d'un point de vue
médical (comme patientes) que du point de vue de la sociabilité (salonnières), dans la distinction sociale du médecin Théodore Tronchin.*

Set in 1793, *Le Réquisitionnaire* (*The Conscript*, 1831) by Honoré de Balzac
unfolds around the Carentan (Lower Normandy) *salon* of the Parisian
Countess de Dey, who, having fallen ill, had to interrupt her social life:

1. Acknowledgement. The author would like to thank Claire Gantet, Caspar Hirschi,
Viviana Di Giovinazzo, Bruno Belhoste, Kimberley Page-Jones, Valérie Capdeville and
the referees for their useful comments. Research supported by the Swiss National Science
Foundation (P300P1_177733).

Il raconta devant une vieille dame goutteuse que madame de Det avait manqué périr d'une attaque de goutte à l'estomac; le fameux Tronchin lui ayant recommandé jadis, en pareille occurrence, de se metre sur la poitrine la peau d'un lièvre écorché vit, et de rester au lit sans se permettre le moindre movement, la comtesse, en danger de mort, il y a deux jours, se trouvait, après avoir suivi ponctuellement la bizarre ordonnance de Tronchin, assez bien rétablie pour recevoir ceux qui viendraient la voir pendant la soirée (Balzac, 1831, 283).

This excerpt says something about the celebrity of the Swiss physician, Théodore Tronchin (1703-1781), who, of all the many capable doctors operating in Paris at the time, was chosen by Balzac to cure the Countess and save her social life. The novelist chose Tronchin because the latter was interested in the health issues of the wealthy classes, paid special attention to the female world and chose to socialize with the aristocratic elite, who made him a physician of international celebrity. Tronchin's case is interesting for various reasons. Firstly, it allows a closer understanding of the society of the *salon*, showing how relationships with aristocratic mistresses could open doors to the members of the bourgeoisie, facilitating their success but also determining their decline, as with the case of the Swiss doctor.

The *salon* is an easily identified place of sociability, the originality of which lay in a system of practices, key among which were the function of *hospitalière* (which thereby differentiates the salon from the parlour and the café), the regularity of dinners (which helped draw the bourgeoisie closer to *salon* circles) and the encouragement of group heterogeneity. The rigorous adoption of these practices served to underscore the originality of the *salon* as an institution. Moreover, during the eighteenth century, it became necessary to distinguish between the *salon littéraire* and the *salon mondain*, the latter being the subject of the present study and existing purely for sociability, the former having a specific cultural vocation.

The vagaries of Tronchin's celebrity also provide an exclusive opportunity to analyse the power of the media. In the eighteenth century, the public sphere expanded, including ever more groups of individuals who, even if geographically dispersed, shared a kindred passion for their "héros du jour," in the words of Antoine Lilti, whose celebrity was fostered by the press, literary success, theatre, portraits, even a particular hairstyle, dress or diet. Such a variety of channels allowed the emergence of new social classes that were not part of the social or political elite.

The particular case of Doctor Tronchin's celebrity sheds further light on the role of the *salons* in the promotion or devaluation of social status and success. His inoculation practice and neo-Hippocratic approach to diseases allowed him to build a strong reputation among the members of high society, alongside his friendship with Voltaire, which opened the way to *mondain* Paris. However, if his worldly celebrity did not last, he became a famous figure for his contribution in fighting against smallpox and would be remembered as such.

The Fashion of Alternative Curing Methods

Tronchin's reputation is linked mainly to the prevention of smallpox through inoculation, a procedure that he perfected during his studies in Holland under the supervision of the famous doctor Hermann Boerhaave. Tronchin's approach was influenced by the "Turkish method" brought back to Europe by Lady Montagu at the beginning of the eighteenth century. This method for curing smallpox came from the Circassian tradition of treating this illness and consisted of a wound, usually done between the thumb and index finger and put in contact with infected pus; the whole was then covered with a small wooden box. As explained by Voltaire in his *Lettres philosophiques*, it was a medical process originally conceived by women for women since the risk of disfigurement caused by scars was prevented. This method would later be applied to men to become a common practice among doctors during the Enlightenment period.

Tronchin's inoculation method was considered innovative by his contemporaries, as it consisted of a small incision in the skin, often on the legs, on which a thread soaked in pus covered by a small cubic wooden box was placed for about two days[2]. This process prevented the making of deep and painful incisions on the patient, reduced the healing time, and required a short recovery period (usually no more than a couple of days) during which the patient was to stay in bed. A few other doctors, such as Angelo Gatti and Samuel Tissot, used the same inoculation procedure to cure smallpox, yet without having as strong an impact as Tronchin whose success was determined rather by his peculiar relationship with his patients.

---

2. His research on inoculation brought him fame in Holland and abroad. This is why the editors of the *Encyclopédie* Diderot et D'Alembert asked him to write the entry 'Inoculation' (1757).

By listening carefully to them, he showed a genuine interest in their condition, thereby gaining their confidence and establishing lifelong relationships with them. French philosopher Voltaire, whom Tronchin met in 1754, was the most famous example.

Thanks to Tronchin's personal qualities and the important connections that he was able to make with the establishment, he soon became the most renowned physician in Paris, an idol of the aristocracy who invited him to their parties and showered him with presents, his social ascent soon reaching the royal family. When in 1756, the Duke of Orléans, Louis-Philippe I, asked him to inoculate his two young children, Louis-Philippe and Anne, Tronchin reached an unprecedented reputation all over Europe. As recalled by the famous doctor and historian Augustin Cabanés, "Tronchin fut, dès lors, célébré comme un sauveur; on se pressait sur son passage, on enregistrait ses moindres gestes" (Cabanès, 1912, 338).

The interest in the inoculation practice and, above all, the success of the operation, put Versailles in the spotlight. Tronchin became the inoculator *par excellence*; in eighteenth-century Europe, variolation became intrinsically associated with his name[3]. Thus, choosing to be inoculated by Tronchin was a way for high-society members to assert their participation in the Enlightenment movement and, at the same time, to show their loyalty to the royal family. This practice became, especially for the ladies of the courtesan aristocracy, the means to signify their closeness to the court, thus enhancing their social status. The spread of Tronchin's new method of combating smallpox to *salon* society, together with the growing interest in variolation, served to secure the doctor's reputation and, at the same time, help make inoculation a subject of social and political debate.

Having made a name with the inoculation practice, Tronchin dedicated himself to those pathologies typical of the wealthier classes. He appeared as the fashionable physician, offering face-to-face and epistolary diagnoses, prognoses, food counsel, and therapeutic prescriptions to patients with whom he was often intimately familiar with. An excessive consumption of luxury food, such as coffee, chocolate and sugar by the *haute bourgeoisie* and nobility characterized the social context of Tronchin's times. Diet became an important therapeutic method, one that

---

3. Gatti, Angelo and Tissot, Samuel conducted the practice and emphasized the need for a different approach to curing patients, yet without having the same impact as Tronchin.

was highly recommended rather than enforced. Every disease was associated with a precise dietary program, adjusted to the patient's previous health condition and age. Moderation was the rule and in some cases, doctors even prescribed fasting.

The Neo-Hippocratic theory underlying Tronchin's curative method focused on the existence of a reciprocal balancing of four humours theorized by Hippocrates. The equilibrium condition was essential for a healthy organism. To keep or restore lost balance such methods prescribed drugs or, as in Tronchin's case, a particular food with healing properties. Thus the physician intervened, prescribing a specific diet composed of a combination of foods and drugs. In such a context, an important role was played by everything related to bodily health. This is why, in addition to a balanced diet, Tronchin prescribed constant and varied physical exercise to his patients, and insisted on the importance of personal hygiene and of the environment in which patients lived. More generally, Tronchin was an advocate of a neo-Hippocratic approach centred on nature as a crucial force in the healing process. For him, nature was the essence of his therapy and the physician's job consisted in eliminating all obstacles that prevented nature from healing patients. Chemical drugs were thus useless.

Tronchin's perspective on nature is well illustrated in a letter that he sent on April 4, 1759, to Jean-Jacques Rousseau: "C'est à la nature à guérir les maux, & à l'art à ôter les obstacles. Celui qui a fait notre corps l'a doué de tout ce qui est nécessaire pour qu'il se conserve quand il est sain, & pour qu'il se rétablisse quand il est malade[4]." Health was to be pursued through the intake of natural products and outdoor physical activity. The list of dos and don'ts was precise and detailed: laxatives were banned and *promenades en plein air* favoured instead. Tronchin advised against a liquid diet, with roasted or boiled meat and ice creams instead. As far as beverages were concerned, tea and coffee were banned and replaced by fennel infusions and friction with a flannel cloth for fifteen minutes every evening. Together with such prescriptions, Tronchin prescribed medications to be taken three times a day for three months: a spoon of syrup and three pills. The latter consisted of an extract of myrtle, saffron, hawthorn, Barrelier's Helichrysum and balsam, prepared by the patients themselves.

---

4. Bibliothèque cantonale Genève (BCGe), *Fond Théodore Tronchin*, b. 165: Théodore Tronchin à Jean-Jacques Rousseau.

However, the Genevan physician was not the only one recommending a healthy lifestyle for curative purposes. Healing methods alternative to the Galenic tradition had several followers throughout Europe thanks to the spread of pathologies related to sedentary lifestyle and inappropriate diet and to the revival of neo-Hippocratic theories, which emphasized the curative power of nature and its products.

Together with a Neo-Hippocratic approach, the iatromechanics medical theory enjoyed considerable popularity at this time. It was developed by William Harvey and Marcello Malpighi during the last years of the seventeenth century and it was based on the perceived unity of science, so that the rules of the mechanics could be extended and generalized from inorganic bodies to organic ones. Such a school of medicine interpreted the human organism as an assembly of different machines, each one with a well-defined analysable, explainable, measurable task and structure. The organisms' interaction was seen as a process both necessary and, at the same time, functional to life. Digestion, for example, was seen as a process of grinding and mincing, and health and disease were associated with movement, obstruction, and stagnation of the various bodily fluids. Each part of the body was to be cured in a different way; hence, a therapy was prescribed with those elements that could best adapt with the situation in order to heal the disease: drugs, like emetics, together with a diet composed of different foods. Cucumbers, for instance, were effective with illnesses because they were cool and moist; porter ale was prescribed for its tonic effect; red wine was regarded as a tonic, diuretic and antiseptic. The Scottish physician George Cheyne (1671-1742) was among the lifestyle doctors who followed this theory. Cheyne saw an inner relation between his patients' headaches and stomach-aches and a lifestyle of excess, caused by drinking too much "Punch," coffee, tea and chocolate and by smoking tobacco. He approached the patients not in an authoritarian manner but rather by showing them the advantages of a more moderate lifestyle and a light diet composed of white meat, water and small quantities of red wine. Cheyne defended the importance of going to bed at dusk and waking up at dawn, and practising some physical exercise every day. Tisane and infusions were to feature in the daily diet of men and women whose social conditions constrained them to a sedentary life. He advised the same lifestyle for hysterical, hypochondriac and sedentary women. Such curative methods, connected with iatromechanic, became an extraordinary means for the fashionable mid-eighteenth century physicians to enhance their celebrity and showcase talent in a world ever more open to the new discoveries in science.

Tronchin refused the iatromechanics theory. He became the standard-bearer of Neo-Hippocratism and gained further professional success by following and perfecting this medical approach to treat. The charming physician dealt with hygiene, quality of life and, towards the end of his life, the psychological problems of women, in particular the *maladies des vapeurs* (hypochondria). For the latter, he proposed outdoor activities such as horseback riding, walking and the management of a garden, possibly with other ladies in order to transform the activity into a moment of sociability. Tronchin also devoted himself to pathologies related to childhood, and emphasized the importance of breastfeeding. His alternative curing methods, the special attention that he dedicated to feminine conditions and to children, combined with his handsome and charming looks to create a personal aura that mesmerized the most influential noblewomen of the French elite: Madame Suzanne Necker, Madame d'Epinay, Madame La Ferte-Imbault, Madame de Vermenoux and the Duchess of Enville, to name only a few. Such mistresses of the French *société mondaine* looked at him as the new *Aesculapius*, as Voltaire called him[5], inviting him as a guest of honour at their *salons*, celebrating his deeds and thus guaranteeing him a solid reputation within their circles. They fashioned "le fameux M. Tronchin, qui est plus feté que jamais" (Luynes, 36) bringing even greater professional success.

Voltaire's Social Support

The person behind Tronchin's rise to celebrity was Voltaire, with whom he was put in contact by his cousin, François, patron and member of the city government of Geneva. From the very first medical consultation, in 1754, the doctor and the philosopher established a strong relationship, which lasted until the latter's death in 1778. Voltaire also acted as an influential supporter and guarantor of Tronchin; the philosopher spread the doctor's name during the *soirées* organized by the noblewomen of the

---

5. « C'est un homme haut de six pieds, savant comme Esculapio et beau comme Apollon ».

Parisian aristocracy, such as the *salon* of Madame Jeanne Quinault. In turn, their attendants, such as the *savants* (Frédéric Grimm[6], Rousseau, D'Alembert and Diderot), and the members of the aristocracy (the Duke of Orleans and the Earl of Choiseul) contributed to spreading Tronchin's reputation within their social networks. An example is the case of Madame Louise Tardieu d'Esclavelles d'Épinay. Feeling the early symptoms of stomach cancer, Mme d'Épinay, a delicate woman, knew already the name of Tronchin but was put in contact with him through Grimm (Épinay, 1989)[7]. Thus, in January 1756, the woman sent a long letter to the Swiss doctor explaining her health problems, thereby beginning what would prove to be an enduring, nine-year epistolary correspondence with him.

Tronchin's name also frequently recurs in Voltaire's correspondence with the French cultural and political elite. The most important letters are those in which Voltaire presents the Genevan doctor to his circle of friends for a consultation. Thus the philosopher praises the doctor's qualities: "Nous avons ici un médecin, M. Tronchin, beau comme Apollon et savant comme Esculape. Il ne fait point la médecine comme les autres." Presentations of this kind had the immediate effect of attracting groups of visitors to the Genevan doctor's study: "On vient de 50 lieues à la ronde le consulter. Les petits estomacs ont grande confiance en lui[8]." A letter from Voltaire on May 1, 1755, to the Maréchal de Richelieu shows the speed of Tronchin's rise to celebrity: "Ce Tronchin-là a tellement établi sa réputation qu'on vient le consulter de Lyon et de Dijon: et je crois qu'on viendra bientôt de Paris" (Boissier, 1927, 2032). Voltaire's prophecy proved true: not only did Tronchin's patients come to Geneva to be treated, he himself was also summoned to Versailles[9].

---

6. Since August 1755, Grimm knew Tronchin's reputation. In fact, he published a letter of medical consultation from Théodore to Monsieur Mussard, with this footnote: «Cette lettre nous paraissant propre à donner une idée du caractère et du talent du célèbre Tronchin, nous avons cru devoir l'insérer; elle renferme d'ailleurs quelques leçons utiles à tous les médecins» (Grimm, 1829, 378-379).

7. «[...] Il m'arrive assez souvent d'avoir des douleurs de tête assez vives pour me donner le délire, et ces accès sont suivis de plusieurs jours de langueur. [...] J'ai cédé enfin aux persécutions que m'ont faites ma mère et M. Volx [Grimm] pour consulter M. Tronchin. J'ai commencé par mettre par écrit l'histoire de mes maux. [...]».

8. Voltaire, *Œuvres complètes*, vol. 60, Paris 1823. Voltaire to Marie Élisabeth de Dompierre de Fontaine, marquise de Florian [née Mignot]. 6.9.1755.

9. However, even after that pivotal event, Voltaire continued to also advocate Tronchin's cure to his non-francophone acquaintances: «Le médecin Tronchin dit que votre colique hémorroïdale n'est point dangereuse, mais il craint que tant de travaux

At the beginning of 1756, Tronchin was asked to inoculate two members of the court aristocracy: Louis-Alexandre de La Rochefoucauld (1743–1792), son of the Duke Alexandre de La Rochefoucauld (1690-1762), *Grand-maître de la garde-robe du Roi* and the Marquise de Villeroi. The success of these two inoculations strengthened his reputation and allowed him to get closer to King Louis XV and Queen Maria Leszczyńska. Even if Tronchin was already taking care of several members of the French court, such as the Princess of Rohan, it was thanks to the cure of the young Duke of Berry, the future Louis XVI, that he was able to consolidate his ties with the sovereign. When the two-year-old had a toothache, the queen would take advantage of Quesnay's appointment with Tronchin in Versailles to ask for the opinion of the famous inoculator.

With the Genevan doctor gaining the sovereigns' confidence, the entire court acknowledged his curing methods. By the time the news of the inoculation of the children of the Duke of Orleans was published in the gazettes, thus reaching the general public, the aristocracy closest to the royal court already knew that the doctor was in town, and turned to him for advice[10]. The connection with the royal family turned Tronchin into the most fashionable doctor in Paris: the good and the great wanted to be treated by Théodore and wished to have their *salons* enlivened by his presence.

Tronchin's Women and their Salons

In the *salons*, also called *maisons, cercles, sociétés*, Parisian society gathered. The birth of these institutions coincided with a period of crisis and redefinition of aristocratic power and prestige, whereby reputation became a yardstick by which to assess admissibility to the spaces hitherto populated by the nobility of sword or cloth. The prestige of the wealthier

---

n'altèrent votre sang. Cet homme est sûrement le plus grand médecin de l'Europe, le seul qui connaisse la nature. Il m'avait assuré qu'il y avait du remède pour l'état de votre auguste sœur six mois avant sa mort. Je fis ce que je pus pour engager son A. R. à se mettre entre les mains de Tronchin. » Voltaire, *Œuvres complètes*, vol. 60, Paris, 1823. Voltaire to Frederick II, King of Prussia [the Great]. 15.12.1758.

10. The court world was permeable, so almost one month after the inoculation of the two young dukes, Voltaire in Geneva heard about the operation and wrote to Tronchin to congratulate him. Theodore remained in Paris only until 9 June, when he returned to the city of Calvin.

classes had long been linked to birth, or to military valour, but in the mid-eighteenth century it began to be related to social recognition. Thus, from 1750 onwards, access to this milieu was extended to a heterogeneous multitude from other social classes. The social composition of the *salons* shows nonetheless a clear supremacy of the court aristocracy and, to a lesser extent, the provincial nobility and commoners such as magistrates, academics and writers. Few were doctors. The position of physicians was very particular: they were well received even if they were not members of the social elites. However, they were invited to the *salon* only after having achieved celebrity through their writings, their commitment to the academies or their proposed treatments, as in the case of Tronchin.

Women were the main protagonists in this social sphere. The *salons* constituted the privileged space in which they played their traditional role of patrons, always willing to use their relationships and friendships in favour of their *protégés*. It was not a question of the emergence of a new social role for women, rather of the reaffirmation of their place in the society's elite[11]. Receiving men and women in one's own home was a custom rooted in the aristocratic *Ancien Régime*, a kind of hospitality that took different forms: conversation, theatre, music, plays, and gave an appearance of equality in the relationship between the mistress and her guests. The hosts were the custodians of the practices of hospitality; they animated the conversation and they watched over the customs of the elite. In Tronchin's case, an invitation to a *salon* was the certification of his social status and offered the possibility of increasing his reputation and power within this milieu.

As a matter of fact, the list of Tronchin's patients before he became a celebrity in Parisian *salon* society already included many *savants* and court aristocrats: the Duke of La Rochefoucauld, Diderot, D'Alembert, Quesnel, Quesnay, La Grange and La Condamine, Voltaire, J. J. Rousseau[12] and the Marchioness of Jaucourt, wife of Louis of Jaucourt, to mention but a few, all facilitated his rise to celebrity. The majority of his patients

---

11. They were the *salons* of Mme Tencin, of the Duchesse de Maine, and during the eighteenth century of Mme de Rambouillet, of Mme de Sablé or of Mlle de Scudéry.

12. Rousseau wrote to Tronchin on his illnesses addressing him as: 'le jongleur Tronchin'. On the inoculation of the Infant of Parme, Rousseau wrote: "La pierre renchérira s'il faut un buste à chaque inoculateur de la petite vérole, et je trouve que l'abbé de Condillac méritoit mieux ce buste pour l'avoir gagnée" (Leigh, 2004, 4012).

were men (about 70%), even if they sometimes wrote to Tronchin on behalf of their spouses, sisters or children. In fact, besides Voltaire's patronage, women were of major importance for the spread of Tronchin's celebrity. They were also the main focus of his medical practice.

As already mentioned, from the beginning of his career Tronchin took an interest in gynaecological issues and, with time, he specialized in typical feminine problems, such as hypochondria or *les maladies des vapeurs*, and in the cure of common infant diseases. He thereby became much sought-after in an entourage dominated by a number of *grandes dames* who organized the most fashionable *salons*, such as Madame Suzanne Necker, Madame d'Epinay, Madame La Ferté-Imbault, Madame de Vermenoux and the Duchess of Enville. Tronchin's form of treatment was one of the main subjects of discussion in their *salons*: "M. Tronchin est l'homme le plus à la mode qu'il y ait actuellement en France. Toutes nos femmes vont le consulter; sa porte est assiégée, et la rue où il demeure, embarrassée de carrosses et de voitures, comme les quartiers des spectacles. Les succès multipliés de cet illustre médecin font le sujet de tous nos entretiens [...]" (Grimm, 1829: 482).

As for the mistresses, having Tronchin among their guests was something to be coveted. It lent prestige to the gathering, to herself and their family. When he approached the elite in 1756, Tronchin was already strong with the approval of the court, enjoying a solid international reputation as well as the money he earned as both doctor and inoculator. This gave him the freedom to choose which salons he wanted to participate in. Usually those who came from Geneva participated in the evenings organized by Madame de Vermenoux, the Duchess of Enville and Madame Necker. Financial independence permitted him to rise above the mass of those who participated in social events in a bid for pensions or political support. At this stage, nothing could affect his fame, not even the opposition of his colleagues, who accused him of being a medical charlatan[13].

13. « Ce marchand de galbanon je veux dire Tronchin, est un homme faux, peu savant, insensible, très-avare, et qui tire à la considération et à l'argent per fas et nefas; voilà ce que bien des gens en pensent. Il a un orgueil maladroit et trop à découvert ses discours sont toujours partagés en deux points le mépris des médecins de Paris, et l'estime de sa façon de traiter les malades» (Collé, 1868, 132). Tronchin's social ascent generated great resentment and many criticized him and his methods. He was also criticized by his colleagues for refusing the traditional pharmaceutics and the usual treatments (cleansing, purgative, bloodletting) and for curing his patients simply with palliatives. Tronchin was

Yet, if Tronchin was aware of the importance of the *salon* for his reputation, he was also critical of the rituals and practices of this milieu: "Il portait une perruque pour ne pas fronder le costume des médecins de Paris, qui du reste le traitaient de charlatan. Dès qu'il était seul ou avec des amis, il enlevait cette odieuse perruque, insigne de sa fonction, et l'accrochait à un clou placé dans la boiserie de son cabinet" (Maugras, 1902, 226-227). As Tronchin himself wrote to his daughter in Geneva, he did not like the excesses of the *soirées*. Indeed, during such gatherings he would recommend a more sober lifestyle to his female patients[14]. Referring to the people he met in the salon, Tronchin speaks of *customers*, talking, not so much of the nobles who crowded the evenings in search of money or political help, as of those who originally came from the bourgeoisie, such as writers, merchants, bankers, actors and so on, who were there because they were considered socially fashionable[15]. So far did he feel removed from this social context that he never missed an opportunity to return to Geneva where his family lived guided by a Calvinist emphasis on religion and family and where he would find his most important sources of affection and friendship.

It is however clear that the relationship between Tronchin and the mistresses was not so much a *clientèle* relationship, based on aristocratic patronage, as a doctor-patient one. In fact, he used the elite as both a sounding board for his reputation and a hunting ground for new patients. At the same time, he was conscious of being esteemed in high society for his success, his medical advice and his results in fighting smallpox, and of the fact that his reputation was vulnerable because his society audience was volatile. Tronchin's public was always ready to become excited over a man or a medical practice, such as inoculation, only because they were regarded as fashionable in this social milieu. They were thus inclined to change their interests very quickly. Hence the Swiss doctor was seen as a fashionable "object" that could be downgraded and discarded for another one *plus à la mode*.

---

also accused of being vain, immodest, arrogant and a seducer. « Au tort d'être étranger, d'être novateur & d'avoir des succès et de la vogue, il joignoit celui d'avoir établi l'inoculation contre laquelle toutes les espèces de préjugés sembloient s'être réunis. » (Condorcet, 1784, 111).

14. BCUGe, Archives Tronchin, *Journal de Tronchin sous forme de lettres à sa fille*, f. 178.

15. BCUGe, Archives Tronchin, t. 200, f. 156. 4 sept. 1765.

The Vectors of Celebrity

Having outlined the social context and the protagonists involved in Tronchin's rise to celebrity, it is important now to explain how his celebrity remained intact for almost a decade, his name was on everybody's lips in the Parisian *salons*. Hence the interest of his public had to be sustained with regular news from the Swiss doctor, his alternative approach to medicine and his inoculation practice. Information on his personal life, on the scandals related to the fight against smallpox, on his reputation as a seducer, or on the French Dauphin's death, helped to maintain public interest in him. What media spread his reputation making him famous? And besides the traditional media, what kept the interest in Tronchin alive? The case of the Genevan doctor displays multiple "vectors of celebrity" operating simultaneously for a decade.

Actors, writers, poets, etc. have been the subject of extended research within the field of celebrity studies, clarifying the dynamics of audience interest in them. However, the case of a doctor is less common. As for the English actor David Garrick (1717 - 1779), the press and reproductions of Tronchin's image were used by his admirers to collect and share news about him and his medical practices. Portraits are indeed powerful vectors of popularity. His contemporaries, like Charles Condamine, considered Tronchin a handsome man, and the dissemination of his image through engravings, paintings, medals and busts rivalled that of the opera singers: "The pastels of M. de la Tour are, as usual, very beautiful; the portrait of the famous doctor, M. Tronchin, and that of Miss Fel, famous actress of the Opera, gathered all the votes" (Grimm, 15 octobre 1757). In addition to the press and the portraits, there were the printed works: articles, poems, pamphlets, etc. that mentioned Tronchin and his Parisian life, alluding to his liaisons with his female patients and the success of his therapies, but also to his rows with other doctors in the capital or with the Faculty of Medicine of the Sorbonne. Above all, Tronchin's reputation spread by word-of-mouth among Parisians and, from them, to the European aristocracy. For instance, after two years of illnesses and many visits, the German Princess of Salm asked her Parisian friend, the Marquis Marc-Antoine Custine, to suggest a doctor's name for an alternative treatment[16].

---

16. BCUGe, Archives Tronchin t. 204. 13.5.1757. 81-82. The principality of Salm-Salm had its capital in Senones (Lorraine, Département Pays des Vosges). The family of the

The Marquis indicated Tronchin as the one and only doctor able to cure her diseases even if there were many other able physicians in Paris. The princess then wrote to Tronchin in the spring of 1757 for a consultation.

Everything that concerned him was interesting and, thanks to the growing literate public in mid-eighteenth century Europe and a new appetite for scientific topics and innovations, gazettes and periodicals increasingly included medical cases and subjects in their pages, thus highlighting the social role of successful doctors. Having reached the peak of celebrity in just two years (1756-1758) thanks to inoculation and his treatments, Tronchin found himself increasingly at the centre of media attention, news about him being constantly generated.

The Swiss doctor also became a successful brand. Given the public confidence he enjoyed among his contemporaries as both a man and a doctor, having his name next to a product meant that it was fashionable, in addition to being good and healthy. Tronchin's name was used for selling miraculous medicines (e.g. vinaigre à la Tronchin: « qui est un excellent préservatif contre la petite vérole, la rougeole, et autres maladies pestilentielles[17] »), hairstyles (e.g. *bonnet à l'inoculation*) and furniture, inspired by his approach to medicine and his treatments.

Women's fashion was adapted to his prescriptions, so as to allow the wearer to walk, ride and, more generally, exercise in fresh air. Thus, one could wear a dress *à la Tronchin* while strolling with *la canne à la Tronchin*. Since then, the French language has been enriched with the verb *tronchiner*[18].

Naturally interested in Tronchin's initiatives and curing methods and influenced by the support he received from the royal family and the court nobility, high society was the first to adopt such a fashionable lifestyle. The queen of France Marie Leszczynska, named her hairstyle *pouf à l'inoculation* in order to thank the Swiss doctor for his role in spreading inoculation in Parisian society. Such episodes enhanced his popularity with the entire nobility, which was keen to emulate the royal court so as

---

Marquis de Custine belonged to the ancient nobility of Lorraine, and Marc-Antoine, even though at the time of the letter was only 32 years old, was already lieutenant general of the King of France in Lorraine and colonel of the regiment Gard-Lorraine.

17. *Mercure de France*, janvier 1757, 237-238.

18. This means: « faire à pied des promenades matinales » (Émile Littré, *Dictionnaire de la langue française*, deuxième édition, Paris, Hachette, 1872-1877).

Figure 6.1. Table à la Tronchin, Époque Louis XVI, Estampille de Ratié,
© Galerie Mazarine / Anticstore
(« La table à la Tronchin » : A precursor of the drafting machine, this table allowed
people to work while standing at the table, thus avoiding the troubles caused by
sitting, which was detrimental, especially for the colon.)

to feel closer to the monarchy and its power. At this point, Tronchin's celebrity was at its peak and remained so until at least 1766.

Tronchin's involvement in the Enlightenment movement was confirmed by the media of the time and by the correspondence of the main European protagonists, such as Voltaire, Rousseau, Madame Necker, Sénac, Diderot, etc. In his professional life, Tronchin carved out a social role that went beyond his activity as a medical specialist: he was *hommes des lettres, salonnier, savant.* Thanks to his connections with the French court - and the provincial aristocracy of the mid-century - he was able to consolidate his celebrity in Europe. After 1766, Tronchin lived at the Palais Royal in Paris, as the private doctor of the Duke of Orleans. Even if he remained sought-after as a guest of the *salons* and continued to be invited to the *soirées* by the *grandes dames* of the Parisian aristocracy, his status in high society changed. No longer regarded as a fashionable celebrity or as the doctor by whom everybody wished to be treated, he was rather considered as a member of the court of the Duke of Orleans. Indeed, other fashionable physicians replaced him as favourites of the high society, such as Franz Anton Mesmer.

During his career, Tronchin tied his reputation to his alternative approach to medicine. When his therapies[19] and his inoculating method were overtaken by other practices, he became increasingly marginalized and isolated, no longer the man "plus fêté que jamais" (Luynes, 36, 42). The very noblewomen, who contributed to creating his celebrity, began to prefer other doctors, more in vogue than him. Showing up in Tronchin's company, or inviting him to parties, no longer conferred prestige. Eventually, the physician had to surrender to the law of the *salons*, which, having made him famous, contributed to his progressive decline as with famous actors or singers who progressively lose appeal in the eyes of their supporters. Having been at the top of the social hierarchy of the *salons* for about ten years, Tronchin sensed that his reputation was about to fade, which may explain why he never tied himself to the Parisian high society. Yet, regrets for the social world from which he had so long benefitted are captured in a letter he sent to his cousin, François Tronchin, at the beginning of 1778, three years before his own death: "Qu'est-ce que la réputation des vivants? Elle ne ressemble guère à celle des morts. Je me divertirai à entendre tout ce qui s'en dira, car pendant 48 heures on en parlera beaucoup. À la 49ᵉ on parlera d'autre chose. Rien ne tient au delà de deux fois 24 heures[20]."

Notwithstanding this, Tronchin's loss of celebrity in high society circles did not destroy the public recognition of his scientific achievements. His name was immortalized in encyclopaedias for his fight against smallpox, his relationship with Voltaire and, more broadly, for his Neo-Hippocratic approach to medicine. One of his obituaries claimed: "Humanity accused a serious loss in the person of the famous Tronchin, first Doctor of the Duke of Orleans. [...]. He was affable, honest, not conceited or presumptuous about his vast knowledge and will be greatly missed lamented by all orders of persons[21]."

---

19. The third register of his medical consultations by letters, concerning correspondence between 1763 and 1765 contains only 71 letters. Nonetheless, these figures cannot be considered as definitive because we do not know how many patients he saw in person in his study in Geneva.

20. BCUGe, Fond Théodore Tronchin, t. 200: Théodore Tronchin to François Tronchin. 10.5.1778.

21. *Gazzetta Universale o sieno notizie istoriche, di scienze, arti, agricoltura, ec.*, vol. 8, Florence 1781, 823. Paris, 11.12.1781. In original Italian: «L'umanità ha fatta una grave perdita nella persona del celebre Tronchin primo Medico del Duca di Orleans. [...] Era affabile, onesto, niente presuntuoso di se medesimo, e delle sue vaste cognizioni, onde è stato generalmente compianto da tutti gli ordini di persone».

Later on, during the second half of the nineteenth century, Tronchin's name started to appear in scientific texts, encyclopaedias, dictionaries and in the diaries and *Mémoires* of Parisian noblewomen. It is most probable that Balzac found the name of the Swiss doctor and learnt about his alternative curing methods in such readings and, for literary reasons, included in his novel the image of the worldly doctor who cured his patients with the "skin of a skinned hare" (Balzac, 1831, 283). Despite the fact that Tronchin's celebrity was forged by women and worldly spaces, his name was remembered by posterity for his scientific contribution: it assumed a more rigorous connotation and we can still find it in scientific publications and reports concerning hygiene and smallpox.

TROISIÈME PARTIE

MODÈLES ET TRANSFERTS

CHAPITRE 7

Culture matérielle et circulation des modes dans l'empire colonial néerlandais

Material culture and circulation of fashions in the global Dutch world

Michael North

Résumé en français

De la fin du XVIᵉ jusqu'au début du XVIIIᵉ siècle, la République des Provinces-Unies dominait les échanges commerciaux. L'État et ses compagnies commerciales, la Westindische Compagnie (WIC) et la Vereenigde Oostindische Compagnie (VOC) reliaient des territoires reculés des mondes atlantique et asiatique. Les Provinces-Unies devinrent un lieu de rencontre entre personnes et biens de consommation en provenance des quatre coins du monde.

La culture matérielle des XVIIᵉ et XVIIIᵉ siècles est la manifestation la plus frappante de cette interconnexion à échelle mondiale. Cette même époque voit l'avènement de nouvelles formes de sociabilité, qualifiées par les observateurs de l'époque d'« échanges sociaux harmonieux ».

Le présent chapitre étudie les transferts et la réception de la culture matérielle néerlandaise dans les colonies situées en Asie, en Afrique et dans les Amériques pour comprendre le rôle joué par la culture des objets et la circulation des modes dans l'émergence et le développement de pratiques de sociabilité.

The Dutch colonial Empire was in many respects different from most of the early modern empires. It was organized as a Republic, constituted by its provinces and represented by the States General. Its trading companies, the Dutch East India Company (VOC) and the Dutch West India Company (WIC), connected – with the support of the States General – remote Atlantic and Asian areas. Since the empire had only a minimum of territorial possessions, ports and port cities played a crucial role as hubs of communication, migration, and commodity flows. As nodal points they integrated spaces, networks and territories. At the same time, the ports became spaces of social interaction and cross-cultural sociability, since the presence of various ethnic and religious groups was a characteristic feature[1].

Material culture played a crucial role in the emergence of sociability. This essay concentrates on the port cities of Batavia, Cape Town, New Amsterdam, Willemstad and Paramaribo in the seventeenth and eighteenth centuries. Colonial societies differed in terms of the goods they traded and the manner of interaction between the Europeans and the various local groups. Various beliefs, practices, commodities, and lifestyles came together. Some aspects of these remained local, others became global or 'glocal' in any number of syntheses of local and global.

One important question is how and by whom spaces of sociability were created in the various port cities and to what extent objects of material culture contributed to this process. Although objects often outlived their original owners, they had an afterlife through bequest. Thus, bequeathed objects were signifiers of social relations and elements of a sociability, understood by contemporaries as processes of harmonious social exchange (Gordon, 2005).

Right now, we witness a discussion between French and British scholars, whether the French model of sociability inspired England and to what extent the British model of sociability developed through a complex process of appropriation and delimitation to what was happening in France and other parts of Europe. But can we speak of a Dutch model of sociability in this context? So far Dutch scholars have focused on a new sociability with respect to studying civil society. They highlight the cor-

1. Acknowledgement. I am indebted to Hielke van Nieuwenhuize for archival research in the Suriname and Curaçao inventories, and to Kristoffer Neville for reading an earlier draft of this essay.

poratist sociability in guilds, urban militias and neighbourhood associations as well as fraternities and chambers of rhetoric. According to these scholars, a new sociability emerged during the early eighteenth century, when numerous new associations such as learned societies, reading societies, and Masonic lodges mushroomed, and transformed the corporatist sphere into a new general public sphere. Interestingly, scholars have paid little attention to art, entertainment and material culture in this context and neglected places outside the Dutch homeland. It is relevant to examine how the Dutch material culture was received in the homes of the Europeans and in the local populations in the port cities of the Indian Ocean and the Atlantic and to what extent it contributed to new forms of sociability.

Sources and Methodology

The most significant sources concerning the material culture in colonial households are so-called probate inventories: registrations of the movables left behind by deceased persons. The inventories give evidence about the objects circulating in the local societies, but also across the sea. They, furthermore, elucidate on an individual's relations and connections to others in society.

These inventories were kept by the orphanage or *weeskamer*. Several probate inventories from the *weeskamer* in Batavia can be studied in copies deposited in various Dutch archives. The majority, however, were drawn up from other courts, the estate chamber (*boedelkamer*) and the aldermen's court (*schepenbank*). These documents are preserved in the National Archives of Indonesia (Arsip Nasional) in Jakarta. At the Cape the inventories were kept by the Orphan Chamber (*weeskamer*) at the Cape of Good Hope and are now in the Cape Archives. Thanks to the comprehensive transcription project 'Transcription of Estate Papers at the Cape' (TEPC) the materials are now also available in an electronic database.

For the inventories of New Netherlands, one has to consult the New York State Archives in Albany and the rich Manuscript Collection of the New York Historical Society. The Suriname inventories were originally deposited in the National Archives in The Hague, but have recently been transferred back to the National Archives in Paramaribo. However, the inventories of Curaçao are still part of the collections in The Hague[2]. Unfortunately, the surviving inventories are not as precise as those from the Golden Age of the Dutch Republic itself. Due to their inferior state of conservation, poorer rate of survival, and differing modes of colonial record keeping, the inventories of Batavia, Cape Town or Suriname do not lend themselves as well as Dutch inventories to quantitative and statistical analysis. Thus I will follow a qualitative approach, complimented by visual evidence. This is provided by paintings and watercolours illustrating the architecture of houses, lifestyles and the decoration of domestic interiors.

The Culture of Dutch Domestic Interiors

New fashions shaped the Dutch interior in the second half of the seventeenth and eighteenth centuries. This went hand in hand with the transformation of the houses and the transition from a few large rooms to a number of smaller ones. The parlour became the prominent reception room not only in Europe, but also in colonial settlements in Asia and the Americas. The layout of houses oscillated between social ostentation and privacy. Every new or redecorated old house designed and furnished the parlour as the foremost representative room, as a centre of the new sociability. The pleasure that men and especially women took in decorating their houses, and in displaying their decorations to the public, confirms the observation by Immanuel Kant: "No one in complete solitude will decorate or clean this house; he will not even do it for his own people, but only for strangers, to show himself to advantage" (Kant, 2006 : 137).

In this period trunks, chests, boxes, and coffers were gradually replaced as modes of storage by case furniture, such as armoires, cupboards, chests of drawers. Although in many households chests (*kists*) still played an important role during the eighteenth century, they eventually lost their decorative relevance. They also surrendered their place in sitting rooms and parlours, giving way to new forms of case furniture. In seventeenth- and eighteenth-century inventories we find a wide range of different armoires and cupboards which were differentiated by wood,

---

2. Surinam: Nationaal Archief, Den Haag, Suriname: Oud Notarieel Archief, 1699-1829, 1.05.11.14. Curacao: Nationaal Archief, Den Haag, Curacao, Oude Archieven tot 1828, 1.05.12.01.

decoration and function. Around 1700, apart from the *kleer kast* (wardrobe) we increasingly find cabinets and chests of drawers, which were not only suitable for storing silver or valuables and textiles, but also became a decorative case. At the end of the eighteenth century, case furniture characterized the hierarchy of value that during the seventeenth century had still been determined by beds.

An innovation during the late seventeenth- and early eighteenth century was the great variety of chairs and tables with respect to size, wood, and style. Pillows and plush covers gave the seating furniture new comfort. Special tables, such as game tables, billiards, bureaus and comptoirs (writing desks), and the French *guéridons*, used for conversation at the tea or coffee table, are witnesses of new sociable practices, that brought both women and men together in a liminal zone between private and public spheres.

Another variety of innovations occurred in wall and home decorations. Pictures, mirrors, and clocks, as well as curtains, window shades, plaster figurines, and furniture pediments suggest efforts to personalize home interiors. These could also be seen as efforts to enhance the value of the private sphere and ultimately the quality of family life. Mirrors were the chief new element. The major adornments and the unique decorative objects in the Dutch Republic, however, were paintings, which are still a testament of the Golden Age. The Dutch Republic was unique in Europe with respect to the number of paintings possessed by private households, and also in its production of millions of paintings. This was no less true in Batavia than in Amsterdam (Montias, 1982, table 8.3; Montias, 1991, table 3).

Nearly every household was adorned with paintings or prints, and the wealthier households differed from the less well-to-do only with respect to the number and the quality of the paintings. In Delft inhabitants appreciated paintings as fashionable objects framed and hung on walls. This picture is confirmed by a case study of the lifestyle of the social group of bakers in Leeuwarden. In this middle-class group, the number of prints and pictures in a household rose from ten around 1630 to 20 in 1700. Mirrors were present in half of the bakers' houses at the beginning of the seventeenth century and decorated nearly all houses around 1700. Clocks played an important role in interior decoration as well. They appear in the households of the middle classes, and become especially common in the second half of the eighteenth century. These were either the so-called Frisian clocks or pendulum clocks. The Frisian clocks were painted, for example with nautical scenes, and cheaper than pendulum clocks, which were often produced in England, but also in the Netherlands and France.

Furthermore, the Netherlands witnessed a domestication and integration of foreign cultural goods into Dutch households. In their homes people surrounded themselves with the new objects, showed them to friends and had their portraits painted in this new environment. Anne Gerritsen analyses four classes of objects fashionable in the Dutch Republic that were impacted by contact with Asia: dress and clothing, carpets, ceramics, and furniture. Drawing upon evidence of clothing from Dutch paintings, Gerritsen highlights Japanese-made silk gowns, which were originally imported by the VOC, but later produced in the Netherlands to satisfy the local demand, since the Dutch elites loved kimonos and had their portraits painted in these 'japonse rokken'. Another frequent motif in still life and genre painting is the 'alcatief', the table carpet mostly imported by sea from the Ottoman and Safavid Empires. The most domesticated Eastern goods – according to Gerritsen and others – were probably ceramics. From the beginning, VOC ships carried Chinese and Japanese porcelain to Europe. In the course of the seventeenth century, most Dutch households acquired porcelain from Asia, and Delft potters adjusted their products to this taste, making them look similar to the Chinese imports. Thus they created the famous Delft faience. At the same time, Chinese and Japanese potters oriented themselves to European designs and demands, mediated by the VOC merchants. Finally, Gerritsen points to the variety of chairs produced in Batavia – the Asian headquarters of the VOC – from Asian woods and shipped to the Netherlands as shared material heritage (Gerritsen, 2016).

After this overview of the Dutch situation at home the following parts will examine how and to what extent these elements of sociability were mediated to and reflected in colonial cities.

Batavia

In 1619 the new Governor-General Jan Pietersz. Coen of the Verenigde Oost-Indische Compagnie (VOC) founded the fort of Batavia as a head-quarters of the VOC in Asia, which assumed responsibility for all company activities in the region. Batavia replaced the existing town, Jacatra, which had been a meeting place for Dutch ships and Chinese junks since the first Dutch fleet, under the command of Cornelius de Houtmans, reached Java in 1595. Both as Jacatra and as Batavia, the city was thus multi-ethnic and multicultural from the beginning.

The Dutch part of the population consisted of Company servants and so-called freeburghers, who were often former Company personnel. The men in this population either cohabited with indigenous concubines or took Asian wives. Although toward the end of the seventeenth century the upper echelons of Dutch society succeeded in marrying European women, in the long run the number of available Dutch women decreased. As a consequence, the frequency of marriages between Dutch men and Asian or Eurasian women rose, leading over the course of the eighteenth century to a significant increase in the number of descendants of Eurasian or Indoasian parentage, but also to a 'Dutch-indisch' lifestyle of the elite.

The Chinese, who outnumbered the Europeans, fell into several categories. There were merchants who had settled in Jacatra before the Dutch came. Then there were Chinese craftsmen who came to Batavia to satisfy local demand for their skills. Higher on the socio-economic ladder, Chinese landowners played a crucial role in sugar production. The sizeable group of Mardijkers were Europeanized Christian ex-slaves of Bengal or Tamil origin. Most of them had been freed by the Portuguese; they bore Portuguese names and spoke that language. An important component of Batavian society was formed by free Asian groups such as the Bandanese or the Balinese, who served as auxiliary troops in Dutch military campaigns. The Malays formed a group of Muslim traders and shipowners. Members of all these groups owned land around Batavia, with the Dutch and a few Chinese occupying the manor estates. The Dutch and the Chinese – but also Mardijkers and traders from the free Asian population – competed in the slave trade, importing slaves from the Indian Ocean littoral and around the Indonesian archipelago to Batavia. They formed a sizeable proportion of Batavia's population. In 1673 the city was home to 27,051 people, of whom 13,281 were slaves.

According to the surviving plans and pictures, the urban structure of Batavia very much resembled Dutch prototypes. The fortifications, canals, drawbridges, and so on were built by engineers and masons from the Low Countries. But actual building design and architecture differed visibly from the Netherlands. In Batavia, the outer walls of buildings were plastered to protect the bricks from heat, heavy rain characteristic of a tropical climate. The houses were entered via a hallway that led to a spacious reception room, the *zaal*. Here the lady of the house – supported by her slaves – received friends and guests (Veenendaal, 1985).

Inside the house, the 'Dutch-indisch' culture was visible in European objects as well as Asian cultural goods, notably porcelain, lanterns, lacquerware, artefacts, and paintings. A watercolour scene of 'A tea visit in Batavia' by the Dutch minister Jan Brandes documents this cultural decorative mix as well as the importance of the tea ceremony as a practice of cross-cultural sociability. Batavian ladies of European and Eurasian origin meet in the lavishly decorated reception room, filled with the latest objects of material culture. On the wall between the fashionable sashed windows, we find Chinese paintings and gilded mirrors, imported from Europe. Marble tables and a *guéridon* for the tea cups underline the elite household equipped with Chinese porcelain, Chinese chairs, Vietnamese water pots, and a copper spittoon. Female slaves in sarongs offer tea and betel in a decorated *sirih* betel box. The Dutch had adopted the custom of offering and taking betel from their Asian or Eurasian partners. Men and women would chew betel, when they went out and in company, and the betel box, often lavishly decorated, served as a symbol of elegance and status.

The social practice of betel chewing is also reflected in the numerous spittoons in the residential room of Governor Valckenier, depicted and published in Johann Wolfgang Heydt's travel account of 1744. We see an extravagantly decorated reception room with wood carvings, guéridons, chairs, canapes, paintings, mirrors, bird cages, porcelain, and other objects.

When people moved to the colonies, they sometimes brought paintings with them as family memories, whereas the majority of furniture was produced and bought on the local market. As in the Netherlands, we find quite substantial numbers of art objects displayed in well-furnished households of Dutch company servants as well as private merchants.

Already in the 1620s, Gillis Vinant, a merchant and burgher of Batavia, had amassed an impressive collection of paintings. Twenty-eight of these were auctioned together with his estate after his death in 1627. The paintings are specified as follows:

Figure 7.1. Jan Brandes, Tea Visit in Batavia, 1779-1785.
Amsterdam, Rijksmuseum, Inv. No. NG-1985-7-2-15.

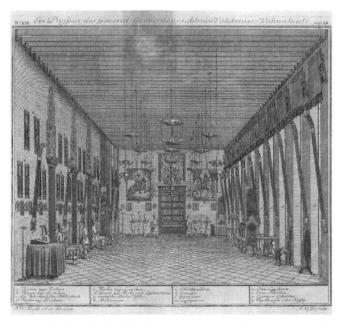

Figure 7.2. Andreas Hoffer, Ein Prospect des General-Gouverneurs Adrian
Valckeniers Wohn-Saals, 1738. Rijksmuseum AmsterdamAtlas Van
StolkKoninklijke Bibliotheek, reference number : RP-P-1961-473.

1 small rectangular painting	11 reals of eight
2 landscapes with ebony frame	26 ½
2 rectangular paintings	12 ½
2 Chinese paintings	9
1 big rectangular painting	5
1 ditto smaller	10
2 landscapes framed	10
1 ditto [landscape] without frame	26 ½
1 big ditto [landscape] without frame	25
1 ditto [landscape]	41
1 ditto [landscape] smaller	12 ½
1 ditto [landscape] a bit bigger	14
1 ditto [landscape] framed	16
1 ditto [landscape] framed	12
2 Chinese paintings .	7
1 big Dutch painting framed	30 ½
1 ditto	10
3 Chinese paintings on paper .	3 ¼
2 small paintings in ebony frame	17 ½
1 big painting, most of it damaged.	6
4 porcelain figurines or dolls.	4
12 sibyls in rectangular frame	11 ½
4 alabaster goddesses	18[3]

This manifestly cross-cultural collection contained not only Dutch landscapes and the famous engraving series of 12 sibyls by Crispijn de Passe, but also Chinese paintings (as in Fig. 1) and Chinese porcelain figurines. It was the result of intensified economic and personal relations between Western Europe and Southeast Asia as well as Japan and China. As in other Batavia households, we also find Japanese lacquer objects of art, mirrors, and clocks, together with rich furniture. Most of them were produced locally, and made of massive wood (unlike in the Netherlands), such as ebony, teak, and later also mahogany. Interestingly, the inventory also informs us about the purchasers of the households. Most of the

---

3. National Archief Den Haag, NA 1.04.02, 1093. Partly published by Lubberhuizen-van Gelder, A. M., "Een oude indische inventaris", *Cultureel Indië*, vol. 8, 1946, p. 211-220.

paintings and *objets d'art* were bought by the *diaconeesche* (wife of a deacon), Appolonia Danckaerts, who took an active role in furnishing her own household; making use of the secondary market in art and exotic objects.

At the end of the seventeenth and throughout the eighteenth century, the number of bequeathed estates rose considerably. Numerous paintings are recorded, and from the bequests we can conclude an intensive social interaction between family members and friends, who had admired the pictures at the home or leafed through the albums of drawings during the lifetime of the collector.

The collection of Governor-General Baron Gustaaf Willem van Imhoff (1705-1750) was particularly outstanding. He owned about 130 paintings that he displayed in the Governor-General's rooms in Kasteel Batavia and in his country houses. Unlike his impressive collection of coins and medals and his library, the paintings are only roughly specified in his probate inventory. Several of those mentioned, such as the 25 portraits of Governors-General, actually belonged to the VOC. Seventeen family portraits in the Kasteel (Fort) and a big portrait of himself he bequeathed to his successor as Governor-General, Jacob Mossel. The other rooms in Batavia and the country houses were decorated with six landscapes, two flower pieces, eleven English paintings framed and behind glass[4], Chinese paintings, prints, and framed maps, in addition to some paintings of unspecified nature. Van Imhoff owned a big map with pictures of different Dutch cities as well as prints of the Dutch factory in China and various locations in Java. Thus he designed his public and his private living spaces with representations or objects related to his new home region Java, but still kept the memory of Holland. The lavish furnishings were rounded out by numerous curtains and lanterns, coats of arms, and sculpture, such as twelve marble busts of the Roman emperors (Dibbits, 1989)[5]. With the latter he demonstrated his erudition and interest in classical history towards the intellectuals in the ranks of the VOC in Batavia.

---

4. Reversed paintings painted on the back of a sheet of glass, which were quite popular in the eighteenth century.

5. Rijksarchief Noord-Brabant, Nassause Domeinarchieven, nr. 894 B, Inventaris van de boedel van G. W. Baron van Imhoff; I am indebted to Hester Dibbits for providing me with copies of the inventory and her thesis.

Chinese and Muslim households offer a contrast to the Europeans and Eurasians in terms of ownership of objects of art. It would appear that the majority of Chinese households did not display paintings. One reason may very well have been the comparatively modest means of the deceased Chinese persons and their household. The process of embellishing and decorating a Chinese home followed certain patterns. Among the first objects acquired for the household were the bird cage, followed by the lantern, the copper lamp, the mirror, and the clock. Only after these valuable and prestigious objects were present in a household did the Chinese proceed to acquire decorative paintings and prints. However, judging by the taxation of the bequeathed estates, it would appear that these images were generally of a modest value. Certainly, it was not that the Chinese could not necessarily afford collectable objects, but they preferred to store their wealth not in artefacts, but in manpower (i.e., in slaves and indentured labourers). In addition, households that had no paintings may have instead featured expensive furniture, such as lavishly decorated (Chinese) beds, guéridons, mirrors, and clocks. These were crucial elements of a conspicuous Chinese sociability in the Chinese quarters of Batavia. Especially the colourful Frisian clock became an object of desire in Chinese households, while the Europeans preferred the pendulum clock and the long case clock. Unfortunately, we can only speculate about this desire, apart from the general Chinese fascination with clocks and instruments, documented for example in the huge Imperial collections. Frisian clocks were, of course, cheaper than other European manufactured clocks, but the decorations with maritime scenes, peasant villages, animals, seem to have been especially satisfied Chinese curiosity for the 'Dutch or European exotic'.

When Western and Chinese paintings gained significance in Chinese households in the late eighteenth century, they were displayed together with expensive bird cages, mirrors, clocks, and lamps[6]. They reflect thus an intensified cultural and social exchange between different ethnic groups and households and shifts in spending preferences. The protocols of estate auctions document not only the high prices of mirrors, clocks, and lamps, but also the fact that the auctions were meeting spaces of

---

6. This is a very different situation than in the Cape, where the modest household of a Chinese woman named Thisgingno, who had no wall decoration apart from curtains, can be regarded as typical.

sociability. Dutch burgers purchased Chinese paintings and other Asian objects from the estates of the Chinese community, while Chinese, Muslim, and European bidders purchased European paintings, marble tables (such as in fig. 1), clocks, and Japanese comptoirs[7].

This exchange of cultural goods and values is further confirmed by a glance at Muslim households. Although Muslim men and women tended to splurge on personal effects, including especially lavish clothing and jewellery, they increasingly also came to decorate their households with fashionable East-Asian (Chinese) and Western objects. An example provides the free Balinese woman Asamie who left in 1811 apart from rich jewellery and clothing four expensive vitrines and several paintings behind, thus documentary the pleasures of a presentable decent lifestyle[8]. Hosting tea visits and organizing parties and balls in lavishly decorated and furnished houses was one side of 'Dutch-indisch' sociability in Batavia. The other was promenades, which the ladies – dressed up in French fashions or elegant Kebayas – took with their lady friends or partners along the streets and places of Batavia. They were always accompanied by several slaves, whereby the boy carried a *payung* (parasol) and the girl a betel box to be ready to offer her mistress a fresh *sirih* chew[9].

The husbands of the VOC-elite who had married these Eurasian ladies at a young age, socialized in the Masonic lodges and the Academy of Arts and Sciences, founded in 1778. The latter connected the elite with the Netherlands and other VOC settlements but also served as debating clubs, since coffeehouses were at this time still lacking in Batavia.

Cape Town

Cape Town was founded 1652 by a group of Dutchmen under Jan van Riebeeck, who thought that this settlement could become a trading post where provisions – such as food, firewood, and water – could be acquired from the Khoikhoi in exchange for European commodities. In the short term this proved to be an illusion, leaving the Company no choice but to establish a colony for the production of such necessities as grain, vegetables, meat, and wine (Ross, 1999: 21-22).

---

7. Arsip Nasional Schepenbank 1718 (1798).
8. Arsip Nasional, Schepenbank 79 (1811).
9. Catalogue J. Rach, p. 10-11, p. 60-61.

The Cape Colony's main objective was to attract settlers. Some of those who came to stay were men who had previously served the VOC as sailors, soldiers, or artisans. They would stay on as freeburghers in Cape Town or practice agriculture as smallholders in the Liesbeek Valley behind Table Mountain. Others arrived as immigrants from Europe, such as the Huguenot refugees who fled persecution in France in 1688 and were granted ownership of farmlands in the south-west Cape.

During the eighteenth century, the Cape Colony saw continuous immigration and an increase in population. As in Europe, discriminatory practices came into being, with the upper strata of the VOC establishment passing sumptuary laws to distinguish themselves from those lower down the social scale. Nonetheless, it remained possible for humble immigrants from Germany, Scandinavia, and Poland to improve their social standing within a single generation. Apart from VOC servants and freeburghers, the multi-ethnic society of the Cape was composed of descendants of liaisons between the Cape Colony Dutch and indigenous Africans – free blacks and slaves. The designation 'free black' did not refer to skin colour. They were emancipated slaves or ex-convicts sent from Batavia to the Cape. Their origins on the Indian Ocean are indicated by the names they bore, like Rosetta van Bengalen. Even the Chinese at the Cape, most of whom were ex-convicts, fell in this category. To judge by their probate inventories, the free blacks managed to earn a modest income. With luck, a free black woman would marry a company servant or a freeburgher and thus acquire a more desirable lifestyle.

With the immigration and the growth of Cape Town population, new house styles emerged. Single-story thatched and gabled houses were gradually replaced by stuccoed double-story town houses with flat roots and parapets which Jan Brandes recorded in a watercolour during his stay in Cape Town in 1786.

Changes in the functions of rooms went hand in hand with architectural innovations and stimulated new fashions in home decorations. During the eighteenth century, rooms ceased to be multifunctional; rooms ceased to be multifunctional and were instead increasingly dedicated to a single purpose. In the course of this process, open galleries were introduced in the centre of the houses in Batavia, Cape Town and the Caribbean to foster controlled ventilation. They reflect a kind of Dutch colonial architectural style, which found its local expressions. At the Cape, the

Figure 7.3. Jan Brandes, Strand Street at the Cape of Good Hope, 1786, Water-Colour over sketch in pencil, 23x76.6 cm. Private collection (p. 364-365)

front room on the right (*voorcamer ter rechterhand*) became privileged as the principal reception room, in which paintings were hung and porcelain and other precious objects of furniture were lavishly displayed together. Furthermore, hanging curtains and cushions provided a cosy atmosphere for the social gathering at the tea table and the pleasure of bethel chewing[10]. Surviving paintings illustrate the entertainment in these new social spaces.

In rural areas, for example in mid-eighteenth-century Stellenbosch, the decoration remained frugal[11]. It is a significant fact that when rural areas became more prosperous, the new prosperity was not reflected in an enrichment of material culture or a marked increase in art objects. As Susan Newton-King and Laura Mitchell have shown, Cape stock farmers preferred to keep their wealth in animals and spent any surplus on agricultural implements before household goods and embellishments. Urban sociability had not yet spread to the countryside, and therefore no one had to impress one's friends with decent furnishing.

This is a parallel to several Chinese in Batavia and the Jewish settlers in the Suriname 'Jodensavanne' keeping wealth in slaves, livestock and tools. In the southwest Cape farmers showed their growing prosperity by

---

10. Inventories of the Orphan Chamber Cape Town Archives Repository, South Africa: MOOC8/19.28. (Catharina Frank, 1787).

11. In fewer than ten cases did the deceased leave one or more *schilderijtjes* behind. Examples are in MOOC8/23.9 (1709), which lists '2 papiere schilderijtjes', and MOOC8/514.16 (1734), with '1 schilderijtje.' In the second half of the century we encounter more paintings, but always in small numbers (MOOC/8/131.10 (1769), MOOC8/147.10 (1772), MOOC8/184.13 (1781), MOOC8/107.10 (1788), MOOC18/35.1 STB (1795).

building whitewashed gabled houses or adding whitewashed gables to their existing homes.

Sociability as well as a certain urge for refinement had to be met before a householder would decorate his walls with objects of art and decent furniture. This theory would explain why paintings are found above all in the households of the emerging middle classes. As Robert Ross has demonstrated, it was this upper middle class that emerged as protagonists of a new sociability of tea parties and festivities. They contributed the most to the spread of new fashions and modes of domestic interiors on their path to status and respectability. Decorating the house and inviting guests was "a means of stating identity with whom one wishe[d] to share status" (Worden, 2012: XII).

One class that had virtually no paintings in their households was the free blacks. But there are a few exceptions to the rule, however. In 1697 the *vrije swaart* Klaas Gerritz van Bengalen bequeathed one *schilderijtje*, worth thirteen guilders. In 1764 Rosetta van Bengalen, widow of Jan Jansz van Ceijlon, had decorated the *caamer ter regterhand* with eight paintings and the *voorhuijs* with five *schilderijtjes*, thus respecting the hierarchy of rooms[12]. If former slave women married husbands who were in Company service, they tended to take on the furnishing and decoration habits of their new milieu. Thus Ansla (Angela) van Bengalen, widow of the well-to-do burgher Arnold Willemsz Basson, had six *printjes* and a portrait of her late husband in her house (1720)[13]. She owned various properties, married her children off into well-to-do families and spent the last years of her life together with her slaves in her garden and garden house (Malan, 2012).

New Amsterdam

The origins of New Amsterdam date to Henry Hudson's 1609 Dutch-sponsored voyage to North America and to the river that today bears his name. Trading ventures in the 1610s inspired permanent settlements in the 1620s that the Dutch West India Company (WIC) took under its administration. In 1626, Fort Amsterdam was founded, which developed

---

12. MOOC8/13.23.
13. MOOC8/4.15 for Ansla (Angela) and her family see Mitchell, *Belongings*, 53-7.

into New Amsterdam and later New York, a lively trading centre. The New Netherlands, with a settler population between 7,000 and 9,000 colonists, included villages throughout the Hudson Valley, Manhattan, Long Island, and along the Delaware River. Trading voyages and settlements brought together Europeans and enslaved Africans from various ports in the Atlantic world. Africans (free and enslaved), European settler farmers and Native Americans played an important role in the economy. Dutchmen lived together with French-speaking migrants from the Low Countries, Scandinavians, Germans, and English. Nevertheless, the Dutch and the Dutch reformed church dominated, while Jews were tolerated by the West India Company. This changed only gradually, when the English took over New Amsterdam in 1664. Many of the elite Dutch families entered into relationships with the new English rulers to retain their positions. "Yet general developments in elite culture, as well as intermarriage, gradually brought the Dutch and English elite closer together, while linguistic and religious differences – slower to change – kept them apart." (Jacobs, 2009: 60).

In architecture, Dutch traditions, such as step-roofed gabled houses prevailed until the mid-eighteenth century. Dutch material culture – furniture and paintings, for example – remained in use even in the nineteenth century. Of course, Dutch New Netherlandish material culture involved objects and elements of various origins.

Most interesting are the cultural crossings from the old into the new world. A good example is Jonas Bronck, a Swedish merchant, who had probably made a fortune in the Baltic trade, lived in the Netherlands, and married a Dutch woman. He financed a part of the journey of the ship *Fire of Troy* to bring settlers, livestock, and commodities to the New Netherlands and settled himself in Westchester Country until his death in 1643. Not only were his livestock and tools substantial, but also his personal belongings and his furnishing with seven pieces of silver, two mirrors (framed in ebony and gilt), an extension table, eleven pictures, and porcelain were remarkable, as was his library, which contained Blaeu's famous *Sea atlas* (Piwonka, 2009: 161-165).

Jan Jansen Damen, who had contracted a large house in today's Wall Street, decorated the parlour ('the large front room') with framed pictures and a looking glass. In bed he wore printed calico night caps, which we find later in other inventories as well.

In Beverwijck (nowadays Albany) in the Upper Hudson Valley, we witness nicely furnished homes decorated with Dutch paintings, bought in the North American 'New Netherlands' or back in Amsterdam (Venema, 213). New Amsterdam/New York inventories are even richer. A good example is Margrieta van Varick's inventory. Born in 1649, she arrived in New York in 1686 together with her husband, a Dutch reformed minister, and spent many years in Flatbush, now part of Brooklyn.

Inventory of Margrieta van Varick 1696/97:

6 prints with black frames at 3^s	£ 0:18:-
2 ditto larger 9^s	£ 0:18
4 ditto with gilded frames at 6^s	£ 1: 4:-
3 East India pictures with gilded frames at 3^s	£ 0: 9:-
1 ditto at 6^s	£ 0: 6:-
3 ditto with black frames at 16:8^d	£ 2:10:-
2 ditto with small black frames at 4:6^d	£ 0: 9:-
2 ditto larger with gilded frames at 12^s	£ 1: 4:-
1 ditto larger at 18^s	£ 0:18:-
2 ditto at 18^s	£ 1:16:-
2 maps with black frames at 16^s	£ 0:12:-
2 small painted pictures black frames at 6^s	£ 1:12:-
2 pictures of ships black Ebony frames at 30^s	£ 3: 0:-
1 picture black Ebony frame at 25^s	£ 1: 5:-
1 picture with a black frame 24^s	£ 1: 4:-
1 picture of the apostle 18^s	£ 0:18-
1 picture of a fruit at 18^s	£ 0:18-
1 picture of a Battle 30^s	£ 1:10:-
1 picture Landscape[35] at £ 2:10	£ 2:10:-
1 large flower pot at 30^s	£ 1:10:-
1 picture with a Rummer at 12^s	£ 0:12:-
1 bird cage & purse	£ 1:10:-
1 large horse battle	£ 3: 0:-
1 large picture of roots	£ 1: 4:-
a looking glass	£ 5: 0:-.

Deborah L. Krohn, Marybeth De Filippis and Peter Miller (dir.), with,, *Dutch New York between East and West: The World of Margrieta van Varick*. Bard Graduate Center Decorative Arts, New Haven, Conn., 2009, p. 356.

This nice cross-cultural collection of Dutch land- and seascapes, still lifes, battle scenes, and even a religious subject together with several pictures from East India and framed maps hints at the protagonists of sociability. Before she moved with her second husband to New York, Margrieta van Varick had lived in Malacca on the Malay Peninsula. Being an orphan, she had travelled there together with her sister and her merchant uncle Abraham Burgers. In Malacca she married Egbert van Duins in 1673, a merchant in the trade between Bengal and Malacca. After Van Duins's early death in 1677, she met Roelof (Rudolphus) van Varick, who served as minister in the Reformed Church in Malacca, whom she married after their return to the Dutch Republic. Moving again, this time to New Netherland (New York), she took along not only her possessions from the Netherlands, but also her Asian objects to the West, i.e. across the Atlantic.

Margrieta was very well connected with other women, who had similar lifestyles. Their sociability can be seen in their bequests, when children, members of the extended family and friends received precious and memorable material objects, but also slaves. Margrieta bequeathed textiles, jewellery, porcelain as well as one East India Cabinet with the ebony foot, Japanese red lacquer boxes with beads and 5 East India silver wrought boxes, used for carrying *sirih* (betel) quid's, a habit which Margrieta probably had followed during her stay in the East and carried on in New York.

Around 1700 in New York Dutch furniture began to influence English furniture while in the course of the century, English design became increasingly fashionable. In the Hudson Valley Dutch furniture tradition with large cupboards, so called *kassen* ornamented with panelled doors played an important role in the households of Dutch families. New styles of chairs such as the Queen Anne Hudson Valley chair reflect the adaptation of new English stylistic elements into Dutch household furnishings (Piwonka, 2009). Thus a kind of Dutch sociability with paintings and furniture was kept in a gradually changing environment.

Willemstad

Curaçao, an island close to the coast of Venezuela, entered into the sight of Dutch traders in the 1620s due to its salt production. Its strategic location for trading with Spanish-America and privateering in the Spanish Empire encouraged the WIC to capture the island in 1634-1635 the WIC built Fort Amsterdam, around which the port of Willemstad developed.

Establishing colonies in the Caribbean and the trading posts in Africa enabled the Dutch to connect 'their' Atlantic World, especially for the slave trade. Between 1676 and 1689, the WIC also transported about 20,000 slaves, mainly to Curaçao and from there to the Spanish Caribbean. The island population remained small during the next decades, with fewer than 500 people, including 50 indigenous Caquetios. The majority consisted of soldiers and sailors of various European nationalities. When in 1644 Portuguese planters revolted against the Dutch rule, refugees from Dutch Brazil migrated to Curaçao. Among them were Sephardic traders who had been crucial in establishing the Atlantic trade from Amsterdam, North Africa and Brazil. They played an important role in Curaçao's trade development and made Williamstad into the home of the largest Jewish settlement in the Americas. Due to the importance of the slave trade, most of the Africans came to Curaçao as commodities and remained unfree. However, there was always a small group of free blacks and mulattos. In the earlier eighteenth century French Huguenots also arrived in Curaçao as well as people from Spanish America. With the growth of trade during the eighteenth century, the port of Willemstad was remodelled. Local architects or builders adapted Dutch architecture to the local climate and colonial fashions. The early merchant houses with steep gable roofs were replaced by houses with open galleries with open windows and roofed verandas. Thus the windows enabled the circulation of cooling winds could through the house.

The homes of the Dutch, Jewish, Huguenots, and Spanish inhabitants of Curaçao showed a rich domestic interior culture. Among the porcelain – apart from Delft blue – the extensive assortment of Japanese porcelain was notable. The table culture was, furthermore, enriched by services and singular pieces of the more expensive Saxon (Meissen) porcelain, which became fashionable at the same time in the Netherlands as well. Figurines of these porcelain as well as of Chinese origin were also displayed on cabinets or chests of drawers. Asian textiles filled the cupboards and Asian rattan sticks are recorded in many inventories. These sticks (*rottings* or *rottangs*) with coats of arms of the VOC were originally presented by the VOC to the village chiefs in the Indonesian archipelago and later taken back to other Dutch settlements, where they were used as walking sticks or memorabilia of the East Indies. In the inventories, the 'East Indian' origin of the sticks was often mentioned, and they were differentiated with respect to the material of the knob (gold, silver, porcelain, amber) that decorated the stick. Decorated Frisian clocks and expensive English pendulum clocks displayed the time. Spanish chairs, East Indian cabinets together with French, Spanish, and native Indian water pots document an international style of home furnishing, inspired by the personal exchanges of the various members of the community. This also holds for the Jewish households that stand out with respect to Sabbat lamps and Chanukah candelabra.

Besides, wind and string instruments elucidate on the role of chamber music in colonial sociability (the music was often performed by slaves). The various games, such as checkers and backgammon as well as domino and billiards confirm a form of multicultural sociability.

English chairs and writing desks, which were becoming fashionable in Europe, were also emerging in Curaçao households. Of course, the walls were decorated with paintings, maps, prints or engravings[14]. They were quite substantial, not only in the households of the (former) members of the government, as Johan Mattheus Brunings, who owned various portraits and four folders with drawings and engravings, and a camera obscura, but also in the houses of Dutch widows, Huguenot merchants and Jewish traders.

Theodorus Brouwer, the priest of the Catholic Community, left behind a remarkable cross-confessional collection of paintings in 1787. It held six landscapes, one hunting scene, and seven religious paintings, depicting the Suffering of Christ and the Coronation of Mary.

Even in the households of the free blacks and free mulattos we witness a modest but decent interior. For example, Gracia Anthonia (1770) had Japanese porcelain, a map and a portrait. Another, Maria Martha (1770), had ten 'Catholic' engravings[15].

---

14. Nationaal Archief, Den Haag (NL-HaNA), Curaçao, Oude Archieven tot 1828, 1.05.12.01, inv. Nr. 968 (Inventar Aron Henriques Moron, 1784), inv. Nr. 978 (Inventar Jean Rodier, 1787), inv. Nr. 997 (Inventar Johannes de Veer, 1797).

15. Nationaal Archief, Den Haag (NL-HaNA), Curaçao, Oude Archieven tot 1828, 1.05.12.01, inv. Nr. 940, 941, 968, 978, 989, 999: Estate inventories of Johan Mattheus Brunings (1798), Maria Kottes (1798), Guillaume Charles Cabiol (1793), Aron Henriques Moron (1784), Theodorus Brouwer (1787), Gracia Anthonia (1770) and Maria Martha (1770.)

Paramaribo

Dutch settlement in Guiana had already started in the 1650s, when the WIC chamber of Zeeland promoted colonization in the area which belonged nominally to Spain, but had attracted settlers from other European countries. Originally planned as 'second Brazil,' the region was changing hands during the English-Dutch Wars. The English occupied the European settlement on the Suriname River in 1651 and established sugar production, based on African slave labour.

In 1667 the States of Zeeland took Suriname from the English by force. Suriname had a small settler population of ca. 4,000 in the 1670s, which would increase in the next few decades. The 'capital' of Paramaribo lacked an urban environment and only in the eighteenth century a city would emerge (Klooster, 2016). Apart from Dutchmen, French refugees from Cayenne settled there. A second influx of the Huguenots connected the colony with France and the Huguenots trading networks in the Old and New World. The Jewish migration was of great importance. Sephardic merchants built up new trading networks, extending both across the Caribbean and to the North and South American mainland. During the uprising of the Portuguese planters against Dutch rule and the persecution of the Jewish population, they first sought protection in Curaçao, from there they moved to Suriname.

In 1685 Sephardic colonist founded the 'Jodensavanne' as a privileged autonomous colony. They established sugar plantations based on slave labour. The material culture remained modest and reflects the basic needs for everyday consumption and sugar production. That is why, tools, animals, and slaves dominate the estate inventories[16]. In contrast, the material culture of the Paramaribo synagogue was rich and members of the community rivalled in donations for their centre of devotion. Nevertheless, the contrasts between the Jewish planters and the members of the Dutch administration and the merchant community are striking. In the course of the eighteenth century were the houses expanded and reception rooms created. In their new houses in Paramaribo as well as on the plantations the ladies, especially the widows Elisabeth Danforth, and Dorothea

---

16. Nationaal Archief, Den Haag (NL-HaNA): Suriname: Oud Notarieel Archief, 1699-1829, 1.05.11.14, inv. Nr. 785 (Meza David, 1768), inv. Nr. 788 (Naar Ribea, 1780), inv. Nr. 791 (Abraham Gobay Izidro, 1786), inv. Nr. 795 (Jacob de Samuel de Meza, 1794).

Desmarets[17] created a sociable atmosphere for afternoon coffee and dinner parties with Dutch furniture, Delftware, Japanese and Saxon porcelain, Frisian and pendulum clocks, and a variety of paintings, often registered with respect to subject. We witness extraordinary collections, consisting not only of family portraits, but also of George Washington, Louis XIV and Dutch admirals. Various Dutch landscapes, genre paintings (peasant scenes), seascapes (by Vernet) and sea battles, English paintings on glass decorated the rooms, and a camera obscura served for entertainment. These ladies were members of various social networks. They were Huguenot descendants and related via their husbands and sons to the Dutch colonial administration and the Masonic lodges.

In their houses they also hung numerous pictures of plantations that, together with maps of Suriname, created a feeling of local belonging. Elements of the Native culture were integrated in the form of hammocks and water pots. Bows and arrows as well as blowpipes and arrows served as wall decoration[18].

* * *

By establishing settlements in port cities, the VOC and its elite created sociable spaces which were at the same time connected with the home land and adapted into a new environment. Apart from the elite who created an official representational culture in the forts and residences, various social and ethnic groups created their own spaces of sociability which partially overlapped. Various ethnic groups met at tea parties and estate auctions as well as at promenades and on the market. Material culture served as means of constructing social identity and belonging.

Individual preferences and memories played a role in the furnishing of households, as did patterns of lifestyles that spread in societies. The intensity of exchanges with other worlds were influenced by the personal environment as well as the available means and the willingness to spend them on the beautification of one's home. A wide variety of patterns of

---

17. Nationaal Archief, Den Haag (NL-HaNA): Suriname: Oud Notarieel Archief, 1699-1829, 1.05.11.14, inv. Nr. 281 (Maria Anna de la Brune, 1793), inv. Nr. 290 (Elizabeth Danforth, 1798), inv. Nr. 288 (Dorothea Desmarets, 1796).

18. Nationaal Archief, Den Haag (NL-HaNA): Suriname: Oud Notarieel Archief, 1699-1829, 1.05.11.14, inv. Nr. 285 (Frans Ewoud Becker, 1795), inv. Nr. 286 (Jan Daniel Limes, 1795), inv. Nr. 290 (Elizabeth Danforth, 1798).

social exchange and reception of culture is therefore evident in the different areas of the Dutch settlements.

Batavia, Cape Town or Willemstad emerged as centres of cross-cultural sociability. Here we witness a closer interaction in cultural consumption between the various ethnic and social groups than in the New Amsterdam or in Paramaribo.

In the multi-ethnic households of Batavia, the 'Dutch-indisch' culture was shaped by the Eurasian ladies of the house as well as the Chinese and Malay personnel. The Batavian ladies were proud members of the colonial society and performed a special kind of sociability: the tea party, the ceremonious offering of betel, the discreet withdrawal from the company of men, as well as conspicuous promenades.

From Batavia these forms of sociability spread to the Cape. Here burghers decorated their rooms with Chinese porcelain figurines and paintings, Chinese chairs and Japanese lacquer furniture, thus creating a reception culture. New Amsterdam remained more Dutch, although Asian textiles were traded extensively, and Dutch movers such as the Van Varicks brought goods, furnishings and memorabilia to the Hudson. Through estate auctions they reached – as everywhere in the settlements of the trading companies – large parts of the local society.

In the Caribbean, the material culture of Dutch, Jewish and Huguenot households, as well as that of free blacks, remained European-Dutch, with hammocks and water pots being accentuated as native Indian and occasionally decorated with arrows and bows. A special feature here is again the rich furnishing with paintings, prints, and maps. In addition to the subjects already known from the Netherlands (history, landscape, still life, genre and portrait), maps of Suriname and views of Paramaribo or individual plantations were added. This can be understood as a process of decontextualization/deterritorialization of social spaces that were recontextualized/re-territorialized in the Caribbean or also in Southeast Asia by representations or objects related to the new home region.

Domestic interiors and their cross-cultural decoration played an important role in the spread of new forms of sociability. Material culture and sociability inspired each other mutually. Creating spaces of sociability, inhabitants of both the colonial port cities as well as Holland could demonstrate their cosmopolitanism by choosing from a wide range of cultural commodities that had been produced in China, Japan, Java, India, at the Cape, in Holland, and the Americas.

The Dutch model of sociability, therefore, seems to be less national than its French and British counterparts. The British, for example, transferred their club model to the American colonies and tried during their short interregnum in Batavia to get rid of the sociable custom of offering betel. In contrast to the British, the Dutch abroad interacted socially and culturally with other Europeans and the local communities. We witness this openness early on in the seventeenth century bourgeois Dutch Republic from which it spread to the colonies.

In this respect, we would love to learn more about the protagonists of social and cultural exchanges in the global Dutch World. According to our sources, it was especially women, such as Elisabeth Danforth in Paramaribo, Gracia Anthonia in Willemstad, Margrieta van Varick in Malacca and New York, Ansla van Bengalen in Cape Town or Apollonia Danckaerts in Batavia, who created a fashionable sociability across cultures. They mediated and appropriated material and immaterial culture, setting in motion global and 'glocal' taste transfers and entering into dialogue across cultures and social strata[19].

---

19. A stimulating example for this approach is the book by Lee, Peter et al., *Port Cities. Multicultural Emporiums of Asia, 1500-1900*, published in conjunction with the exhibition at the Asian Civilisation Museum, Singapore, from 3 November 2016 to 19 February 2017, Singapore: Asian Civilisations Museum, 2018, especially inspiring are the following articles: Barbara Watson Andaya and Leonard Y. Andaya, "Divergence, Convergence, Integration Port Cities and the Dynamics of Multiple Networks, 1500-1900", p. 10-27; Peter Lee and Alan Chong, "Mixing Up Things and People in Asia's Port Cities", p. 30-41; and the catalogue of objects documented under the umbrella "Divergence. Moving, selling, copying", p. 102-137. I am indebted to Peter Lee for sharing his ideas with me.

CHAPITRE 8

Tavernes et cafés au Québec ancien

Mathieu Perron

Au moment de la Conquête en 1760, toute une culture liée à la fréquentation des cafés (*coffeehouses*) par les classes moyennes et élitaires est déjà fermement établie dans les villes britanniques ; ce n'est pas encore tout à fait le cas en France, qui verra cette culture se développer surtout à la fin du siècle. Les transformations des pratiques de consommation s'opèrent conjointement avec le développement de la société civile (Trentmann, 2016) ; elles accompagnent aussi les grands jalons de l'histoire politique. Dans le Québec ancien, la formation d'un gouvernement civil en 1764 coïncide avec la naissance d'une forme de parlementarisme dans la province de Québec. Avec l'émergence de la société commerciale, une sociabilité nouvelle se forme dans les tavernes élitaires et les cafés. De nouveaux produits de consommation sont importés et de nouvelles pratiques autour de l'imprimé se développent. Toutefois, il n'existe pas de rupture nette entre les pratiques de sociabilité et de consommation ayant cours sous le régime français et celles qui émergent sous le régime britannique. De nouvelles formes de sociabilité et de nouveaux divertissements s'agrègent aux anciens. Des temps pionniers jusqu'au xviiᵉ siècle, la sociabilité admettait une fréquentation mixte de l'élite et du peuple dans les cabarets et les auberges, une sociabilité qualifiée de «libertine» (Séguin, 1972), avant de faire place à un système plus patriarcal et plus familial. Ce changement de paradigme résulterait de l'abandon de la traite des fourrures vers les Pays-d'en-Haut et de l'avancée de l'agriculture dans la vallée du Saint-Laurent. Cependant, cette lecture ne correspond pas aux observations faites dans le cadre de la présente étude.

Le cabaret est un commerce essentiellement urbain. En effet, cet espace est fréquenté par les marins et les soldats, une clientèle qui se concentre dans les villes portuaires et de garnisons. Certains historiens affirment que parmi l'élite, seule la jeunesse se retrouvait parfois dans les cabarets « pour perdre son temps et sa fortune, boire du vin et des liqueurs, tout en jouant aux cartes et au billard » (Ferland, 2005 : 192). En témoignent en particulier les plaintes des autorités civiles et les mandements religieux (Têtu et Gagnon, 1888)[1]. Beaucoup s'offusquent du danger que la fréquentation des cabarets représente pour la jeunesse de bonne famille. Il convient de ne pas s'avilir en fréquentant des personnes d'un rang inférieur au sien ; du moins, pas au-delà de ce qui est jugé nécessaire : une préoccupation propre à la société de cour, c'est-à-dire une société valorisant l'honneur, l'ordre et la décence. Julia Roberts (2009) dépeint une société coloniale haut-canadienne accueillant une sociabilité sans cesse négociée, marquée par l'autorégulation, la mixité de genre, de statut social et d'ethnie. L'arrivée de vagues d'immigration au Haut-Canada (1790-1841) – ce territoire découpé à même la province de Québec en 1791 afin d'accommoder l'installation de colons anglo-américains demeurés loyaux à la Couronne britannique durant la Révolution américaine – reproduit le modèle de sociabilité anglo-américain marqué par la mixité sociale induite par le cadre pionnier. Les tavernes et les auberges sont ainsi décrites comme des espaces de transition.

La présente enquête mobilise des rapports d'administrateurs coloniaux, des périodiques, des récits de voyage sélectionnés pour la période couverte. Les récits de voyage et la correspondance privée constituent de précieuses sources d'information. Cela dit, ces récits s'inscrivent dans un genre convenu. Leurs auteurs véhiculent inévitablement les tropes et les clichés de leur temps. Les difficultés rencontrées par le narrateur servent à entraîner le lecteur dans le récit suggestif des difficultés et des épreuves qu'il rencontre sur sa route. L'écart des usages que le voyageur observe chez les personnes de rangs sociaux inférieurs magnifie et creuse la distance culturelle entre le narrateur et les protagonistes de son récit. À ces récits de voyage a été adjoint un corpus de correspondances administratives éditées ainsi qu'une compilation de données prosopographiques

---

1. Par exemple : « Circulaire [1691] [...]. Empêchez autant que vous pourrez la profanation des Fêtes par la liberté qu'on se donne en ces jours de vendre et d'acheter [...] par la fréquentation du cabaret pendant la nuit et pendant les Offices » (Têtu et Gagnon, 1888).

construite à partir de fonds d'archives administratives et judiciaires conservés aux Archives nationales du Canada et aux Archives nationales du Québec. Cette banque de données regroupe les informations contenues dans les reconnaissances du gouverneur, les décisions des cours trimestrielles de la paix, les recensements locaux et éléments tirés des gazettes (annonces et listes d'établissements autorisés), ainsi que les licences émises pour tenir une taverne et vendre de l'alcool entre 1764 et 1841 dans les juridictions de Montréal, Québec et Trois-Rivières (Ouellet, 2010)[2]. La variété de ces sources autour de pratiques de consommation typées a permis d'étudier la question de la délimitation des frontières sociales dans un environnement biculturel. Davantage qu'une opposition culturelle entre sociabilité française et sociabilité britannique, la présente contribution entend explorer quelques transformations des pratiques de consommation et de certains usages de civilité qui accompagnent l'émergence de ces nouveaux espaces de sociabilité élitaire et urbaine au Québec ancien.

Un environnement biculturel

L'histoire des espaces de sociabilité élitaires en Amérique du Nord s'enracine profondément dans les coutumes et les cultures des sociétés européennes. Le récit de l'émergence de ces espaces s'entremêle avec celui de l'hospitalité traditionnelle, en lien également avec celui de la commercialisation croissante des interactions sociales au cours du long XVIIIe siècle. Ce récit renvoie en effet à la monétarisation d'un service essentiel : l'offre du gîte et du couvert. Les débits de boisson sont également des lieux où des divertissements sont commercialisés ; le temps du loisir s'y monnaie. Les meilleures tavernes de Londres, Boston et New York comportent de longues pièces réservées aux assemblées, au sein desquelles la bonne société se réunit pour danser, socialiser ou converser. Si la sociabilité canadienne est façonnée par le modèle élitaire français centré sur la vie de cour et le cercle familial, le modèle de sociabilité britannique a, quant à lui, incorporé depuis la fin du XVIIe siècle la fréquentation d'espaces publics à vocation commerciale, où s'observe une certaine mixité sociale, comme les tavernes et les cafés.

---

2. Bibliothèque et Archives Canada (BAC), fonds licences tavernes, RG4 B, 28 vol., p. 59-69.

Après 1760, les cafés (*coffeehouses*) et les tavernes urbaines sont introduits dans la province de Québec. Ces deux institutions se ressemblent par certaines pratiques de consommation. Au café, on sert bien entendu du café que l'on annonce fraîchement torréfié[3], les fèves crues, importées des plantations antillaises, devant être grillées à la poêle tous les matins. Et comme en Grande-Bretagne, la clientèle du café peut aussi consommer de l'alcool.

Ces institutions se déploient au Québec ancien conjointement avec le développement de l'espace culturel anglo-américain. Là aussi, la distinction entre taverne et café n'est pas fermement établie, comme l'illustre cette annonce publiée en anglais et en français dans les pages de la *Gazette de Québec* :

> Le Soussigné prend la liberté d'avertir le Public et ses amis en général qu'il a pris la maison bien connûe, ci-devant occupée par Mr LeRoi, a usage d'Auberge, et les deux dernières années par Mr. Miles Prenties, située sur le marché de la Basse Ville de Québec, sous l'enseigne du Caffé de Montréal où il se propose de poursuivre le même négoce aussi galamment que le lieu le permettra, et le Public peut être assuré d'y trouver les meilleurs vins, et d'y être servi ponctuellement, *&c, &c*, vû qu'il mettra sa plus grande application à la satisfaire si la plus grande attention et ponctualité peut lui attirer sa faveur. Son très obéissant et très humble serviteur, Jacques Crofton [James Crofton], N.B. : ses amis de Montréal peuvent être assurés d'un bon logement *& c.&c.&c.* (5 septembre 1765, BAC, MIKAN 124328).

Dans les colonies anglo-américaines, l'expression « *coffeehouse* » vise d'abord à désigner le caractère élitaire de l'établissement, de façon à attirer une clientèle nantie. Les marchands et les officiers recevant une solde constituent la clientèle cible de ces commerces de l'hospitalité. La fortune de ces groupes sociaux dépend des aléas commerciaux, financiers et militaires qui rythment le devenir de l'Empire britannique. Les conversations et les gazettes accessibles dans les cafés et les tavernes urbaines permettent d'accéder aux informations nécessaires à l'évaluation des gains et des pertes (Mullin, 2015).

---

3. "This is to acquaint the Public, That Levy Simons has opened House a small Mile at this Side of the Church of St. Foix, where Gentleman and ladies may depend upon good Entertainment, with Tea, Chocolate, and Coffee. *Fresh roasted every Day*". / "La présente est pour informer le public que Levy Simons a ouvert une maison à un peu moins d'un mile de ce côté de l'église de Sainte-Foix, où ces Messieurs et Dames pourront espérer être bien accueillis avec du thé, du chocolat et du café. *Fraîchement torréfié chaque jour*." (*Gazette de Québec*, 5 septembre 1765. BAC, MIKAN 124328)

L'approche française de la consommation de café est conditionnée par le souci de voir et d'être vu propre à la société de cour. Alors qu'en France métropolitaine, ce sont d'abord les gens de qualité qui fréquentent les « cabarets à café », en Angleterre et dans les colonies anglo-américaines, leur fréquentation est beaucoup plus bigarrée. On peut constater cette divergence nationale dans les pratiques culturelles en rapport avec la fréquentation de ces espaces commerciaux en observant les signifiants employés dans les traductions officielles de l'anglais au français. Au XVIIIe siècle, l'envergure des commerces varie, de même que le vocabulaire employé pour les désigner (« cantines », « cabarets », « auberges », « cafés » ; « *taverns* », « *inns* », « *coffeehouses* », « *hotels* », etc.). Au Québec et au Bas-Canada, le législateur et les imprimeurs pallient le florilège de désignations en usant de calques de l'anglais « maison d'entretien publique » (« *house of public entertainment* »). L'idée est d'abord de traduire l'esprit de la loi britannique. Or, le terme anglais « *entertainment* » est plurivoque. Il désigne autant l'hospitalité, le divertissement que l'offre de boisson et de nourriture. La traduction de l'anglais au français du terme « *tavern* » en « auberge » devient fréquente, avec parfois une certaine hésitation marquée par l'emploi du mot « taverne », dont l'usage se réactualise en Amérique française. Le terme « *inn* » est aussi utilisé de manière ponctuelle pour désigner les établissements ruraux, mais il demeure interchangeable avec celui de « *tavern* ». Dès le XVIIe siècle, le mot « auberge » tombe en désuétude en Europe francophone, au profit de « cabaret ». Quoi qu'il en soit, l'homme éclairé du XVIIIe siècle évalue le degré de civilisation à la présence d'espaces élitaires différenciés des espaces communs. La sociabilité revêt une fonction primordiale dans les stratégies d'ascension sociale ou de préservation du patrimoine familial pour les élites, si bien que des mariages sont contractés à cette fin entre les membres de la caste militaire canadienne et britannique.

Avant la signature du traité de Paris le 10 février 1763, les officiels britanniques recensent et soupèsent la valeur des gains territoriaux potentiels. Chaque territoire pris à la France ou à l'Espagne est sujet à négociations lors du traité de paix. Ces tractations se font sur la base du principe juridique *uti possidetis*, c'est-à-dire en considérant ce qui appartenait avant la guerre aux différentes puissances. Une mathématique s'établit : aux gains territoriaux se soustraient les pertes de territoire. Résultat : tout ne peut être conservé, il faut donc choisir. Pour éclairer ce choix, les administrateurs des territoires conquis et occupés s'évertuent à déterminer la valeur de ces possessions potentielles.

C'est ce qu'inscrit dans son évaluation l'auteur anonyme d'un rapport produit à Québec en 1762, portant sur l'état de développement du Canada. La grille de lecture utilisée dans ce rapport rend compte du point de référence, c'est-à-dire la Grande-Bretagne du moment, quand vient le temps d'évaluer le potentiel de développement économique et culturel des habitants du nouveau territoire. Selon l'administrateur anonyme, l'absence d'auberges le long des routes constitue un désagrément pour les Anglais voyageant de Montréal à Québec. Ces voyageurs étrangers ne trouvent pas sur la route le confort de haltes commerciales ; ils sont obligés d'apporter leurs provisions lors de leurs déplacements dans la campagne québécoise. Sans cette précaution, rapporte l'administrateur, les voyageurs se voient contraints d'accepter un régime d'œufs, de lait et de pain brun rustique, seules denrées régulièrement disponibles chez l'habitant. Dans les faits, au-delà de la simple description de ce désagrément, l'absence d'auberges est le signe manifeste, aux yeux du colonisateur, d'un retard de développement. Le rapport souligne, par exemple, les pratiques de civilité qui accompagnent l'accueil du voyageur, en particulier le refus d'imposer un tarif aux plus aisés :

> Si quelqu'un s'arrête pour loger chez l'habitant, [les Canadiens] vont fournir au voyageur un lit plutôt convenable, des draps grossiers, mais propres, ils vont leur offrir ce que leur maison peut offrir facilement, mais lorsque l'addition est demandée, la réponse est invariablement : « Ce qui vous plaira monsieur, nous ne taxons jamais les gentilshommes », par ce moyen ils obtiennent la plupart du temps trois fois la valeur des biens et service fournis (Innis, [1929] 1977 : 577-578).

Cette hospitalité rustique se fonde sur la reconnaissance du rang social : un puissant se doit d'être charitable envers les plus faibles. L'usage d'un prix fixé d'avance est ainsi peu répandu.

Les espaces de rencontre et les modèles de sociabilité

Ni Élisabeth Bégon, dans ses *Lettres au cher fils* (1748-1753), ni le botaniste suédois Pehr Kalm, dans la portion canadienne de son journal, ne mentionnent la fréquentation des établissements commerciaux comme les auberges ou même les cafés lorsqu'ils relatent la vie sociale des membres de l'élite coloniale française et canadienne[4]. Ces documents – auxquels il est possible d'adjoindre les mandements des évêques de Québec, appelant, surtout au début de la colonie, à surveiller la fréquentation des cabarets les dimanches et jours de fête religieuse et à tempérer la vente de boissons aux Autochtones – forment le corpus usuellement mobilisé lorsqu'il s'agit de traiter de la vie mondaine des élites canadiennes dans les dernières décennies du Régime français. D'autre part, les inventaires après décès étudiés par Yves Briand révèlent que très peu d'auberges et de cabarets de Montréal possèdent les instruments nécessaires à la confection et au service du café et du thé (Briand, 1999). Les sources judiciaires et notariales font bien mention de l'existence à Québec, entre 1730 et 1750, d'un cafetier, Pierre Hévé, mais les informations demeurent bien minces. Hévé, qui se présente aux juges comme « cafetier et aubergiste[5] », est appelé une bonne dizaine de fois devant les tribunaux pour vente d'alcool le dimanche. Michael Eamon (2015) affirme que l'établissement était probablement bien fréquenté, hypothèse qui est impossible à vérifier en l'absence de livre de comptes ou de toute autre source de ce type. Faute d'espace suffisamment respectable et exclusif, les élites canadiennes se divertissent entre elles, chez elles. C'est ce qu'attestent les témoignages de Bégon et de Kalm. Les élites coloniales possèdent le mobilier et les pièces nécessaires à cette fin.

Au Canada, on sait recevoir et se faire inviter. Signe de la fréquence de ces pratiques, tout un commerce s'y attache. Des traiteurs proposent d'approvisionner les agapes directement au domicile de l'amphitryon[6]. Toutes les personnes qui prétendent aux rangs élitaires n'embauchent pas nécessairement de cuisinier personnel. Pour ceux qui en ont les moyens et le statut, le service est confié à des domestiques ou à des esclaves. Ces pratiques ne disparaissent pas sous le Régime britannique. À Québec et Montréal, plusieurs individus pratiquent le métier de traiteur. En 1769, Jean Amiot tient l'enseigne de L'Arbre sèche, au coin des rues Saint-Joseph

---

4. Plusieurs références à des soupers et des bals chez des particuliers figurent dans la correspondance d'Élisabeth Bégon, femme de la noblesse à Montréal (1972 : 83-84, 86, 117, 128, 131, 132 et 134). Dans la relation de son voyage au Canada, le naturaliste suédois Pehr Kalm ne fait aucune mention d'auberges (1977).

5. Bibliothèque et Archives nationales du Québec (BAnQ), E1, S1, P2236 ; E1, S1, P3164 ; TP1, S28, P19143 ; TL5, D1039 ; TL5, D1186.

6. Une table d'hôte est probablement offerte. Le fait que plusieurs de ces traiteurs possèdent des permis pour débiter des liqueurs le suggère. *Gazette de Québec*, 7 juillet 1768. BAC, MIKAN 124328.

et Nouvelle. Nicolas Barbier, pâtissier rue Saint-Jean, offre aussi ses services dans le même secteur. Ils ont pour concurrent Jacques Lemoine, au Coq gras, rue Saint-George, Joseph DesBarras, rue Saint-Jean et Martial Bardy, rue du Palais. Tous déclarent exercer le métier de traiteur ou de pâtissier en plus de celui d'aubergiste entre 1764 et 1775 (Verreau, 1873)[7].

L'année 1774-1775 est marquée par une division au sein des élites de la province de Québec. D'un côté, les membres du Conseil législatif, les administrateurs et militaires gravitant autour du pouvoir exécutif professent un loyalisme ferme envers le nouvel ordre établi par l'*Acte de Québec*, qui confirme l'autorité sans partage du gouverneur. De l'autre, on trouve un ensemble bigarré de partisans patriotes, composé d'abord de marchands britanniques et anglo-américains. En mai 1775, le buste de George III installé sur la place d'Armes à Montréal est vandalisé. Une lettre anonyme écrite de Montréal, adressée au marchand et administrateur colonial Hugh Finlay, rapporte ce méfait. Le ou les perpétrateurs ont noirci le visage du roi, l'ont affublé d'un chapelet de patates avec une croix en bois et d'un écriteau sur lequel on peut lire « Le pape du Canada, ou le sot anglais » (Verreau, 1873 : 335). En réponse à la profanation du monument, les autorités écrivent au gouverneur. Carleton répond par l'intermédiaire d'une proclamation, qui n'apaise pas complètement les tensions. Les militaires en garnison rejettent la faute sur la petite communauté de civils anglais, composée de quelques dizaines de marchands protestants et juifs. L'auteur anonyme de la lettre envoyée à Finlay, possiblement un Canadien lui-même, ajoute :

> Les Canadiens, aussi, les désignent comme les auteurs. Ainsi vous pouvez juger. Une souscription de cent louis sterling fut formée par les marchands, au Café, pour donner en récompense à celui qui découvrira le coupable. Les Messieurs de l'armée ont aussi souscrit cinquante guinées dans le même but, et le lendemain des avis furent publiés par les deux partis au son du tambour (Verreau, 1873 : 335).

Dans une lettre du marchand canadien Georges-Hippolyte Le Comte Dupré, dit Saint-George Dupré, on peut lire que des marchands francophones et anglophones se sont réunis chez Louis Pachot, aubergiste au faubourg Québec[8] :

---

7. BAC, fonds licences tavernes, RG4 B28 vol. 60-69.
8. BAC, licences à Louis Pachot, 1766-1769, RG4 B28, vol. 59-61.

> Nous avons samedy grand diner chez le bonhomme Pacheaux en l'honneur de l'anniversaire du buste de sa majeste [le même qui fut vandalisé en 1775], la plus grande partie des Anglais ont signé sur la souscription, cela fera une espece de reconsilliation, ils ont abandonné le câfé pour travaillér avec plus de libertté a leur entreprize, contre les nouvelles loix[9].

Les certificats que Pachot obtient du gouvernement emploient l'expression « auberge » pour définir ce lieu. Le fait qu'une assemblée de marchands s'y réunisse contribue, par la simple présence de cette tablée de notables, au raffinement de l'espace. C'est ce qui amène Saint-Georges Dupré à utiliser le terme « café » au lieu d'« auberge » ou de « cabaret », beaucoup plus usuel, mais désignant les mêmes établissements.

Les membres canadiens de l'élite coloniale ont coutume de recevoir à domicile, mais l'introduction des mœurs britanniques change progressivement la donne. À Québec, Alexandre Menut se dispose à servir une clientèle raffinée. Ce Français de naissance est arrivé comme cuisinier au service du gouverneur James Murray. En juillet 1768, Menut se lance comme traiteur et tavernier. Il publie, dans les deux langues, une petite annonce dans laquelle il offre un menu princier sur son enseigne de la Couronne, rue du Parloir, proche du palais de l'évêque à la Haute-Ville :

> Messieurs et Dames, ALEXANDRE Menut [...] avertit ceux qui jugeront à propos d'avoir chez eux petit ou grand repas, Club ou Mess, on peut les assurer qu'ils seront servis exactement, et de la meilleure façon Anglaise et Françoise au nouveau gout, de même il ira faire en ville les festins et repas à un prix raisonnable, comme aussi il fera toute sorte de pattiserie et fromage à la glace et fruit [*ice cream*], en l'avertissant d'avance[10].

Les divertissements présents dans les tavernes et cafés s'accommodent à une nouvelle mode. Robert Hunter Jr., un jeune marchand d'origine écossaise, auteur du récit de ses voyages dans la province de Québec, note lors de son passage dans un *coffeehouse* de Montréal en 1785 : « Il n'y a rien d'autre à faire que fumer, boire de la bière porter et jouer au backgammon ici » (Wright et Tinling, 1943 : 33). Le lieu semble fréquenté essentiellement par des hommes anglophones, bien qu'il y ait une femme au service. Hunter remarque : « La fille au comptoir est beaucoup trop jolie pour servir

---

9. Lettre de George-Hippolyte St-George Dupré à François Baby, George-Hippolyte St-George Dupré, 6 octobre 1774, Université de Montréal, division des archives, cote Poo58U11402.

10. *Gazette de Québec*, 7 juillet 1768. BAC, MIKAN 124328.

autant de messieurs[11]» (*ibid.*). Seules les «filles» – entendons les femmes d'un statut inférieur – peuvent bien y servir. Or, cette question de la présence des femmes dans les tavernes et cafés est sujette à débat (Ellis, 2004). James Boswell déclare, dans *Life of Johnson*, qu'un évêque anglican, personnalité de haut rang, ne devrait pas fréquenter de taverne, «où il risquerait de rencontrer un jeune homme sortant une prostituée[12]» (Boswell, [1791] 2008 : 1124). La fréquentation des tavernes, même élitaires, par des femmes issues des catégories sociales intermédiaires et supérieures, de même que par les membres éminents du clergé, est perçue comme un comportement dérogeant au statut de respectabilité attaché à ces groupes sociaux.

Marque d'un changement et d'une volonté de former des espaces de rencontres entre les deux groupes culturels, Canadiens français et Britanniques, des associations sont mises en place à l'occasion de l'instauration d'une chambre d'assemblée élue. Le Club constitutionnel est l'une de ces associations volontaires dédiées à la discussion et à la promotion des connaissances sur la nouvelle constitution du Bas-Canada. Le club se réunit occasionnellement à la taverne Frank's. Le type de sociabilité et de consommation pratiqué dans un environnement fréquenté à la fois par des membres canadiens et par des membres britanniques est explicite dans les règlements :

> Les Conversations et débats à chaque Assemblée, pourront commencer à six heures et continuer jusqu'à huit, durant lequel tem[p]s il sera du devoir des Intendants ou *Stewards*, de pourvoir du bon *porter* ou de la bonne bière [«*good porter, ale or beer*»], et à huit heures ils feront apporter du pain, du Biscuit et du Fromage, et pourvoiront également à ce qu'il soit apporté des pipes pour chaque membre qui désirera fumer, qui aura la bonté de passer dans une chambre voisine [...][13].

Le café, boisson d'abord consommée par les élites françaises, n'est pas mentionné, mais la bière et le tabac, produits de luxe prisés chez les Britanniques, le sont. Le club, comme forme institutionnalisée d'association volontaire qui s'est d'abord développée dans l'espace culturel britannique dès la première moitié du XVIIIe siècle, est un endroit exclusif à

---

11. "The girl at the bar is by far too handsome, to attend so many gentlemen."
12. "A bishop should not go to a house where he may meet a young fellow leading out a wench."
13. *Gazette de Québec*, 26 janvier 1792. BAC, MIKAN 124328.

l'accès limité. Le Club constitutionnel, quant à lui, se veut un espace de discussion socialement et culturellement mixte. Des règles de bienséance sont prévues : les fumeurs doivent se retirer dans une pièce adjacente. Cette règle respecte les mœurs de la société de cour française. Les restrictions de l'usage du tabac dans les espaces publics remontent au Régime français. En 1726, l'intendant Dupuy interdit aux cabaretiers « d'y laisser fumer sous peine de dix livres d'amende » pour chaque fumeur trouvé dans toute pièce de leur établissement[14]. La consommation de tabac à priser, dont les effluves ne s'imposent pas à l'autre, remporte les faveurs des élites masculines françaises et canadiennes.

Ce rejet de la fumée chez les élites canadiennes relève d'une politesse attribuable à la société de cour française. Dans ce cadre, le souci de plaire à l'autre contraint l'individu au respect de certaines formes et de certains usages, dont celui de ne pas incommoder l'autre par la fumée de sa pipe ou de son cigare. Le plaisir individuel doit être tempéré par le respect des sensibilités sensorielles d'autrui. Cette contrainte crée toutefois un espace qui pacifie les rapports sociaux. Les règles du Club constitutionnel, qui veille à inclure les mœurs aussi bien britanniques que françaises, constituent un bon exemple de codification d'usages mixtes. La rencontre pacifiée de ces deux sociétés, de leurs codes, habitudes et pratiques de sociabilité dans la foulée de la Conquête du Canada, s'exprime par la délimitation des frontières des pratiques, et donc des espaces.

Une gentilité bourgeoise et coloniale

Dans le cadre colonial comme en métropole, les catégories sociales intermédiaires aspirent à émuler les goûts, pratiques et sensibilités supérieures des groupes métropolitains évoluant dans la société de cour ; ces aspirations à se rapprocher du modèle de politesse européen, la gentilité, ne visent cependant pas une imitation exacte. La respectabilité, une forme atténuée et bourgeoise de gentilité, gagne de l'importance à partir de la décennie 1790.

La représentation sociale passe par le langage. Le recours plus fréquent aux imprimés – les presses étant interdites au Canada sous le Régime

---

14. *Ordonnance de l'intendant Dupuy qui réglemente les cabarets, auberges, hôtelleries et chambres garnies.* 22 novembre 1726 ; BAnQ, E1, S1, P1777.

français – participe de l'expansion d'une culture de l'écrit. Lorsqu'on lit, il faut comprendre ce que les mots signifient sans avoir accès directement à l'émotion ou aux intentions de celui qui les utilise. En cas de doute, on se reporte à l'autorité des dictionnaires. Le bilinguisme s'installe au sein des élites de la province de Québec et du Bas-Canada. Dans les institutions et les imprimés – comme la *Gazette de Québec*, qui paraît sur deux colonnes, l'une en français, l'autre en anglais –, cela passe par un jeu de traduction. Donald Fyson (2009) note que les codes de politesse révélés par les titres honorifiques ont subi des transformations profondes depuis le Régime français. La division entre le *gentleman*, c'est-à-dire un homme de bonne naissance, d'une certaine fortune et éducation, et l'homme du commun, c'est-à-dire un homme qui doit travailler pour vivre, garde néanmoins une certaine prégnance. Ces observations se transposent aux termes servant à désigner les espaces de sociabilité. Le célèbre lexicographe britannique Samuel Johnson définit «*coffeehouse*», «*tavern*» et «*inn*» dans la sixième édition de son célèbre dictionnaire de la façon suivante : «1. *Coffeehouse* [café], nom féminin formé de *coffee* et de *house* [maison de café] : maison où l'on vend du café et où les clients ont accès à des journaux ; 2. *Tavern* [taverne], nom féminin [du français *taverne* et du latin *taberna*] : maison où l'on vend du vin et où les buveurs sont divertis/nourris ; 3. *Inn* [auberge], nom féminin : maison dédiée au divertissement des voyageurs» (1755). Pour Samuel Johnson, la sociabilité du *coffeehouse* se définit autour de deux composantes principales, soit, d'une part, la vente d'une boisson en particulier : le café ; et d'autre part, l'accès aux imprimés. Aussi, les *coffeehouses* sont des lieux de médiation et de mise en pratique d'une culture de l'imprimé qui s'adresse à une communauté de lecteurs somme toute restreinte. La présence dans l'espace urbain de ces lieux de sociabilité visant un public alphabétisé et désirant un accès aux nouvelles et annonces contenues dans les gazettes répond également à une demande de la part de cette communauté. Cependant, on n'offre pas que du café dans les établissements s'affichant comme *coffeehouse* : on y sert également de l'alcool (vins, bières, spiritueux) et des repas (chauds et froids). En outre, des journaux sont aussi disponibles dans certaines auberges et tavernes.

Par ailleurs, la présence d'imprimés n'implique pas nécessairement une volonté d'attirer une clientèle raffinée. Deux imprimeurs originaires de Philadelphie, William Brown et Thomas Gilmore, fondent à Québec, le 28 juin 1764, le premier périodique imprimé du Canada : *The Quebec Gazette/La Gazette de Québec*. L'hebdomadaire est bilingue. Dans une ville où moins du tiers des habitants sait lire, la communauté de lecteurs potentiellement attirée par l'imprimé demeure restreinte. Si l'on se rapporte aux listes d'abonnés compilées par Brown et Gilmore, en 1768, quatorze tenanciers ont souscrit à *La Gazette de Québec*. Bien que la majorité de ces abonnés soient des marchands écossais, irlandais ou anglais, il demeure tout de même trois aubergistes au nom à consonance francophone[15]. Certains établissements s'adressent clairement à une clientèle populaire, aux gens de mer et aux soldats. Parmi ceux-ci, on peut identifier Christiana Craig, qui tient The Sign of Old Ireland, et John McCreary, tenancier des Two Jolly Irish, tous deux localisés à un jet de pierre des baraquements de la garnison. En 1769, douze taverniers détenteurs d'une licence sont abonnés à l'unique *Gazette* de la province[16]. Bref, l'accès à l'imprimé n'est pas l'unique critère à prendre en considération pour déterminer si un espace de sociabilité est élitaire ou non.

Un établissement élitaire se distingue avant tout par le type de service attendu, fondé sur la personnalité et les efforts de son tenancier en quête d'une rétribution monétaire ; ce qui caractérise la « *tavern life* », c'est la garantie du service attentif et de l'accueil chaleureux qu'offre la nature commerciale du lieu (Boswell, [1791] 2008)[17]. Le tenancier doit consacrer d'autant plus d'attention à la qualité de son service dans le cas où les prix ne sont pas fixés à l'avance, puisque sa rémunération peut varier en fonction de la satisfaction du client. Robert Hunter Jr. remarque que tous les clients paient, qu'ils boivent ou non. C'est la qualité du service attendu et

---

15. Alexis Jean, Ignace Labat et Louis Lizotte.

16. BAC, Neilson Collection, MG 24 B1 vol. 49, document conservé par Brown & Gilmore, bobine H-1829 ; BAC RG4 B28.

17. "There is no private house [...] in which people can enjoy themselves so well, as at a capital tavern. Let there be ever so great plenty of good things, ever so much grandeur, ever so much elegance, ever so much desire that every body should be easy; in the nature of things it cannot be: there must always be some degree of care and anxiety. The master of the house is anxious to entertain his guests; the guests are anxious to be agreeable to him : and no man, but a very impudent dog indeed, can as freely command what is in another man's house, as if it were his own. Whereas, at a tavern there is a general freedom from anxiety. You are sure you are welcome: and the more noise you make, the more trouble you give, the more attend you with the alacrity which waiters do, who are incited by the prospect of an immediate reward in proportion as they please. No, Sir; there is nothing which has yet been contrived by man, by which so much happiness is produced as by a good tavern or inn." (Boswell, [1791] 2008: 69).

offert qui départage dans le tissu urbain les établissements s'adressant à une clientèle élitaire de ceux ouverts à tous. Certaines attentes ne sont pas toujours satisfaites.

Il est rare de rencontrer un témoignage direct écrit de la main des taverniers ou des cafetiers. Celui de l'États-Unien Elmer Cushing est particulièrement révélateur. Établi à Montréal en 1792, où il conçoit rapidement le projet d'ouvrir un café, Cushing se retrouve impliqué dans les tirs croisés de l'affaire David McLane – un architecte et cafetier d'une certaine renommée au Rhode Island pour avoir conçu, construit et géré l'Exchange Coffee House, localisé sur Market Square à Providence. Le projet financier par subscription et loterie a finalement fait faillite et McLane fuit alors ses créanciers (Greenwood, 1993 : 140). Lors de son séjour au Bas-Canada, ce dernier est accusé d'avoir comploté avec l'ambassadeur de France aux États-Unis, le citoyen Genêt, pour créer des troubles au Bas-Canada, dans l'onde de choc de la Révolution française. Menacé d'être traduit en justice pour trahison, car McLane lui aurait fait part de ses intentions de contribuer au renversement du gouvernement monarchique au Bas-Canada, Cushing doit fuir le Bas-Canada pour se réfugier aux États-Unis[18]. C'est afin de laver sa réputation que Cushing publie, en 1826, un pamphlet. Il expose les conditions d'affaires auxquelles un cafetier ambitieux doit se soumettre. Après l'incendie qui a ravagé la première taverne de taille modeste, les marchands de la ville ont proposé de financer la construction d'un nouvel établissement mieux fourni, l'American Coffee House. Le projet consistait à construire un local permettant d'accueillir des réunions d'affaires pour le plaisir de la *gentry* montréalaise dans un décor approprié (Greenwood, 1993 : 140-144). Cushing brosse un portrait peu élogieux de cette clientèle :

> La *gentry* de Montréal, clientèle sur laquelle s'appuyait mon projet, se composait de personnes appartenant à la classe marchande. Ces gens avaient pour habitude de calculer les gains et les pertes avec sagacité. « Acheter à bas coût et revendre à bon prix », voilà l'étalon qui préside à leurs calculs. Ces messieurs étaient très prompts à jouir de tous les plaisirs, mais ils prirent en même temps l'habitude d'acheter au prix le plus bas. L'enthousiasme qui accompagna l'ouverture du « American Coffee House » [Le café américain],

---

18. L'affaire McClane concerne un réseau de conspirationnistes implanté à Montréal, à la solde de la France révolutionnaire et de son ambassadeur à New York, le citoyen Genêt. L'affaire a suscité un grand émoi au Bas-Canada.

le nom sous lequel ma maison était connue, a diminué avec le temps. La *gentry* est retournée à ses anciennes habitudes avaricieuses de froid calcul. Ils ne considéraient que leurs propres intérêts et non pas les miens (1826 : 11)[19].

Pour Cushing, les termes de «*gentry*», «*gentlemen*» et «*the most respectable inhabitants of Montreal*» ne renvoient pas à une élite terrienne comme ce serait le cas en Grande-Bretagne, mais bien aux marchands. Il s'en désole, puisqu'il attribue à ce groupe la fâcheuse manie de compter et d'être pingre lorsque vient le temps de passer à la note. Cushing témoigne ici d'une transition : la respectabilité bourgeoise prend le pas sur la politesse et les habitudes de consommation ostentatoires associées aux catégories sociales supérieures au XVIIIe siècle. L'important pour les marchands de Montréal, clientèle recherchée par Cushing, est de demeurer entre eux. Les revenus des groupes dépendent de leurs profits. Les dépenses occasionnées par le jeu sont potentiellement ruineuses ; elles appellent donc à la prudence. Elmer Cushing peut en témoigner. Pour les groupes intermédiaires, pour lesquels le travail assidu et la frugalité demeurent des valeurs cardinales à transmettre aux générations montantes, le jeu d'argent constitue un risque inutile pouvant mettre en danger la respectabilité d'un individu et d'une famille.

Le rapport Durham

Des distinctions culturelles entre les groupes nationaux canadiens-français et britanniques restent observables jusqu'aux années 1830. Dans son rapport, Lord Durham décrit une société dans laquelle l'espace public, entendu comme espace discursif commun, est fondé sur l'écrit et l'imprimé. En ces termes, l'espace public est divisé entre Français et Anglais. Cette division se manifeste également dans la fréquentation des espaces de sociabilité. En 1837, Lord John Lambton, comte de Durham, est mandaté par le Parlement britannique pour produire un rapport sur la crise politique

---

19. "The gentry of Montreal, on whom my most sanguine calculations were formed, were chiefly of the mercantile class. They were quite in the habit of calculating profit and loss with much shrewdness. 'To buy cheap and sell dear', formed the pole star which governed all their calculations. They were very willing to enjoy pleasure, but it became their uniform study to purchase it at the cheapest possible rate. The enthusiasm which attended the opening of the 'American Coffee house', the name by which my house was known, in time subsided. The Gentry returned to their former habits of cool calculation. It was their own interest they had to consult, and not mine."

ayant mené à l'insurrection d'une partie importante de la population du district de Montréal d'une part, et d'une autre, à une prise d'armes dans la région de Toronto, au Haut-Canada. Ces rébellions opposent les tenants d'un programme de réformes politiques et économiques importantes aux tenants du *statu quo* social et constitutionnel. Les premiers sont surtout représentés, au Bas-Canada, par une majorité canadienne partisane d'idéaux réformistes et républicains, alors que les seconds mêlent les membres de la bourgeoisie commerçante et de l'administration militaire, pour la plupart d'origine britannique. Après un passage au gouvernorat des provinces britanniques de l'Amérique du Nord en 1837, Durham démissionne après qu'une décision jugée illégale – la déportation d'une partie des dirigeants patriotes aux Bermudes – lance une rumeur d'*impeachment* au Parlement de Londres. De retour en Angleterre, lord Durham produit un *Rapport sur les affaires de l'Amérique du Nord britannique*. Le texte sera édité puis publié en 1839. La thèse soutenue par Durham et ses collaborateurs dans ce rapport tient en ceci : deux races, deux cultures, coexistent dans les colonies britanniques d'Amérique du Nord, les Canadiens catholiques d'ascendance française et un élément anglo-protestant d'ascendance britannique, auquel s'assimilent les migrants européens d'autres origines. Au Bas-Canada, les Canadiens sont majoritaires et aspirent à une reconnaissance nationale, voire à une émancipation politique et économique. Durham conclut que l'avenir du continent appartient à l'élément anglo-protestant, manifestement destiné par l'histoire à l'occupation de l'Amérique du Nord. Aussi, l'assimilation de l'élément canadien à l'élément britannique est, selon lui, souhaitable[20].

---

20. « Il y a deux modes par lesquels un gouvernement peut traiter avec un territoire conquis. Le premier moyen offert est celui de respecter les droits et la nationalité des possesseurs actuels ; de reconnaître les lois existantes, et de conserver les institutions établies ; de ne donner aucun encouragement à l'émigration du peuple conquérant, et, sans essayer aucun changement dans les éléments de la société, d'incorporer simplement la province sous l'autorité générale dit gouvernement central. Le second est de traiter le pays conquis comme un pays ouvert aux vainqueurs, d'encourager leur émigration, de regarder la race conquise comme entièrement subordonnée et de s'efforcer aussi promptement que possible d'assimiler le caractère et les institutions des nouveaux sujets à ceux de la grande masse de l'empire. [...] [U]n législateur prudent doit regarder comme son premier objet les intérêts non seulement de quelques individus qui se trouvent dans le moment à habiter une partie du sol, mais ceux de cette population comparativement grande qui doit s'y établir ; [...] il formerait ses plans dans la vue d'attirer et de maintenir cette population future, et il établirait en conséquence les institutions qui seraient les plus acceptables à cette race qui doit coloniser la contrée. » (Lambton, Buller et Wakefield, 1839 : 35-36).

Le rapport Durham souligne que les Canadiens d'origine française et les colons britanniques « n'ont point eu d'éducation commune qui ait tendu à faire disparaître ou diminuer les différences d'origine et de langage » (Lambton, Buller et Wakefield, 1839 : 20). Il ajoute que la presse française et anglaise crée des bulles informationnelles hermétiques :

> Dans le Bas-Canada où les papiers anglais et français sont l'organe d'opinions opposées et où il n'y a que peu de personnes qui puissent avec facilité lire les deux langues, ceux auxquels on adresse le mensonge sont rarement en état de profiter du moyen de le corriger (*ibid.*).

Et de conclure : « c'est ainsi qu'ils vivent dans un monde de fallacieuses représentations où chaque parti est en arrêt contre l'autre, non seulement par la diversité des sentiments et des opinions, mais par la croyance qu'ils mettent dans une série de faits entièrement opposés » (*ibid.*). Même la sociabilité et les divertissements sont séparés : « les affaires et les occupations ne produisent point entre les deux races des relations d'amitié et de coopération, mais ne les placent face à face que dans une attitude de rivalité » (Lambton, Buller et Wakefield, 1839 : 22-23). Cette rivalité s'alimente dans la création d'entreprises « nationales » montées sur des intérêts financiers canadiens-français et favorisées par la clientèle de même nationalité. Le rapport poursuit :

> Ce favoritisme national a produit un effet particulièrement pernicieux, en ce qu'il a encore isolé les deux races dans les occasions peu nombreuses où elles avaient ci-devant coutume de se rencontrer. Il est rare qu'ils se réunissent dans les cafés des villes : les hôtels principaux sont exclusivement visités par des Anglais et des touristes étrangers ; tandis que les Français se voient d'ordinaire chez les uns et les autres, ou dans des maisons de pension où ils ne rencontrent que peu d'Anglais.
>
> [...] Je n'ai entendu parler que d'une maison à Québec où les deux races se rencontraient sur un assez bon pied d'égalité et d'amitié [...]. En effet, la différence des usages chez les deux races rend presque impossibles les relations générales de société (*ibid.*).

Par conséquent, en dehors de leurs fonctions officielles, les députés et les bourgeois canadiens socialisent peu avec leurs homologues britanniques. Pour Durham, cette distance explique que l'élite canadienne ait peu assimilé les usages de la civilité britannique.

* * *

En résumé, les péripéties d'Elmer Cushing découlent principalement des structures de financement en vigueur au Bas-Canada avant 1805, alors que l'*Acte pour ériger un Hôtel, Caffé et Salle d'assemblée dans la Cité de Québec* entre en vigueur. Il faut rappeler que les hôtels sont des habitats de la noblesse : « La résidence qu'occupait la noblesse de cour de l'ancien régime s'appelait, selon le rang social de son propriétaire "hôtel" ou "palais" » (Elias, 1985 : 20). Si la « cour » désigne la résidence du roi et l'organe représentatif des structures sociales de l'ancien régime centralisé (Elias, 1985), alors le café, la taverne élitaire, puis l'hôtel rassemblant en un seul lieu tous ces espaces sont pour leur part représentatifs de la société commerciale émergente. Pour la première fois dans l'histoire du Bas-Canada, une entreprise peut se financer sans que les investisseurs risquent de faire faillite dans le cas où elle échouerait. Leur personne et leurs avoirs sont protégés des recouvrements. À partir des années 1830, des espaces commerciaux de sociabilité de plus grande envergure se multiplieront, comme l'hôtel Rasco, qui ouvre à Montréal en 1834. Des hôtels comprenant café, salles de bal et d'assemblées et même des bains, formeront les nouveaux espaces de divertissement semi-privés dans lesquels une nouvelle élite coloniale pourra socialiser, se rassembler, se voir et se reconnaître. L'idéal serait, selon le point de vue de Durham, que les pratiques formant ces espaces soient modelées sur le modèle britannique.

CHAPITRE 9

L'Arcadie de Rome aux Antilles

Léa Renucci

À l'époque moderne, les académies peuplent les villes européennes et font partie des lieux de sociabilité intellectuelle, au même titre que les universités ou les bibliothèques. Points nodaux dans la circulation des savoirs et des individus, elles opèrent comme espace d'échanges et de rencontres des lettrés européens. Elles constituent ainsi un observatoire privilégié pour l'étude des échanges et de la construction des espaces intellectuels européens et coloniaux à partir de lieux ancrés territorialement dans les centres urbains. Elles offrent également la possibilité de reconstruire des formes de mises en scène sociales, notamment par les séances publiques, qui sont étroitement liées à des réseaux de pouvoir urbain, ecclésiastique ou patricien.

L'Arcadie, académie des Belles-Lettres, est instituée à Rome le 5 octobre 1690 par un groupe de douze lettrés, dont l'un, Giovan Mario Crescimbeni (1663-1728), en devient le gardien général (*custode generale*). De dimension locale à l'origine, elle se déploie très rapidement dans les centres urbains de la péninsule italienne sous forme de colonies (*colonia*), et rassemble 9 633 membres. Les colonies sont des implantations locales académiques affiliées au siège romain, créées par initiative individuelle de (futurs) membres. La première apparaît à Arezzo en 1692, puis suivent Macerata, Bologne, Venise, Sienne, Naples, pour totaliser 103 implantations sur l'ensemble du siècle. Des initiatives naissent hors des frontières des États italiens : à Ljubljana, dans la région slovène du Saint-Empire (1709), à Saint-Domingue (1776) et à Marseille (1786). À la mort de

Crescimbeni, l'Arcadie connaît un repli sur Rome ainsi qu'une forte diminution de son attractivité et, par conséquent, des admissions : s'ensuit une période de reprise progressive de l'activité académique et d'ouverture à l'Europe par l'admission croissante des membres européens jusqu'à la présidence de Gioacchino Pizzi (1772-1790), qui marque un retour important du fonctionnement en réseau avec les colonies et qui est caractérisée par une volonté de s'ouvrir vers la science et la philosophie.

Les sources mobilisées dans cette étude sont principalement issues de deux fonds : d'une part, des archives épistolaires de l'Arcadie conservées à la bibliothèque Angelica de Rome, et d'autre part, des dossiers des personnels anciens archivés dans le fonds du secrétariat de la Marine des Archives nationales d'outre-mer. De façon secondaire, des sources imprimées et le fonds de l'Arcadie siennoise seront également utilisés[1].

Au moment de la fondation de l'Antilliana (1776) à Saint-Domingue, Port-au-Prince existe depuis moins de trente ans, la ville ayant été officiellement fondée en 1749. L'étude de cette colonie permet de mieux comprendre les associations culturelles insulaires ainsi que la circulation de formes de sociabilité académiques de la péninsule italienne vers un territoire outre-Atlantique par l'intermédiaire des objets scientifiques et littéraires. Les espaces de sociabilité pratiqués et investis par les membres de l'Arcadie prennent la forme de réunions privées et publiques organisées dans différents lieux (domicile, palais public ou lieu dédié).

Les sociabilités en assemblée

Selon les première et deuxième éditions du *Vocabulaire* de la Crusca (1612 et 1623), les académies en Italie sont définies comme « une assemblée d'hommes lettrés ». Il faut attendre l'édition de 1691 pour que la définition intègre le lieu de réunion ou d'enseignement public. À cette période, les États italiens s'affirment comme la région la plus fournie en académies. Phénomène urbain comme les académies françaises de province, « l'institution académique prend place dans la cité, avec ses usages, ses coutumes, son droit, ses hiérarchies, sa fonction » (Roche, 1989 : 11). La

---

1. Bibliothèque Angelica de Rome (BAR), Archives de l'Arcadie (AA), ms. 10, 17, 26, 27, 33, 39 ; Archives nationales d'outre-mer (ANOM), secrétariat d'État de la Marine, personnel colonial ancien, ms. FR ANOM COL E 67, 194, 251, 283, 357 et FR ANOM COL C8A 84 F 364 ; Bibliothèque communale des Intronati de Sienne (BCIS), ms. L.III.3, *Accademia dei Fisiocritici*, t. III.

présence de l'Arcadie dans des dizaines de centres urbains grâce à ses colonies implique un fonctionnement à distance par échanges épistolaires : les lettres deviennent un outil essentiel à la fois pour l'établissement d'un contact durable avec des hommes et femmes de lettres locaux et pour le processus de création de la colonie, qui nécessite des échanges avec Rome (admission des membres, réception des diplômes).

La sociabilité se manifeste dans l'émergence d'« associations volontaires », qui sont dans un premier temps informelles, puis qui se formalisent progressivement (Agulhon, 1977 : 12), notamment dans le cas des académies italiennes. La notion de sociabilité intellectuelle n'offre pas un questionnement sur les limites d'un milieu intellectuel, mais définit son fonctionnement ainsi que ses caractéristiques propres (Trebitsch, 1992). Pour Antoine Lilti et Stéphane van Damme, ce concept a permis de « reprendre l'histoire sociale des hommes de lettres[2] » : « De la République des Lettres, avec son cortège de valeurs normatives, le regard était déplacé vers les républicains des lettres, ce qui permettait de ne pas prendre pour argent comptant les représentations idéales des pratiques savantes ou littéraires » (Van Damme et Lilti, 2011 : 90). En effet, cette notion permet de proposer une approche par les individus et les relations entretenues dans un « milieu intellectuel », plutôt qu'une histoire sociale des idées ou de la littérature (Boutier, Marin et Romano, 2005 : 20-21).

Les fondations de colonies

Pour comprendre les pratiques de sociabilité académiques, précisons tout d'abord que les colonies arcadiques en général se forment de quatre façons distinctes : comme une conversation à domicile, dans une académie existante, dans des collèges d'éducation ou dans un ordre religieux. Ainsi, pour la première forme, un individu prend l'initiative de fonder une colonie de l'Arcadie par la réunion de connaissances. Dans ce cas, les réunions ont lieu généralement à domicile, chez l'un des membres, ou dans un bâtiment de la ville lorsqu'il s'agit d'assemblées publiques, ce qui induit des sociabilités choisies en raison des rapports entretenus au préalable par les différents membres. Cela correspond à la forme « conversation », qui est la plus largement répandue : 63,6 % des académies sont de

---

2. En référence à l'ouvrage de Roche, *Les Républicains des lettres* (1988).

ce type au XVIIIe siècle (Quondam, 1982 : 872). En France, les académies de province sont issues de la création de groupes informels (salons, chambres, réunions), qui sont ensuite devenus des « formes de sociabilité coexistantes mais hétérogènes » (Roche, 1989 : 24, 47) : en Italie, ces formes de sociabilité ont continué à être associées à l'époque moderne.

Les colonies peuvent être aussi fondées dans une académie existante, c'est-à-dire qu'une partie ou la totalité des membres deviennent des Arcades : tel est le cas pour la colonie de Venise, dite des Animosi (1698), ou celle de Sienne, apparue en 1699 dans l'académie des Fisiocritici. La colonie ne crée pas localement de nouvelles relations, car les membres se connaissent déjà par leur affiliation commune à l'autre institution. Elle ajoute néanmoins de nouvelles occasions de rencontres et activités, et surtout un lien nouveau avec Rome. Des colonies voient également le jour dans des collèges d'éducation. Les membres sont de jeunes pensionnaires (collège Clémentin de Rome [1695], collège des Nobles de Savone [1721]) : au XVIIIe siècle, 21 académies apparaissent dans un collège, soit 4,2 % du total des institutions (Quondam, 1982 : 872). De cette façon, l'Arcadie entre dans les pratiques d'éducation des jeunes nobles et leur permet d'acquérir un titre académique reconnu lors de leur formation. Enfin, le quatrième cas est la fondation dans un ordre religieux : à Ravenne, en 1694, l'ordre des Camaldules fonde une colonie, dite Camaldolese, dans le monastère de Classe. Les colonies dans un ordre religieux conduisent au maintien d'un entre-soi et de sociabilités régies par la règle monastique. Durant la présidence de Crescimbeni (1690-1728), les religieux, catégorie comprenant la hiérarchie ecclésiastique, le clergé régulier, les prêtres et les abbés, représentent 36,5 % du total des membres (Quondam, 1974).

Les membres des colonies sont en quasi-totalité d'origine italienne : 94,1 % des étrangers sont admis au siège central de l'académie à Rome pour seulement 0,9 % dans les colonies de la péninsule. Les membres des colonies qui se trouvent hors d'Italie représentent 5 %[3]. La circulation des étrangers en Italie n'a donc que peu d'effets sur la fondation ou l'activité des colonies italiennes, mais elle participe du dynamisme et de l'attractivité de l'Arcadie romaine. Les Arcades étrangers se trouvent dans la capitale lors de voyages de durée variable, voire d'un établissement

---

3. Ces chiffres ont été calculés à partir du catalogue des Arcades de Giorgetti Vichi (1977).

pérenne dans la ville éternelle (Grand Tour, voyages royaux, diploma-
tiques, curiaux ou militaires, artistes en séjour à Rome, etc.). Ainsi, les
membres étrangers de l'Arcadie contribuent à lui donner une renommée
européenne et à l'affirmer comme un lieu de passage obligé pour les
nobles, artistes, ecclésiastiques ou diplomates étrangers; cela participe
plus globalement à la dynamique d'agrégation de nouveaux membres de
l'académie romaine par des réseaux de cooptation. Amable de Frenaye,
fondateur de la colonie Antilliana étudiée ci-après, a pu découvrir l'Arcadie lors d'un hypothétique voyage à Rome, mais il n'a été admis qu'au
moment de la fondation de la colonie. Sa connaissance des colonies
d'Arcadie a pu provenir de discussions ou de correspondances avec des
Français ayant été reçus à l'académie.

Tant à Rome que dans les colonies, les réunions se divisent en deux
configurations, à savoir les assemblées privées et les assemblées publiques.
Cela vaut jusqu'à la fin du XVIIIe siècle : durant cette période, aucun changement dans les pratiques académiques n'est perceptible. Au sujet des
académies françaises de province, Daniel Roche a mis en évidence l'existence d'un fonctionnement équivalent, par la distinction entre les séances
à huis clos et les séances publiques (Roche, 1989).

Les assemblées privées

Les assemblées privées ne concernent que les membres de la colonie : elles
ont lieu pour discuter de sa gestion (nouvelles admissions, publications,
élection du représentant). La régularité hebdomadaire ou mensuelle n'est
pas une obligation pour l'Arcadie, bien qu'il faille organiser au moins une
réunion en hiver et une autre en été. L'absence d'une cadence institution-
nelle des réunions rend l'académie fortement dépendante de l'investissement des membres de la colonie. La première réunion officielle pour toute
colonie est celle d'ouverture du diplôme de fondation, suivie de façon
rapprochée par l'élection du vice-gardien de la colonie, si elle n'a pas lieu
le même jour. À distance, l'Arcadie réussit à établir un rituel académique
par un code social qui régit les sociabilités des membres : chaque membre
obtient un surnom pastoral à son admission, marquée par la réception
d'un diplôme reçu après paiement. Le rituel académique se voit notamment lors de la réunion du vice-gardien, qui se déroule de la même façon
dans les colonies. Par exemple, à Pérouse, la colonie Augusta est fondée

en 1707 par le juriste et lettré pérugin Giacinto Vincioli (1684-1742). Le 8 novembre, il décrit que « durant la même académie, le diplôme fut lu, les deux personnes choisies pour la charge de vice-gardien, conformément à vos indications, et pour l'un fut élu monsieur le chanoine Guidarelli, et pour l'autre moi-même[4] ». Les réunions privées sont des occasions de rencontre et de manifestation des sociabilités propres aux colonies d'Arcadie, mais leurs descriptions sont très peu nombreuses, car elles traitent de questions administratives et n'ont rien de fastueux, contrairement aux célébrations publiques. Ponctuellement évoquées, elles ne font pas l'objet de longues descriptions dans les lettres, ce qui empêche de connaître le déroulement précis de ce type de réunion.

Les réunions privées se rapprochent nettement du fonctionnement d'un salon littéraire. Une grande partie d'entre elles ont lieu dans la demeure de l'un des membres, ce qui équivaut aux pratiques salonnières, où l'hôte réunit ses convives pour s'adonner à différentes activités (lectures, jeux, récitations). En outre, il s'agit d'un groupe choisi : la connaissance et l'entente entre les membres préexistent très certainement à la fondation de la colonie. On note ainsi de nombreuses similitudes entre la forme de sociabilité d'un salon et celle de l'Arcadie, d'autant plus que les femmes participent très largement à la vie académique. L'exemple de la colonie Metaurica, fondée à Urbin en 1701 dans l'une des plus anciennes académies d'Italie – celle des Assorditi, créée entre 1540 et 1560 –, révèle cette proximité. Le 28 février 1701, Pier Girolamo Vernaccia (1672-1746), de l'ordre des Clercs réguliers des écoles pies, professeur de philosophie et de théologie à l'université, puis directeur du collège des Nobles, amorce la fondation de la colonie. Dans plusieurs lettres, il narre les rapports entretenus entre l'académie des Assorditi et la colonie[5]. En juin 1709[6], Pier Girolamo Vernaccia pense organiser une « assemblée ou académie privée[7] », de façon hebdomadaire, dans l'habitation du marquis Pompilio

---

4. BAR, AA, ms. 17, f. 184r-v, lettre de Giacinto Vincioli à Crescimbeni du 8 novembre 1707 : « Furo nella medesima Adunanza, letto il diploma, stabilite conforme avvisaste, il due persone per la Vicecustodia, e per uno elessero il signor canonico Guidarelli, e per l'altro me. »

5. BAR, AA, ms. 26, f. 99r, lettre de Pier Girolamo Vernaccia à Crescimbeni du 2 avril 1705.

6. BAR, AA, ms. 17, f. 188r-v, lettre de Pompilio Corboli à Crescimbeni du 18 juin 1709.

7. BAR, AA, ms. 26, f. 100r-101r, lettre de Pier Girolamo Vernaccia à Crescimbeni du 16 avril 1708.

Corboli (1648-1714), prince des Assorditi, qui est élu vice-gardien de la colonie. La colonie et les salons où se retrouvent les mêmes membres, aussi affiliés à l'académie des Assorditi, contribuent à la survivance de cette dernière : comme l'écrit Pier Girolamo Vernaccia, « les académies privées, et la colonie, maintiennent sur pied notre célèbre, et antique [académie] des Assorditi[8] ». En 1715, Pier Girolamo Vernaccia essaie une nouvelle stratégie pour donner de la vigueur aux académies locales, mais cela se solde par un échec : il annonce à Giovan Mario Crescimbeni le 24 juin 1715 que « notre Arcadie est terminée, je ne peux rien s'ils refusent d'y donner du mal, et font un grand tort à votre égard[9] ». Bien que la raison précise ne soit pas explicitée, l'échec pourrait provenir d'un désintéressement des lettrés locaux pour les pratiques académiques, comme le montre le déclin de l'académie des Assorditi. Le renouvellement proposé par la colonie ne paraît pas suffisant pour susciter un investissement sur le long terme. Cet exemple confirme la perméabilité des lieux d'association culturelle locale, qu'il s'agisse de la demeure d'un membre ou d'un lieu dédié. Ces tentatives de réunions sous différentes formes visent en fait un même objectif, à savoir le maintien et la permanence d'un même groupe intellectuel local.

Les récitations publiques comme spectacles

Les assemblées publiques sont l'autre versant des réunions à l'Arcadie, et prennent la forme d'un spectacle. Le public n'est plus restreint aux membres de la colonie, mais est composé de la haute société citadine. Les récitations de poésie sont ainsi intégrées dans les « pratiques de convivialité pour les élites urbaines » (Lilti, 2005 : 10) : les spectacles de l'Arcadie font partie des sociabilités contribuant à la mise en scène de la vie mondaine et du prestige social. Dans ce cas-ci, les réunions ont lieu dans des salles publiques ou dans les demeures de patriciens, où est invité un public choisi. Il s'agit d'un moment de rencontre pour les convives, qui peut aussi prendre la forme d'un repas agrémenté de poésie et de musique. L'Arcadie participe ainsi à la constitution de réseaux de sociabilité, non seulement littéraire, mais aussi de prestige et de pouvoir en raison des spectateurs présents.

---

8. *Ibid.*, lettre de Pier Girolamo Vernaccia à Crescimbeni du 14 mai 1708.
9. BAR, AA, ms. 27, f. 183r-184v, lettre de Pier Girolamo Vernaccia à Crescimbeni du 24 juin 1715.

La commensalité et les vivres sont ponctuellement évoqués dans les lettres. Imprimeur et secrétaire de la colonie Sonziaca fondée à Gorizia en 1785, Giuseppe Coletti (1744-1815) met en évidence l'importance du repas dans cette réunion tenue en 1782 :

> Dès notre arrivée dans la grande salle magnifiquement préparée, nous avons tous été gâtés avec du chocolat et des rafraîchissements, qui, avec du café, ont duré jusqu'au soir. Je ne parle pas du déjeuner, parce qu'il me serait difficile de le décrire comme je le devrais à une demi-heure du départ de la poste [...]. Deux étaient les tables nobles, la première de quarante-huit, la seconde de dix-huit, pendant ce temps, sur la musique pastorale étaient chantés les vers français de notre Silveno, que je joins imprimés[10].

Les repas font partie des pratiques de sociabilité des élites urbaines, ce qui est fortement accentué dans cette description. Soixante-six individus sont réunis pour cette célébration tenue en l'honneur du pape Pie VI (1717-1799), et incluse dans un vaste mouvement de soutien en vue de son voyage diplomatique à Vienne, durant lequel il tente de convaincre l'empereur Joseph II (1741-1790) d'abandonner la création d'une Église nationale. Cette pratique de récitation semi-publique, avec une audience choisie, peut être comparée au théâtre de société, qui se déroule dans une maison aristocratique devant un public limité.

Certaines réunions sont faites pour célébrer des poètes renommés, comme Bernardino Perfetti (1681-1747) ou Maddalena Morelli Fernandez (1727-1800), tous deux couronnés au Capitole pour leurs talents en improvisation, respectivement en 1725 et 1776. Mais ces assemblées publiques honorifiques peuvent aussi avoir une vocation politique, lorsqu'il s'agit de célébrer des membres de la curie : en 1703, le neveu du pape Clément XI (1649-1721), Annibale Albani (1682-1751), obtient un doctorat en droit, ce qui mobilise l'Arcadie pour organiser des célébrations poétiques à Rome et dans différentes implantations locales, comme à Ferrare[11], Sienne[12] et Pise. Girolamo Baruffaldi (1675-1755), membre de la colonie de Ferrare, offre une description de cette réunion en précisant l'ornement de la salle,

---

10. BAR, AA, ms. 39, f. 261r-262v, lettre de Giuseppe Coletti à Gioacchino Pizzi du 10 juillet 1782. Je traduis. Silveno Eliconio est le comte Maximilian Joseph von Lamberg (1729-1792).

11. Voir Bentivoglio d'Aragona (1703) et Baruffaldi (1704).

12. BCIS, ms. L.III.3, *Accademia dei Fisiocritici*, t. III, f. 64r, document du 20 août 1703.

la présence de musique, et notamment d'une symphonie pour l'ouverture. Le vice-gardien de la colonie de Pise, Brandaligio Venerosi (1676-1729), rédige également un compte rendu de la réunion dans une lettre du 4 avril 1703 :

> Le 25 mars, après minuit, l'entrée libre est donnée dans la salle Venerosi, où se célébrait l'académie, laquelle était large et spacieuse, et vaguement illuminée. Un peuple nombreux et toute la noblesse citadine et étrangère, qui abondait ces jours-ci plus que d'habitude, pour l'assemblée générale de la religion de Saint-Stéphane, y assistaient. Les personnes de singulière distinction étaient monseigneur l'archevêque, le commissaire de la ville et monseigneur prieur des chevaliers, et presque tous les ministres de la cour royale, qui montrèrent un degré de satisfaction indescriptible pour cette fête : peu avant une heure du matin, on commença avec une très harmonieuse symphonie pastorale, à laquelle succéda directement la prose de Nedisto Collide vice-gardien, et l'églogue latine de Vanzio, et la toscane d'Alfeo Turnio : auxquelles suit une autre symphonie de concert assez différente de la première, et après suivent toutes les autres compositions, et cela s'est terminé ; pour la couronne de l'académie une chanson pastorale à trois voix fut chantée, et l'office qui dura jusqu'à environ deux heures s'est terminé[13].

La rencontre est associée à une fête pour la haute société citadine et étrangère présente en ville. De fait, ces événements publics organisés par l'Arcadie adoptent une forme-spectacle et sont un haut lieu de sociabilité, où la poésie fait partie du divertissement mondain pour les patriciens locaux.

---

13. BAR, AA, ms. 10, f. 128r-v, lettre de Brandaligio Venerosi à Crescimbeni du 1er avril 1704 : « Il dì venticinque di Marzo, dopo le ventiquattro delle notte si diede libero ingresso nella sala Venerosi dove si celebrava l'accademia che per essere molto capace, e spaziosa, e vagamente illuminata v'intervenne numerosissimo Popolo e tutta la nobiltà cittadina, e forestiera che in quei giorni per la generale assemblea della religione di San Stefano pui che in ogn'altro tempo abbondava. I personaggi di singolar distinzione furono monsignor Arcivescovo, il Commissario della città e monsignor Priore de' Cavalieri, e quasi tutti i ministri della real corte, che mostrò una somma indicibil di sodisfazione per questa festa : poco avanti l'ora prima della notte si diede principio con una armonissima sinfonia pastorale, alla quale subito sucesse la prose di Nedisto Collide vicecustode, e l'Egloga latina di Vanzio, e la Toscana di Alfeo Turnio : alle quali ando dietro altra sinfonia di concerto assai diverso dalla prima, e dopo seguirono tutti gl'altri componimenti, e terminati che furono ; per la corona dell'accademia fu cantata una canzone pastorale a tre voci con cui resto terminata la funzione che durò in circa due ore ».

La colonie Antilliana à Saint-Domingue

Les sociabilités de l'Arcadie, répandues d'un bout à l'autre de la péninsule italienne au cours du siècle, sont reprises à Saint-Domingue, colonie française des Antilles, durant la seconde moitié du XVIIIe siècle. L'historiographie des sciences et de la circulation des savoirs dans les espaces coloniaux a été grandement enrichie par les recherches de James E. McClellan et de François Regourd, portant principalement sur la circulation des savoirs en botanique, agronomie, économie et médecine entre les territoires métropolitains et Saint-Domingue. Leurs travaux ont aussi traité du développement à la fois d'institutions locales (jardins botaniques, cercle des Philadelphes) et de savoirs locaux (collectes de plantes par exemple). Ils ont mis en évidence la force du fonctionnement institutionnel et royal visant l'utilité de la science, représenté par la figure métaphorique de la « Machine coloniale » : cette « Machine » est composée d'une part du gouvernement, de l'Église et des compagnies marchandes, soit le « cœur bureaucratique », et de l'autre, d'individus et d'institutions dotés d'un « savoir spécialisé »[14] (McClellan et Regourd, 2010 : 26).

Malgré la précision de ces recherches, la présence de l'Arcadie à Saint-Domingue n'apparaît pas. Plusieurs hypothèses sont possibles : manque de sources, retombées limitées ou échec de la fondation. Cependant, ce cas est pertinent à plusieurs égards : il s'agit tout d'abord d'un éclairage inédit sur l'Arcadie en raison du caractère méconnu de la colonie Antilliana. Ensuite, il met en évidence la circulation des modèles d'association culturelle entre les territoires d'Europe et ceux d'outre-Atlantique. Port-au-Prince est une ville récente, fondée en 1749 et qui subit plusieurs tremblements de terre entre 1751 et 1770 (Fouchard, 1988a). Par sa volonté de fonder une colonie de l'Arcadie, Amable de Frenaye participe ainsi à l'établissement d'associations intellectuelles dans un centre urbain nouveau.

Amable de Frenaye, le fondateur de la colonie Antilliana

Les archives collectées ne permettent pas de connaître les prémices de la création de l'Arcadie à Saint-Domingue par son fondateur, Amable de

---

14. "The Colonial Machine consisted of two parts: one, a lay bureaucratic core (government, church, trading companies), and secondly a set of individuals and institutions possessed of specialized knowledge".

Frenaye, avocat et scientifique. Certaines questions restent sans réponse : l'origine de l'idée de création d'une colonie, ses liens antérieurs avec des Arcades en Europe etc. En raison de l'absence d'étude sur cet individu, une biographie reconstituée à partir de son dossier personnel conservé dans les Archives d'outre-mer[15] permet de comprendre son parcours. Originaire de Riom en Auvergne, il fait partie d'une famille nombreuse, avec sept frères et sœurs, dont le père et le grand-père sont avocats. Il exerce lui-même pendant douze ans cette profession à Paris, avant d'arriver en 1750 sur l'île antillaise. La première année, il continue à exercer comme avocat, avant de devenir secrétaire du gouvernement général d'Emmanuel-Auguste de Cahideuc, dit le comte Dubois de la Motte (1683-1764), en 1751. Sa carrière d'avocat se poursuit au Conseil supérieur de Port-au-Prince, qui est une instance du gouvernement colonial de l'île. Il devient ensuite substitut du procureur et, en 1758, conseiller au Conseil supérieur. À cause d'une affaire juridique, il est obligé de démissionner en 1763. Après cela, il ouvre un cabinet légal gratuit pour tous. Il estime mériter la croix de Saint-Michel, qu'il demande en 1775 « en récompense de ses services dans la magistrature et de ses recherches dans plusieurs parties de la physique et de l'histoire naturelle[16] ». Il n'y parvient pas à cause de sa démission en 1763. La croix de Saint-Michel et les admissions à l'académie de Saint-Luc ou à l'Arcadie forment « une trilogie rituelle » (Michel, 1985 : 57) qui permet d'acquérir une reconnaissance dans les milieux intellectuels européens. Le refus de cette distinction a lieu durant la même période que sa correspondance avec Gioacchino Pizzi (1774-1777)[17] : Frenaye manifeste un besoin de légitimation évident, car il sollicite le gardien de l'Arcadie pour avoir des informations sur la croix de l'ordre de Saint-Étienne de Pise en 1777. Sa perte de légitimité lors de l'affaire de 1763 explique ce désir de reconnaissance officielle par des ordres de che-

---

15. Un dossier correspondant à Amable Frenaye existe dans les archives numérisées d'outre-mer, dont les documents valident les informations fournies par les lettres reçues à Rome. Il contient également ses mémoires manuscrits sur différents sujets scientifiques comme les tremblements de terre ou l'agriculture : ANOM, secrétariat d'État de la Marine – personnel colonial ancien, lettre E-F, FR ANOM COL E 194, *Frenaye, Amable, conseiller au Conseil supérieur de Port-au-Prince à Saint-Domingue. Différents mémoires sur Saint-Domingue et un en particulier sur le mal de mâchoire (1750/1776).* Dans l'*Onomasticon* d'Anna Maria Giorgetti Vichi, il est référencé sous le nom de De Fesenaye.

16. ANOM, E-F, FR ANOM COL E 194, f. 325-326.

17. BAR, AA, ms. 33, f. 59r-64v, lettres d'Amable Frenaye à Gioacchino Pizzi du 20 janvier 1774, du 17 janvier 1777 et de septembre 1777.

valerie célèbres dans toute l'Europe. De fait, l'Arcadie n'est plus seulement utile pour sa renommée dans le champ littéraire et poétique, mais aussi comme moyen d'obtenir une reconnaissance sociale. De façon évidente, son statut de membre lui sert de signe de distinction à plusieurs reprises : il l'utilise tantôt dans sa version française (« membre de l'académie des Arcades de Rome »), tantôt dans sa version latine[18] (« *Arcadum Academie Aggregatus* »).

En parallèle de sa carrière en tant qu'avocat ou fonctionnaire, il écrit différents mémoires relatifs à l'organisation de la vie publique, à l'agriculture et au « mal de la mâchoire » dans le champ scientifique[19]. On trouve également deux essais sur les tremblements de terre qui ont touché Saint-Domingue, ainsi qu'un sur le « mahot d'herbe[20] », arbuste poussant dans les marécages littoraux, dont l'écorce filée est utile pour réaliser cordes et ficelles (Hatzenberger, 2001 : 235). Ses essais scientifiques s'intègrent ainsi dans un vaste corpus des mémoires agronomiques du XVIIIᵉ siècle, qui ont pour objectif d'améliorer l'agriculture locale et la connaissance de l'environnement (Regourd, 2000). On retrouve ici un élément significatif de la « Machine coloniale » : Frenaye souhaite produire des recherches utiles dans le champ de la botanique et de l'amélioration de l'agriculture, c'est-à-dire l'un des trois domaines d'utilité de cette « Machine » (McClellan et Regourd, 2011 : 25)[21]. Par ses envois aux institutions savantes royales et à l'Arcadie, Frenaye s'inscrit dans des circuits d'information et de sociabilité officiels, mais cherche en outre une reconnaissance auprès d'autres cercles, également pourvoyeurs de crédit social et intellectuel. Les pratiques de Frenaye (collecte, écriture de mémoire, etc.) relèvent du rationalisme des Lumières, car il met en avant sa volonté d'œuvrer pour le bien commun par l'accroissement des savoirs dans les différents champs scientifiques et dans l'amélioration de la vie publique locale : il participe ainsi plus globalement à la « Machine coloniale », en produisant des travaux d'utilité publique et en faisant preuve d'un savoir spécialisé et d'une capacité d'expertise.

---

18. ANOM, FR ANOM COL E 194, f. 328 et f. 264.

19. ANOM, *ibid.*, f. 265-272 et 399-407 : il s'agit du tétanos infantile, dont peuvent souffrir les nouveau-nés pendant les dix premiers jours après leur naissance, maladie causée par des conditions sanitaires médiocres.

20. ANOM, *ibid.*, f. 376-379.

21. Les deux autres domaines sont d'une part la navigation, la géographie et la cartographie, et d'autre part, la médecine, la santé et les maladies.

Frenaye écrit une première lettre depuis Saint-Domingue datée du 20 janvier 1774 à Gioacchino Pizzi (1716-1790), gardien général de l'Arcadie depuis 1772. Selon une note manuscrite en première page, cette lettre est traitée à l'Arcadie de Rome le 16 août de la même année, soit plus de huit mois après son écriture : le temps d'acheminement est considérable et la distance crée ainsi un système de communication sur le très long terme. Voici ce qu'il narre :

> Il y a vingt-quatre ans que j'habite la patrie française de l'île Saint-Domingue et j'ai toujours été surpris que quelques savants (qui à la vérité n'y sont pas communs) n'aient pas cherché à correspondre avec l'académie des Arcades, si célèbre parmi les sociétés littéraires de l'Europe et qui réunit dans son sein tous les talents de la plus ancienne ville du monde.
>
> Sans négliger, Monsieur, de jurisprudence, ma première et principale étude, je m'occupe de la physique, et de toutes les sciences qui y ont rapport, de l'agriculture surtout dans laquelle j'ai fait quelques découvertes utiles [...]. Témoin, Monsieur, du tremblement de terre que cette île souffrit en 1767, je donnai la plus scrupuleuse attention à ce formidable phénomène [...] ; je rendis compte [...] de ce que j'avais vu et senti, aux académies des sciences de Londres et de Paris. J'en reçus des remerciements d'autant plus flatteurs que ces célèbres physiciens me dirent le témoignage que j'étais le seul qui leur eut récité cet événement en philosophie : ils me parvinrent par l'organe du célèbre Réaumur[22], dont le nom est certainement connu aux Arcades et il m'a honoré de sa correspondance jusqu'à sa mort.
>
> Les papiers publics vous ont instruit, Monsieur, de la terrible catastrophe que cette malheureuse île éprouva le 3 juin 1770 [...]. Cela m'a donné le temps de ramasser [...] trop de matériaux pour composer un second livre que je crois intéressant [...]. L'ayant adressé en Europe aux mêmes savants que les premiers, je vous supplie Monsieur, de le présenter aux messieurs des Arcades très capables de l'apprécier et très dignes que je leur offre par votre médiation ce faible hommage de mon respect[23].

Cette longue lettre rend compte de la renommée de l'Arcadie en Europe et de l'importance des correspondances dans la circulation des savoirs et des objets scientifiques (rapports, plantes, etc.) entre les colonies et l'Europe. Elle sert de premier contact : pour Amable de Frenaye, il s'agit d'écrire une présentation élogieuse de ses recherches scientifiques et de

---

22. Il s'agit du scientifique physicien et biologiste René Antoine Ferchault de Réaumur (1683-1757).

23. BAR, AA, ms. 33, f. 63r-64v, lettre d'Amable Frenaye à Gioacchino Pizzi du 20 janvier 1774. Le texte de la lettre a été modernisé.

ses liens avec d'autres institutions prestigieuses, pour faire valoir sa capacité à fonder une colonie de l'Arcadie à Saint-Domingue.

Selon ses courriers, il aurait écrit deux autres lettres le 25 janvier et le 10 décembre 1775, qui ne semblent pas avoir été conservées (ou reçues). Dans celle du 17 janvier 1777, il remercie le destinataire pour son admission à l'Arcadie et demande l'adhésion de membres pour former la colonie Antilliana de l'Arcadie : il s'agit du processus établi et connu de fondation d'une implantation locale. Un intermédiaire résidant dans la localité où va être créée la colonie se charge de regrouper un certain nombre de connaissances, auxquelles seront attribués des surnoms pastoraux et un diplôme en échange d'un paiement d'une piastre par personne. Par ailleurs, il informe Gioacchino Pizzi de son admission à l'Académie royale des sciences de Paris : « Je ne dois pas vous laisser ignorer, Monsieur, que je viens d'être agrégé à l'Académie royale des sciences de Paris[24] », écrit-il en janvier 1777. Selon cette même lettre, il aurait été admis pour ses dissertations en physique et pour la découverte d'un « animal, que tous les physiciens regardent, comme nouvellement découvert dans la nature : au point qu'on ne sait encore dans quelle classe le ranger ». Il s'agit d'une pratique répandue : collecter et classer les éléments naturels font partie des méthodes d'étude en botanique et agriculture. Cependant, contrairement à ce qu'il écrit dans ses lettres à Gioacchino Pizzi, Frenaye n'est pas recensé comme membre de l'Académie des sciences ni comme correspondant officiel de Réaumur. Pourquoi prend-il le risque de mentir, alors qu'il n'est pas nécessaire de présenter tous ces titres prestigieux pour fonder une colonie ? Il souhaite probablement ajouter du crédit à sa proposition et se présenter comme un savant reconnu par ses pairs.

Sa troisième et dernière lettre, de septembre 1777, sert de remerciement pour la transmission des diplômes des nouveaux Arcades :

> J'y vois avec reconnaissance que vous me donnez l'espoir de la prompte arrivée des diplômes des fondateurs de notre future académie. Je puis vous assurer, Monsieur, qu'ils seront reçus avec la plus grande joie, et quantité de personnes pour qui les muses ont été ici fort indifférentes, des beautés fades et qui n'impriment rien, commencent à s'en occuper et à ne les plus regarder comme des divinités fabuleuses[25].

---

24. BAR, AA, ms. 33, f. 61r-62v, lettre d'Amable de Frenaye à Gioacchino Pizzi du 17 janvier 1777.

25. *Ibid.*, f. 59r-60v, lettre d'Amable Frenaye à Gioacchino Pizzi de septembre 1777.

En plus d'apporter des informations sur la création de la colonie et sur ses travaux, Frenaye décrit les voies empruntées par les lettres pour arriver à Rome, ainsi que les transferts d'argent pour les différents paiements. Ses lettres, dont celles de change, passent par un certain M. Martin, résidant à La Ciotat, dans le sud de la France. Il ne semble pas y avoir de rapport avec la création de la colonie Focense de Marseille en 1786, car cet intermédiaire n'est pas membre de l'Arcadie. Bien que le contact établi soit indirect, Frenaye dépasse ainsi le cadre habituel des échanges entre le territoire français continental et les espaces coloniaux en l'étendant par la création d'un lien épistolaire avec Rome. Ce cas révèle la circulation de la forme d'association proposée par l'Arcadie, soit un modèle italien de sociabilité, jusqu'à un territoire français outre-Atlantique.

Frenaye, surnommé Acrone Tiriano à l'Arcadie, réunit huit individus pour former la colonie Antilliana. Le choix des surnoms des membres n'est pas lié à la localisation inédite de la colonie, car ils sont semblables à ceux donnés aux Arcades italiens. On trouve tout d'abord Orfeide Rodopeio (Guillaume-Pierre-François de la Mardelle, 1732-1813), procureur général du Conseil supérieur de Saint-Domingue. Corsibo Dardanio (René Nicolas Joubert de la Motte, 1740-1787), médecin et botaniste du roi de France, est quant à lui l'auteur d'un mémoire en 1784 sur la *Réussite des essais de culture de cochenille tentés par lui à Saint-Domingue* : contrairement à Frenaye, personnage assez anonyme, Joubert de la Motte est reconnu comme le promoteur des inoculations contre la variole à partir de 1768. Il est en relation épistolaire avec différentes institutions françaises : la Société royale de médecine de Paris et l'Académie des sciences, arts et belles-lettres de Dijon. Notable de Saint-Domingue, il se distingue tant par son statut de directeur des jardins du Roi à Port-au-Prince que par son rôle dans le traitement de la variole. Armenio Eufratiade (Étienne Lefebvre Deshaies) est très certainement le scientifique local et futur membre de l'académie des Philadelphes. Comme Frenaye, Polibante Frisiaco (Philippe André Joseph de Létombe) est conseiller au Conseil supérieur de l'île. Aspalte Ismario (Jacques Louis Alexandre Radulf de Cerisy) a pu être identifié parce qu'il a requis l'enregistrement de ses titres de noblesse en 1776 : il s'agit également d'un membre du Conseil supérieur de l'île[26]. Cassidio Pelidense (un certain De Ronseray) est recensé, mais

---

26. ANOM, secrétariat d'État à la Marine – Personnel colonial ancien, FR ANOM

sa fonction n'est pas connue : en raison du manque d'informations, il est impossible de l'identifier, car trois individus répondant à ce patronyme font partie de l'administration coloniale[27]. Deux membres n'ont pu être identifiés : Rustenio Telediano (d'Ear) et Aristenio Timbreide (Muriany). Selon l'*Onomasticon*, ce dernier est agriculteur et membre de l'Académie d'agriculture de Saint-Domingue. Une grande majorité des membres fait partie des instances politiques de l'île, principalement du Conseil supérieur. La culture scientifique, qu'elle soit botanique, agronomique ou médicale, est représentée par Frenaye, Joubert de La Motte et Muriany. De fait, il est certain que les individus réunis par Frenaye se connaissaient déjà, soit par leur fonction au sein du gouvernement colonial, soit par leurs recherches scientifiques.

Les pratiques académiques à Saint-Domingue

Les origines de la fondation de la colonie à Saint-Domingue restent mal connues. Frenaye s'était peut-être renseigné sur l'Arcadie avant de déménager à Saint-Domingue. Comme indiqué dans ses lettres, il serait en lien avec les académies des sciences parisienne et londonienne par l'envoi de ses mémoires, mais aucune indication ne prouve que sa connaissance de l'Arcadie se soit faite par ces institutions. Si l'on suit la typologie de Regourd, il existe trois catégories de lieux d'expertise, de pratiques et d'échanges savants sur l'île : les administrations locales, œuvrant par leurs travaux de relevés cartographiques et par des mémoires, les jardins botaniques et les hôpitaux (Regourd, 2000). Ce classement met en évidence l'absence d'institution académique dans l'organisation des sociabilités savantes insulaires. Au moment de la fondation de la colonie, plusieurs

---

COL E 251, *La Mardelle, Guillaume Pierre François de, procureur au Conseil supérieur de Port-au-Prince à Saint-Domingue (1767/1807)* ; Correspondance à l'arrivée en provenance de la Martinique, FR ANOM COL C8A 84 F 364, *Joubert de La Motte (René Nicolas), médecin botaniste (Paris) (4 mars 1784)* ; Personnel colonial ancien – FR ANOM COL E 283, *Létombe, Philippe Joseph de, conseiller au Conseil supérieur de Port-au-Prince à Saint-Domingue (1770-1780)* ; FR ANOM COL E 67, *Radulf de Cerisy, Jacques Louis Alexandre, conseiller au Conseil supérieur de Port-au-Prince à Saint-Domingue, demande de l'enregistrement de ses titres de noblesse à ce conseil (1776)*.

27. Il s'agit de Pierre Claude, sénéchal et lieutenant de l'amirauté de Saint-Louis à Saint-Domingue (1779-1825) ; Claude Denis, juge et lieutenant de l'amirauté de Saint-Louis (1708-1781) ; Pierre, ancien magistrat (1759-1837) selon ANOM, secrétariat d'État à la Marine – Personnel colonial ancien, FR ANOM COL E 357.

lieux culturels existent déjà à Saint-Domingue, comme des salles de spectacles : le premier théâtre est créé au Cap-Français vers 1740 puis à Port-au-Prince en 1762, sans réussir à se pérenniser : la salle change de lieu quatre fois en sept ans. Parmi les divertissements offerts sur l'île, des bals de nuit, des feux d'artifice et des jeux de foire sont proposés depuis les années 1760. Il existe également des lieux de sociabilité : dans les principales villes de l'île, on trouve des auberges, des clubs et des Vauxhalls, par exemple. De plus, la franc-maçonnerie s'est déjà implantée sur l'île dès 1740, avec le premier atelier créé par l'arpenteur Vianney : l'affiliation aux loges maçonniques fait partie d'une « stratégie d'ensemble de socialisation des immigrants récents, d'affirmation sociale des *outsiders*, ou de valorisation d'une position plus affirmée » (Beaurepaire, 2002 : 93). Cette décennie est également marquée par la création de la *Gazette de Saint-Domingue* (1764), où sont publiés des textes littéraires, des annonces de vente ou des arrivages de bateaux (Fouchard, 1988b : 66). Cinq ans plus tard, *L'Iris américaine* (1769), journal dédié à la littérature, voit le jour. De fait, la décennie précédant la fondation de la colonie est marquée par différentes initiatives individuelles, plus ou moins pérennes, visant à apporter des nouveautés dans la vie culturelle locale.

En 1760, Frenaye a rédigé un mémoire manuscrit, *Rêves d'un bon citoyen*, où il propose une réflexion sur la vie publique et la gestion de l'île dans différents champs (justice, agriculture, clergé, etc.). Il se penche également sur les faiblesses des associations intellectuelles à Saint-Domingue. En effet, il n'en existe qu'une seule au moment de l'écriture de ce mémoire – à savoir la Chambre d'agriculture, qui est ce qui se rapproche le plus d'une association intellectuelle selon Frenaye.

> Par ma communication, toute la France, disons mieux l'Europe entière est remplie d'assemblées littéraires. C'en est une ici que la chambre d'Agriculture. Elle inspire le désir de voir paraître quelques-unes de ses productions. Plusieurs de ses membres sont capables de rendre intéressantes les nouvelles publiques, s'ils y inséraient leurs découvertes. On pourrait donner plus d'étendue à cet établissement en y agrégeant les arts et les sciences. On pourrait engager cette assemblée à communiquer chaque mois au moins un de ses mémoires, celui qui aurait quelque objet d'une utilité générale[28].

---

28. ANOM, secrétariat d'État de la marine – Personnel colonial ancien, FR ANOM COL E 194, f. 302-303.

Il met en avant deux principales limites : l'absence des arts et des autres sciences et le manque de diffusion des travaux par des réunions publiques. Les deux principaux centres urbains de Saint-Domingue, Port-au-Prince et le Cap-Français, sont dotés chacun d'une chambre d'agriculture. La Chambre d'agriculture de Port-au-Prince, créée en 1763, apparaît en réponse à la suppression de la « chambre mi-parties d'agriculture et de commerce ». Son échec s'explique par un isolement et une invisibilité dans la vie publique, dus à l'absence de publication ou de réunion publique, et par le manque de relations avec d'autres institutions. De fait, cela fait déjà quinze ans que Frenaye réfléchit au manque de lieux d'échanges intellectuels au moment de sa correspondance avec Gioacchino Pizzi. La création de la colonie s'inscrit ainsi dans un processus sur le long terme visant à augmenter le nombre des associations intellectuelles et à y inclure arts, littérature et sciences.

L'Arcadie serait ainsi un moyen pour enrichir l'île de lieux de sociabilité intellectuelle, ce qui s'inscrit plus globalement dans une pensée du bien commun et des progrès scientifiques. L'absence de témoignages sur les réunions et sur la durée d'existence de la colonie limite la connaissance que l'on peut avoir de l'action et de la portée effectives de l'Arcadie à Saint-Domingue. Cependant, on peut l'analyser comme une tentative d'organisation des pratiques scientifiques et lettrées sur le modèle des sociabilités académiques italiennes. La colonie Antilliana peut aussi être perçue comme les prémices du cercle de Philadelphes, fondé en 1784. Considéré de prime abord comme une société secrète associée à la franc-maçonnerie (Maurel, 1961), ce cercle est en fait une académie scientifique proche du système académique provincial français, officialisée par lettre patente en 1789. McClellan date les premières initiatives visant à créer des sociétés savantes non affiliées à la franc-maçonnerie à 1769, moment de la proposition de la fondation d'une académie de belles-lettres, institution totalement absente sur l'île à cette époque. Puis, en 1776, l'intention de créer une académie de médecine se solde par un échec (McClellan, 2000 ; 2010). Les années 1770 sont marquées par une volonté d'institutionnalisation des différents champs disciplinaires sous la forme d'académies et par la formalisation des sociabilités lettrées et des milieux intellectuels de l'île.

La colonie Antilliana est un trait d'union entre les lieux et les pratiques de sociabilité italienne et antillaise. Ce cas d'étude témoigne de la circulation des formes associatives littéraires et savantes, car Frenaye tente de reprendre le modèle culturel et institutionnel de l'Arcadie. Il révèle également les circulations transatlantiques des mémoires scientifiques manuscrits entre les scientifiques locaux et les académies européennes, comme l'ont montré les différents textes transmis par Frenaye. Ces échanges participent à la diffusion des nouvelles scientifiques et constituent un exemple de sociabilités scientifiques à distance par l'intermédiaire de la correspondance. Comme l'a indiqué Frenaye, ces sociabilités se manifestent par des contacts avec les institutions académiques françaises, anglaises et italiennes, qui se font instances de centralisation des découvertes, d'expertise et de diffusion des savoirs.

La seconde moitié du XVIIIe siècle a été marquée par une ouverture de l'espace arcadique en construction depuis plus d'un demi-siècle vers de nouveaux territoires européens et outre-Atlantique. Le modèle institutionnel proposé par l'Arcadie se caractérise par une adaptabilité aux différents contextes locaux : bien que des règles existent, les colonies restent des institutions assez malléables. Cette académie permet néanmoins l'institutionnalisation d'un groupe, qui se reconnaît par l'instauration d'un rituel académique et l'utilisation de surnoms pastoraux. Le modèle institutionnel est repris ponctuellement en Europe, notamment à Gorizia, dans les territoires slovènes du Saint-Empire en 1780, avec la colonie Sonziaca, qui peut être considérée comme un cas réussi d'implantation du modèle institutionnel hors de la péninsule, tandis que l'Antilliana ferait plutôt figure d'un cas limite du modèle arcadique. La richesse de l'Arcadie réside dans le fait qu'elle offre à la fois une occasion de réunion des milieux intellectuels locaux et des pratiques diversifiées de sociabilité, de la lecture de compositions poétiques en petit comité à de grandes fêtes publiques où la haute société locale est conviée. Si ces pratiques se retrouvent dans de nombreuses académies, la force de l'Arcadie est d'avoir réussi à unir des groupes locaux installés dans les centres urbains italiens, européens et outre-Atlantique ; à créer un espace académique pratiqué et un réseau de sociabilités dépassant la dimension urbaine usuelle des académies à l'époque moderne.

QUATRIÈME PARTIE

ÉCHANGES ET PRATIQUES LANGAGIÈRES

CHAPITRE 10

Sociabilité et exploration dans la *wilderness* américaine

Laurence Machet

Au xviiiᵉ siècle, les colonies américaines britanniques du sud-est telles que les Carolines, la Géorgie ou la Floride occidentale (après 1763) sont le terrain d'investigation favori de voyageurs naturalistes soucieux de partager leurs découvertes dans leur correspondance ou dans des journaux de bord généralement publiés en Grande-Bretagne. La nature sauvage américaine fascine par sa diversité et son altérité, et parvenir à saisir cette dernière, par la description ou la collection de spécimens, est la préoccupation de ces voyageurs.

Le présent chapitre porte sur les écrits de trois d'entre eux. Le premier est l'Anglais John Lawson, arrivé fin juillet 1700 à New York, mais dont la destination finale est les Carolines. Une fois à Charles Town[1] (Charleston), Lawson se lance dans une exploration de l'intérieur des terres, qu'il va relater dans ce qui demeure à ce jour la description la plus complète des Carolines du début du xviiiᵉ siècle, parue à Londres en 1709 sous le titre de *A New Voyage to Carolina*. Ce chapitre traite également des écrits de John Bartram et de son fils William. Tous deux quakers originaires de Philadelphie, ils voyagent ensemble ou séparément vers le nord, à la frontière avec la Nouvelle-France, et surtout dans le sud-est, notamment en Floride. Les deux journaux de bord de Bartram père, *Observations on the Inhabitants, Climate, Soil,*

---

1. Ville fondée en 1670 en l'honneur du roi Charles II, elle est maintenant connue sous le nom de «Charleston», en Caroline du Sud. C'est ce nom modernisé qui sera utilisé.

Rivers, Productions, Animals, and Other Matters Worthy of Notice, Made by Mr. John Bartram in his Travels from Pennsylvania to Onondaga, Oswego, and the Lake Ontario, in Canada (1751) et *Diary of a Journey Through the Carolinas, Georgia and Florida. From July 1, 1765 to April 10, 1766* ([1769] 1942)[2], ainsi que sa correspondance avec Peter Collinson vont grandement contribuer à faire connaître à Londres l'environnement naturel des colonies américaines britanniques. L'œuvre unique de William Bartram, *Travels Through North and South Carolina, Georgia, East and West Florida, the Cherokee Country, the Extensive Territories of the Muscogulges or Creek Confederacy, and the Country of the Chactaws. Containing an Account of the Soil and Natural Productions of Those Regions; Together with Observations on the Manners of the Indians*, publiée à Philadelphie en 1791[3], « est quant à elle maintenant considérée comme le premier véritable classique de littérature pastorale aux États-Unis » (Hallock, 2001: 110)[4].

La sociabilité « concerne l'ensemble des relations qu'un individu entretient avec les autres » (De Federico de la Rua, 2012: 31). Si l'adjectif « sociable » est présent dans les dictionnaires français dès le XVIIᵉ siècle, le *Dictionnaire de l'Académie française* n'intègre le substantif qu'à la fin du XVIIIᵉ siècle et le définit comme « l'aptitude de l'individu à fréquenter agréablement ses semblables » (Cossic et Ingram, 2012: 15). L'*Oxford Etymology Dictionary* définit quant à lui le terme de « *sociability* » comme « ayant un rapport avec la société humaine[5] ». Faire coexister avec le concept de *wilderness* cette notion de sociabilité, ainsi que les notions connexes de civilité, de plaisir et de convivialité qu'elle véhicule (François et Reichardt, 1987: 456) peut sembler paradoxal. La *wilderness*, l'environnement sauvage américain, « compris de manière instinctive comme quelque chose d'étranger à l'homme, un environnement peu sûr et inconfortable contre lequel la civilisation livre une bataille sans relâche » (Nash, 1967: 8)[6], est en effet décrite par Roderick Nash comme « l'endroit où vivent les bêtes sauvages » (1967: 2) et implique donc, étymologiquement, l'absence d'habitants humains. Elle véhicule également les notions d'indis-

---

2. Les titres abrégés *Observations* et *Diary* seront désormais utilisés.

3. Le titre abrégé *Travels* sera désormais utilisé.

4 "[…] now stands as the first *bona fide* classic of pastoral writing in the United States."

5. "[…] pertaining to human society".

6. "[…] instinctively understood as something alien to man – an insecure and uncomfortable environment against which civilization had waged an unceasing struggle."

cipline, de désordre, de confusion et d'indomptabilité, toutes *a priori* opposées à la *Geselligkeit* de Simmel, « le fait d'être avec d'autres personnes agréablement » (cité par Rivière, 2004 : 207).

L'expérience de l'espace sauvage américain ne semble donc pas immédiatement compatible avec celle de la sociabilité, qui « naît de l'attachement qui pousse les individus à nouer des liens pour sortir de leur solitude » (Loussouarn, 1996). Pourtant, loin des salons européens, des clubs londoniens ou de leurs homologues coloniaux comme le Junto à Philadelphie, des formes un peu particulières de sociabilité se développent, qui ont soit pour prétexte, soit pour cadre l'environnement sauvage naturel des colonies américaines. Au travers des récits et de la correspondance des trois naturalistes-explorateurs mentionnés plus haut, l'influence de la *wilderness* sur la sociabilité et sur l'identité des protagonistes engagés dans ces échanges sera examinée. Ces pratiques de sociabilité influencent à leur tour la perception que ces naturalistes du XVIIIᵉ siècle et nous-mêmes, lecteurs du XXIᵉ siècle, avons de la *wilderness* comme espace et comme concept.

Les sociabilités épistolaires

Depuis le continent américain, John Lawson, John et William Bartram sont tous trois en contact plus ou moins étroit avec des correspondants londoniens et ces échanges épistolaires sont le premier lieu où l'exploration de la *wilderness* fournit matière à la construction d'une forme de sociabilité. Sa représentation dans leurs écrits et les échanges matériels auxquels elle donne lieu sont en effet le trait d'union entre amateurs d'histoire naturelle séjournant en métropole et explorateurs, qui sans cela ne se seraient jamais rencontrés, ni réellement ni virtuellement. De nombreuses études ont montré le lien étroit qui existe entre le développement de réseaux amicaux ou professionnels reposant sur des communications épistolaires ou échanges de spécimens et l'essor de la recherche en histoire naturelle. Avant l'avènement du scientifique moderne, spécialiste de sa discipline, le XVIIIᵉ siècle est en effet riche en amateurs éclairés qui, par leurs échanges, forment ce que Sigrist et Widmer perçoivent comme un avatar de la République des Lettres et nomme la « République des Botanistes », dont le mode même de fonctionnement est défini par les échanges d'informations et de spécimens (Sigrist et Widmer : 2011). Les liens ainsi tissés entre botanistes au sein d'un même territoire et, *a fortiori*, de part et d'autre de l'Atlantique rendent possible un travail collaboratif de construction de la connaissance, qui peut se faire de manière horizontale (des botanistes de même rang échangeant des informations) ou s'appuyer sur le soutien d'un mécène. Dans les deux cas, la correspondance est centrale et devient le lieu même de la sociabilité : « La correspondance jouait un rôle central pour l'histoire naturelle, à tel point que les chercheurs appelaient la communauté au sein de laquelle ils accomplissaient leur tâche leur "correspondance", en l'accompagnant parfois de l'article défini ou indéfini » (Yale, 2015 : 8). Cela revient-il pour autant à dire que dès lors qu'il y a échange de lettres, il y a sociabilité ? La réponse est un peu plus nuancée que cela.

John Lawson et William Bartram, aux deux extrémités du XVIIIe siècle, sont ainsi parrainés respectivement par l'apothicaire et passionné d'histoire naturelle James Petiver et le médecin John Fothergill, tous deux *fellows* de la Royal Society. Toutefois, en contradiction apparente avec ce qui est énoncé plus haut, leur correspondance avec ces derniers, pour cordiale qu'elle fût, entre au premier examen dans la catégorie que Sylviane Albertan-Coppola nomme les lettres « amico-professionnelles » (1994 : 67). Le volume de lettres échangées est relativement faible, tout particulièrement dans le cas de Lawson et Petiver, ce qui s'explique au moins en partie par les aléas de la circulation du courrier entre les deux continents tout au début du XVIIIe siècle et la difficulté à accéder directement à ce qui n'est pas encore officiellement la Caroline du Nord. Les deux parties de la Caroline ne se développent en effet pas au même rythme ni selon le même schéma. Au sud, le port de Charleston prospère dès la fin du XVIIe siècle grâce à l'introduction de la culture du riz dans la colonie. Il attire des planteurs installés auparavant à la Barbade ainsi qu'une communauté huguenote. En dehors de Charleston et de ses alentours, la colonie se développe plus lentement. Les colons sont au nombre de 5 000 en 1700 et font venir des esclaves d'Afrique. Dans le nord de la colonie, « les contours inhospitaliers de la côte […] empêchent l'émergence d'un port » (Van Ruymbeke, 2016 : 183) et constituent un frein au commerce et aux communications avec la Grande-Bretagne. Les instructions très précises mais également fort complexes que Lawson donne à Petiver afin que ses missives ne se perdent pas témoignent de la difficulté à accéder à cette partie des Carolines[7].

---

7. "Direct for me at pamplicough [sic] River in North Carolina to be left for me at Collonl [sic] Quarme's in Philadelphia, Pensilvania I shall (God willing) send you some collections by Octobr. by way of Pensilvania or Virginia" (Sloane ms. 4063, fol. 79).

Outre le faible nombre de lettres échangées, on note aussi une asymétrie dans les relations entre les deux correspondants. Lawson semble ainsi parfaitement conscient de sa position subalterne lorsqu'il répond en 1701 à une annonce de Petiver cherchant un collecteur de plantes et de graines en Amérique :

> Je vous ai adressé une lettre en provenance du comté Albemarle en Caroline du Nord dans laquelle j'exprime mon souhait de collecter pour vous des animaux et des végétaux, etc. Je travaillerai dur pour remplir cette mission et espère que cela vous apportera (et à moi également) toute satisfaction. Avoir le plaisir de pouvoir dialoguer avec un si grand connaisseur me suffit comme récompense[8].

Ce qui est toutefois assez remarquable dans le cas de Lawson et Petiver, c'est que ce qui n'est en 1701 qu'une relation commerciale va déboucher sur une rencontre et sur d'autres échanges épistolaires à la faveur d'un séjour que Lawson fera à Londres en 1708 pour y superviser la publication de son ouvrage. À cette occasion, il se voit promu arpenteur général (*surveyor general*) de la Caroline par les seigneurs propriétaires, les huit nobles à qui Charles II a accordé en 1663, puis en 1665, une charte pour un territoire compris entre la Floride espagnole et la Virginie. En 1709, Petiver parle ainsi de sa rencontre avec Lawson à son ami George London :

> J'ai récemment fait la connaissance d'un certain Mr. Lawson, Arpenteur Général de la Caroline. C'est une personne très curieuse, qui a récemment publié une Histoire Naturelle de la Caroline dans laquelle il a traité des Quadrupèdes, des Oiseaux, des Poissons, des Reptiles et des Végétaux, en particulier les Arbres, avec beaucoup de discernement et de précision. Il a maintenant l'intention de retourner en Caroline et, dans la mesure où il pourrait vous être utile, est très désireux de faire votre connaissance. Si vous pouvez nous fixer un rendez-vous, je viendrai vous le présenter. Il souhaite vivement se procurer des raisins et des prunes avant son départ et saura, je n'en doute pas, vous payer en retour avec ce que vous désirez de ces lointaines contrées[9].

---

8. "I have sent you a Letter dated from Albemarle County in North Carolina by which I desire your advertisements in order to the collection of Animals Vegetables [*sic*] etc. I shall be very industrious in that Imploy (sic) I hope to yr. satisfaction & my own, thinking it a more than sufficient Reward to have the Conversation of so great a Vertuosi [*sic*]" (Sloane ma. 4063, fol. 79).

9. "I have lately obtained an Acquaintance with one Mr. Lawson Surveyor General of Carolina. He is a very curious person & hath lately printed a Natural History of Carolina wherein he hath treated the Quadrupeds, Birds, Fishes, Reptiles, & Vegitables [*sic*],

On voit ici se dessiner l'amorce d'un réseau de *sociable knowledge* qui, après la rencontre physique entre Lawson et Petiver, a le potentiel à la fois de se diversifier en incluant le cercle amical de Petiver, et de s'équilibrer en établissant une plus grande réciprocité des échanges, qui n'avait pas cours au début de la correspondance. Ainsi, au moment d'embarquer de nouveau vers l'Amérique en 1709, Lawson remercie Petiver de l'envoi de remèdes et d'un ouvrage du naturaliste John Ray (Stearns, 1952) qui lui donne les outils théoriques pour entreprendre une classification des végétaux des Carolines. La mort de Lawson, tué par les Tuscaroras en 1711, mit un terme brutal à l'ambitieux projet de collaboration entre les deux hommes, dont Lawson avait tracé les grandes lignes fin 1710[10].

La relation de William Bartram avec John Fothergill est assez similaire, mais trouve son origine dans un réseau de sociabilité préexistant, les amis quakers de John Bartram. Ce dernier, désespérant de voir un jour William trouver un emploi qui lui conviendrait, sollicita Fothergill par le truchement de son propre correspondant, Peter Collinson[11]. Fothergill

---

particularly the Trees, with a great deal of Judgment & accuracy. He suddenly designs to return for Carolina & as he may be serviceable to you is very ambitious of being known to you. If therefore you will as soon as possibly you can appoint a time I will wait on you with him. He is very desirous of procuring what variety of Grapes & Plumbstones [*sic*] he can before his departure for which I doubt not but he will make you a suitable return from thence of whatever you desire from those parts" (Sloane ms. 3337 fol. 56v.).

10. Lawson s'y proposait notamment d'adopter une démarche plus systématique pour ses collections. « Établir rigoureusement une collection de toutes les plantes que l'on peut trouver en Caroline, en conservant avec moi un exemplaire de chaque espèce, indiquant le jour et l'heure à laquelle la plante a été collectée, à quel moment elle est apparue, dans quel type de sol, avec la fleur, graine & à quel moment elle a disparu [quand elle a disparu?] » (Stearns, 1952: 340-341, citant Sloane 4064, fol. 249-245) /. "To make a strict Collection of all the plants I can meet withall in Carolina, always keeping one of a sort by me, giving an account of the time & day they were gotten, when they first appear, in what sort of ground, with the flower, seed & disappear [when disappear?]" (Stearns, 1952: 340-341, citant Sloane 4064, fols. 249-5).

11. John Bartram mentionnait fréquemment sa vie de famille dans ses lettres à Collinson. Il évoquait régulièrement ses soucis avec William, et dès les années 1760, Collinson tente, à distance, de promouvoir les intérêts du fils de son ami. Il écrit ainsi à l'oncle de William (« Billy ») Bartram, également nommé William, en juillet 1768 : « Ce matin, le docteur Fothergill nous a rendu visite et a déjeuné avec nous. Comme je suis toujours soucieux de tourner l'ingéniosité de Billy à son avantage, j'ai pensé montrer au docteur ses dernières belles créations. Il les a appréciées à leur juste valeur et pense qu'un si beau coup de crayon mérite bien des encouragements : et Billy sera sans doute fier d'avoir un tel mécène, qui est renommé pour sa générosité et si influent dans la promotion de toutes les branches de l'histoire naturelle » / : "This morning, Doctor Fothergill came and breakfasted here. As I am always thoughtful how to make Billy's ingenuity turn to some advantage, I bethought of showing the Doctor his last elegant performances. He deservedly

accepta la requête, voyant là une occasion d'obtenir des plantes rares pour le jardin botanique qu'il était en train de développer à Upton. Il écrit ainsi le 23 octobre 1772 au Dr Lionel Chalmers de Charleston :

> Une autre personne [...] réclame un peu d'aide de ma part [...]. Il s'agit du fils de l'éminent naturaliste John Bartram de Philadelphie, qui se destinait au commerce, mais n'en a pas le goût [...]. Il connaît les plantes et dessine très bien. J'ai reçu l'été dernier une lettre de lui en provenance de Charleston, dans laquelle il me proposait ses services à l'occasion d'une expédition botanique qu'il entreprend à destination des Florides. [...] Prêtez-lui assistance à mes frais de la manière qui vous paraîtra opportune [...]. Je pensais lui donner 10 guinées afin qu'il s'équipe de ce qui lui est nécessaire [...], puis lui allouer un maximum de 50 livres par an pendant deux ans. [...] En échange de cette somme, il devra collecter et m'envoyer toute plante, graine ou autre production naturelle digne d'intérêt qu'il trouvera[12] (Harper, [1958] 1998 : 126).

Les missives de Fothergill à William Bartram sont prescriptives, tout comme l'étaient celles de Petiver à Lawson. Le botaniste a pour tâche de répondre aux demandes de l'amateur londonien, comme en témoigne ce courrier d'octobre 1772 :

> J'ai reçu ton obligeante lettre et les dessins qui l'accompagnaient. Ils sont très réussis. Et je serais ravi de recevoir une reproduction de toute nouvelle plante ou tout nouvel animal que tu rencontres. *S'il t'était possible d'être un peu plus précis sur les parties où se forment les fruits et, lorsqu'elles sont très petites, de les agrandir, j'en serais ravi*; et en même temps, *si les plantes ou graines de ces plantes curieuses pouvaient être collectées et envoyées ici, ce serait très bien*[13] (Darlington, 1849 : 345).

---

admired them, and thinks so fine a pencil is worthy of encouragement ; and Billy may value himself on having such a patron, who is eminent for his generosity, and his noble spirit to promote every branch in Natural History" (Darlington, 1849 : 300-301).

12. "Another person [...] claims a little of my assistance [...] He is the son of that eminent naturalist John Bartram of Philadelphia, bound to merchandize but not fitted to it by inclination [...]. He knows plants and draws prettily. I received a letter from him this summer from Charleston, offering his services to me in a Botanical journey to the Floridas. [...] Lend him any assistance that may seem expedient at my expense. [...] I was thinking to give him Ten guineas, to fit him out with some necessarys [...] and to allow him any sum not exceeding 50 [pounds] pr Ann for two years [...]. In consideration of this sum, he should be obliged to collect and send to me all the curious plants and seeds and other natural productions that might occur to him".

13. "I received thy obliging letter, and the drawings that accompanied it. They are very neatly executed ; and I should be glad to receive the like of any new plant or animal that occurs to thee. *If it was possible to be a little more exact in the parts of fructification, and where these are very diminutive, to have them drawn a little magnified, I should be*

Les relations entre Lawson et William Bartram et leurs mécènes ont donc bien leur origine dans les réseaux de sociabilité dont ils font partie ou dont font partie leur famille, notamment le réseau d'amis quakers de John Bartram, et prennent parfois l'aspect d'un lien amical, comme en témoigne par exemple l'évolution de la signature de John Lawson, qui passe de «Votre très dévoué, à vos ordres» («Your most devoted att [*sic*] Commands») à «Votre très Humble Serviteur» («Your most Humble Servant»), puis «Votre très sincère Ami» («Your most sincere Friend», Lawson, [1709] 1967: 273)[14].

Cependant, elles demeurent avant tout des relations d'affaires, plaçant le botaniste de terrain en position de subordonné. William Bartram fait ainsi parvenir à Fothergill 200 échantillons de plantes et graines ainsi qu'une cinquantaine de dessins, et surtout un rapport partiel de ses activités, intitulé *Travels in Georgia and Florida 1773-74. A Report to Dr. Fothergill*, qui servira de canevas à la rédaction ultérieure de *Travels*. Les liens qui unissent John Lawson et William Bartram à leurs mécènes londoniens illustrent donc, au moins partiellement, ce qui selon le sociologue Bruno Latour lie la métropole, qu'il nomme «centre de calcul», à ses colonies. Latour décrit en effet le cycle d'accumulation de la connaissance qui, dans le cas qui nous intéresse, se fait sous forme d'envois de comptes rendus ou de spécimens, comme «le mouvement unique qui les fait converger vers un but unique: un cycle d'accumulation qui permet à un point de devenir un centre en agissant à distance sur de nombreux autres points» (2005: 532).

Tous deux quakers et passionnés de botanique, John Bartram et Peter Collinson commencent quant à eux à correspondre au début des années 1730. Au XVIIIe siècle, la communauté quaker est en effet particulièrement active dans le domaine de l'investigation de la nature, conformément aux recommandations de George Fox, qui considérait que tous les quakers devaient recevoir une éducation botanique. La nature était censée servir de modèle aux actions humaines et, de ce fait, être étudiée, comme en témoigne l'une des maximes de William Penn: «Il serait bon que nous étudiions la Nature dans ses Manifestations naturelles; et que nous agissions selon Ses principes. Ceux-ci sont peu nombreux, simples

---

pleased; and at the same time *if the plants, or seeds of such curious plants, could be collected and sent hither, it would be very acceptable."* [Nous soulignons]

14. Sloane ms. 4063, fol. 79, Sloane ms. 4064, fols. 214.

et très raisonnables. Commençons où elle commence, allons à son rythme, et terminons en même temps qu'elle, et nous ne manquerons pas d'être de bons Naturalistes[15] » (Penn, 1825: 354). John Bartram est membre de la Library Company, fondée en 1731 à Philadelphie par Benjamin Franklin. Quant à Collinson, il est ami avec Joseph Breintnall, premier secrétaire de la Library Company, et lui envoie régulièrement des ouvrages pour cette bibliothèque. Breintnall est également membre de la Religious Society of Friends, et c'est donc par l'intermédiaire d'un autre quaker que John Bartram et Peter Collinson entrent en contact. À ses débuts, leur correspondance est très semblable aux échanges Petiver/Lawson ou Fothergill/W. Bartram: Collinson emploie John Bartram afin qu'il lui envoie certaines plantes et graines du Nouveau Monde à acclimater dans son jardin de Peckham[16]. Mais elle va quant à elle évoluer et se muer en véritable expression d'une sociabilité transatlantique, chaque homme développant son réseau initial grâce aux connexions de l'autre. Ce phénomène est typique dans le milieu des naturalistes du xviiie siècle[17], qui étendent ainsi leur présence aux quatre coins du monde grâce à leurs correspondants. Mais la fréquence des lettres et la période sur laquelle elles sont échangées, qui ne prend fin qu'avec la mort de Collinson en 1768, rendent cette correspondance particulièrement remarquable.

Ce qui frappe en premier lieu à sa lecture, ce sont les formes d'adresse «*thee*», «*thou*» et «*friend*» qu'utilisent les deux hommes. S'il s'agit au départ des formes traditionnelles de tutoiement qu'affectionnent les quakers, leur forme évolue au fil du temps, passant de «Ami John» à «Mon cher ami John» ou encore «cher Peter». Elles dépassent ainsi la pure convention formelle et révèlent la formation d'un véritable lien amical, les deux hommes partageant les événements marquants de leur vie de famille ou les espoirs et déceptions liés à leurs enfants respectifs. À l'occasion de la mort de l'épouse de Collinson en 1753, John Bartram lui écrit ainsi ces lignes:

---

15. "It were Happy if we studied Nature more in natural Things; and acted according to Nature; those rules are few, plain and most reasonable. Let us begin where she begins, go her pace, and close always where she ends, and we cannot miss of being good Naturalists."

16. Collinson achètera ensuite Mill Hill.

17. Dans le cas de Lawson et Petiver, la mort prématurée de Lawson a empêché ce réseau de se développer pleinement. Voir *supra*, p. 238.

Mon cher ami accablé de chagrin,
Comme j'ai été moi aussi à certains égards dans la même situation affligeante
que toi, je pense être dans une certaine mesure à même de compatir au sort
d'un de mes plus proches amis, qui doit faire face à la douleur de la perte de
l'être aimé[18] (Darlington, 1849 : 194).

Outre l'intimité des échanges, la dimension de plaisir inséparable de celle
de sociabilité est également omniprésente dans leur correspondance. Les
mots « plaisir », « plaisant », « divertissant », « divertissement » ou encore
« joie »[19] sont récurrents dans la grande majorité de leurs courriers et
qualifient la réaction du destinataire à leur lecture.

Ce plaisir, cette joie, ce sont ceux qui sont générés par la fin de l'attente
lorsqu'arrive la lettre porteuse des réponses aux questions posées dans
l'envoi précédent, ou le colis contenant des spécimens de flore et de faune.
Les transferts de plantes et d'animaux acclimatés avec plus ou moins de
succès à Londres ou en Pennsylvanie dont témoignent ces lettres participent ainsi du processus de réorganisation du monde naturel à l'œuvre
au XVIIIe siècle : « La distribution naturelle des espèces ordonnée par Dieu
était dans une certaine mesure faussée pour servir les intérêts d'une société
en voie d'industrialisation[20] » (Mackay, 1996 : 54). Collinson reçoit ainsi en
1755 une tortue, dont il écrit en janvier 1756 à Bartram : « Mon fils et moi
avons été surpris à la vue de la grande tortue de boue. C'est vraiment un
animal impressionnant. Elle a mordu violemment un bâton. [...] Nous
n'avions aucune idée de l'existence d'un tel animal, *car les écrivains, en
général, se contentent de dire qu'il y a des tortues d'eau douce, ou des tortues
de terre et des tortues d'eau, etc.*[21] » (Darlington, 1849 : 20). Ce que fait ici
remarquer Collinson, c'est que sa relation privilégiée avec John Bartram
leur permet à tous deux de bâtir une topographie plus précise d'un environnement et d'un territoire que Collinson ne visitera jamais en personne.
Mêlant anecdotes du quotidien, observations météorologiques et étude de

---

18. "Dear afflicted Friend, As I have been once near, in some respects, in the same
gloomy disconsolate circumstance with thine, I believe I am in some measure qualified
to sympathize with one of my dearest friends, in his close and tender affliction".

19. "[P]leasure", "pleasing", "entertaining", "entertainment", "joy".

20. "The divinely ordained natural distribution of species was being tampered with
to some extent, in the interests of an industrializing society".

21. "My son and I were both surprised at the sight of the great Mud Turtle. It is really
a formidable animal. He bit very fierce at a stick. [...] We had no notion of such an animal,
*for writers, in general, content themselves by saying there's terrapins, or land and water
turtles etc.*" [Nous soulignons]

la survie (ou non-survie) et de la croissance des animaux et plantes échangés, la correspondance entre John Bartram et Peter Collinson comble donc les failles laissées par la littérature plus classiquement scientifique dans l'exploration de l'espace naturel américain en en proposant une connaissance fondée sur l'expérience personnelle et intime. Collinson s'étonne ainsi des températures extrêmes du climat en Amérique du Nord, capable de faire geler la haie de troènes plantée par son ami sous une latitude où fleurit en Europe la végétation de Rome (Darlington, 1849 : 295).

En d'autres termes, une connaissance pragmatique fondée sur un travail de terrain lui semble préférable à une approche systématique, et il écrit ainsi à John Bartram en 1737 : « Le *Systema naturae* est une production remarquable pour un jeune homme [Linné] ; mais tous les nouveaux noms de plantes qu'il a inventés rendent malaisée et déconcertante l'étude de la Botanique. Quant au système sur lequel ces noms sont fondés, les botanistes ne sont pas d'accord à son sujet » (Darlington, 1849 : 106). Dans le cas de Collinson et Bartram, c'est donc par une sociabilité intime que se construit la connaissance de l'espace et que le déséquilibre centre-périphérie s'estompe, Collinson utilisant son réseau londonien pour promouvoir les intérêts de son ami, lisant ses lettres devant l'assemblée des *fellows* de la Royal Society[22] et obtenant même en 1765 le titre de botaniste du roi George III pour l'Américain.

Mais la *wilderness* n'est pas seulement un espace représenté et discuté dans des échanges épistolaires : c'est aussi un espace réel dont font l'expérience ceux qui y vivent et ceux qui l'explorent. Jusqu'au XVIIIe siècle, la *wilderness* est systématiquement perçue comme un environnement hostile et désolé, peuplé, selon la célèbre formule de William Bradford, d'hommes et de bêtes sauvages (Bradford, 1981 : 70)[23]. Source de terreur, elle est en effet le lieu où l'on peut se perdre physiquement, mais surtout où l'on peut perdre son humanité en étant soumis à toutes sortes de dangers et de tentations, comme le soulignent les usages bibliques du terme : « La *wilderness* est l'espace où le Christ a lutté avec le diable et a subi ses tentations[24] » (Cronon, 1996 : 8).

---

22. La première de ces lettres traite des crochets des serpents à sonnette et fut publiée dans les *Philosophical Transactions* de la Royal Society en 1740. Six autres lettres furent publiées à la suite de celle-ci, la dernière l'étant en 1763.

23. "[A] hideous & desolate wilderness, full of wild beasts & wild men."

24. "The wilderness was where Christ had struggled with the devil and endured his temptations."

La *wilderness*, un espace concret de sociabilité ?

Cet environnement rude où l'homme ne s'aventure généralement pas de son plein gré est pourtant aussi l'espace d'une sociabilité entre colons et, peut-être de manière plus remarquable, entre colons et populations autochtones.

La sociabilité entre colons

Les exemples de sociabilité entre colons sont très rares dans le compte rendu de John Lawson, ce qui est logique dans la mesure où l'intérieur de la Caroline du Nord, qu'il explore jusqu'au Piedmont dans la première décennie du XVIIIe siècle, est encore peu peuplé de manière permanente par les Européens. Ceux qui pénètrent dans ce territoire sont, comme Lawson, des aventuriers ou des marchands qui suivent le Great Trading Path et font commerce avec les différentes tribus amérindiennes, dont la population et la localisation ont déjà été fortement influencées par les contacts avec les Européens : « En Caroline du Nord, la dépopulation en raison des maladies importées d'Europe a touché les régions du Piedmont Nord et Sud à des périodes différentes et selon un schéma qui semble lié à l'ampleur du commerce avec les Anglais le long du Great Trading Path » (Dobbs, 2009 : 118)[25]. Dans la partie de son journal consacrée à l'exploration de l'intérieur des Carolines et intitulée « A journal of a thousand miles travel among the Indians, from South to North Carolina », Lawson relate avoir ainsi eu l'occasion de séjourner dans une maison prêtée par un colon, située en territoire congaree :

> Nous avons ce jour parcouru 30 miles et avons passé la nuit dans une maison construite pour le commerce avec les *Indiens*. Son propriétaire, que nous avons quitté à la ville *française*, nous a donné la permission de l'utiliser. De telles maisons sont courantes dans cette région, en particulier dans les endroits où villes *indiennes* et plantations sont proches[26] (Lawson, [1709] 1967 : 273).

---

25. "Within North Carolina, depopulation from European diseases affected the northern and southern Piedmont at different times in a pattern that appears related to the depth of trade engagement with the English, along the Indian Trading Path."

26. "This Day we travell'd about 30 Miles, and lay all Night at a House which was built for the *Indian* Trade, the Master thereof we had parted with at the *French* Town, who gave us Leave to make use of his Mansion. Such Houses are common in these Parts, and especially where there is *Indian* Towns, and Plantations near at hand".

La situation est déjà bien différente lorsque Bartram père, auréolé de son nouveau titre de botaniste du roi George III, se lance avec William dans son dernier grand voyage, l'exploration de la Floride en 1765-1766. Tous deux partent munis entre autres de lettres de recommandation rédigées par John Ellis, agent de la Couronne pour la Floride occidentale depuis 1764, au gouverneur Grant (gouverneur de la Floride orientale de 1763 à 1771). Collinson les mentionne dans sa lettre à John Bartram datée du 13 novembre 1765, où il déclare: «notre ami M. Ellis a écrit une lettre te recommandant au gouverneur Grant et j'espère qu'il l'a reçue[27]» (Darlington, 1849: 273). On retrouve dans le journal de bord de John Bartram de brèves mentions de ces visites aux gouverneurs de Caroline, de Géorgie ou de Floride, qui lui fournissent, à lui et son fils, le couvert et parfois le gîte et leur permettent de rencontrer d'autres propriétaires terriens de la région chez qui ils pourront faire halte lors de la poursuite de leur voyage. Ainsi, Bartram écrit le 12 octobre 1765 avoir «dîné avec le gouverneur et plusieurs gentilshommes de Caroline[28]» (Bartram, J., [1769] 1942: 33). Si John Bartram, conformément à son style toujours laconique, fait seulement brièvement référence à cette sociabilité, son fils William, qui bénéficie dix ans plus tard, lors de son propre périple, du même type de réseau, est beaucoup plus prolixe. Il décrit ainsi sa rencontre avec le gouverneur Wright dès son arrivée à Savannah: «Son Excellence m'a reçu avec une grande courtoisie, m'a montré toutes les marques de son estime et de son respect et m'a fourni des lettres adressées aux principaux habitants de l'État et qui m'ont rendu grand service» (Bartram, W., [1791] 1996: 29)[29]. Dans le cadre de cette sociabilité convenue, l'explorateur s'acquitte de son devoir de politesse à l'égard du gouverneur de la province visitée et, réciproquement, ce dernier fait ce qui est en son pouvoir pour faciliter la tâche du naturaliste voyageur, qui est aussi, comme le souligne Mary Louise Pratt, un agent désarmé de l'expansion coloniale européenne (1992: 33-34). Mais dans *Travels*, William Bartram décrit aussi une autre forme de sociabilité: il ne s'agit plus seulement, de

---

27. "Our friend Mr. Ellis writ a letter recommending thee to Governor Grant, which I hope he hath received. He also wrote to the Governor of Pensacola, to the same purpose." Darlington, William, *Memorials of John Bartram and Humphry Marshall, op. cit.*, p. 273.

28. "[…] dined with yᵉ Governor and several Carolina Gentlemen."

29. "[H]is Excellency received me with great politeness, shewed me every mark of esteem and regard, and furnished me with letters to the principal inhabitants of the state, which were of great service to me."

manière très pragmatique, de bénéficier d'étapes sur le chemin, mais véritablement de profiter des qualités humaines de ses hôtes et des personnes rencontrées. William Bartram décrit ainsi l'un des propriétaires chez qui il séjourne :

> [L]'honorable M. B. Andrews, une personne *distinguée, patriotique et généreuse*. [...] Je passais rarement devant chez lui sans m'arrêter pour le voir, car dans sa maison régnait *la vertu, et l'hospitalité, la piété et la philosophie* y étaient des valeurs cardinales. Le voyageur fatigué était sûr d'y être *accueilli chaleureusement* et s'il en partait sans en avoir *tiré de grands bénéfices*, il ne pouvait s'en prendre qu'à lui-même[30] (Bartram, W., [1791] 1996 : 29).

Les vertus de l'hôte que décrit ici William Bartram transforment sa maison en oasis de civilisation, contrepoint nécessaire à un séjour dans la *wilderness*, où l'étranger est guetté par les dangers physiques et par la contagion de la sauvagerie, qui peut l'envahir à tout moment : « Une terreur plus subtile que celle inspirée par les Indiens ou les animaux était celle inspirée par la liberté de la *wilderness*, qui donnait l'occasion aux hommes de se comporter de manière sauvage ou bestiale[31] » (Nash, 1967 : 29). Lors d'étapes telles que celle décrite par Bartram, le voyageur fatigué peut donc physiquement et moralement se ressourcer, et ainsi préserver, voire retrouver son caractère humain. Cette sociabilité entre colons que décrit Bartram de manière répétée dans *Travels* est certes fondée sur le même type de réseaux que celle dont son père bénéficie avant lui en 1765-1766, mais elle est surtout le lieu où peut s'exprimer ce que l'individu a de plus noble et où il peut s'améliorer au contact des autres, établissant un lien entre sociabilité, moralité et vertu. On peut ici penser à Samuel Johnson, qui soutenait en août 1750 dans *The Rambler* que se comporter correctement en société est une discipline utile à la fois pour les autres et pour soi-même en raison des règles et des contraintes qu'impose une vie sociale. Pour lui, « la société est la sphère où s'exprime véritablement la vertu humaine[32] » (Johnson, 1750 : 287).

---

30. "[T]he Hon. B. Andrews, Esq; a *distinguished, patriotic and liberal*, character. [...] I seldom passed his house without calling to see him, for it was the seat of *virtue, where hospitality, piety, and philosophy*, formed the happy family ; where the weary traveller and stranger found a *hearty welcome*, and from whence it must be his own fault, if he departed without being *greatly benefited*." [Nous soulignons]

31. "A more subtle terror than Indians or animals was the opportunity the freedom of wilderness presented for men to behave in a savage or bestial manner."

32. "Society is the true sphere of human virtue. [...] In social active life, difficulties will perpetually be met with ; restraints of many kinds will be necessary ; and studying to

En effet, malgré son appréciation protoromantique de la nature sauvage, qui le conduit souvent à des envolées lyriques, William Bartram insiste parallèlement sur la nécessité pour l'homme d'être en société. Contrairement à la perception généralement négative qu'en avaient les puritains du XVIIᵉ siècle, qui la voyaient en premier lieu comme un espace à conquérir (Nash, 1967 : 35), la *wilderness* qu'il dépeint est donc un lieu ambivalent. D'une part, elle permet à l'homme de se retirer de la société et de ressentir la présence divine dans la nature : « à la recherche de nouvelles productions de la nature, mon bonheur principal consistait à trouver des signes de la puissance infinie, de la majesté et de la perfection du Créateur tout puissant et à les admirer[33] » (Bartram, W., [1791] 1996 : 81). Mais elle est aussi un espace qui ne peut être pleinement apprécié que si on le partage avec ses semblables, pendant ou après l'expédition. Cette tension est présente de manière récurrente dans *Travels*. Ainsi, lors de son exploration du fleuve Saint Johns en Floride, après un repas pris avec le groupe qui l'accompagne, William Bartram songe :

> Ô combien bénis étions-nous à ce moment-là ! Une nourriture abondante et délicieuse, notre appétit aiguisé et nos esprits satisfaits ; *éloignés des querelles* et dominés seulement par ce que la *raison* et des passions modérées nous dictaient. Notre situation était comparable à celle de l'homme primitif, pacifique, satisfait et *sociable*. [...] [E]nsemble, *nous étions comme des frères*, et l'envie, la malveillance et le vol nous étaient étrangers[34] (*ibid.* : 108-109).

Faire l'expérience de cet espace sauvage avec ses semblables transforme donc l'individu, qui se pense désormais comme membre d'une communauté, voire d'une famille. Corollaire de cette évolution, l'espace lui-même perd au moins partiellement son caractère hostile et la relation homme-espace sauvage n'est plus nécessairement une relation d'antagonisme et de conquête.

---

behave right in respect of these is a discipline of the human heart, useful to others and improving to itself".

33. "[I]n pursuit of new productions of nature, my chief happiness consisted in tracing and admiring the infinite power, majesty and perfection of the great Almighty Creator."

34. "How supremely blessed were our hours at this time! plenty of delicious and healthful food, our stomachs keen, with contented minds; under no control, but what *reason* and ordinate passions dictated, far removed from the *seats of strife*. Our situation was like that of the primitive state of man, peaceable, contented, and *sociable*. [W]e were altogether as *brethren of one family*, strangers to envy, malice and rapine." [Nous soulignons]

Ce passage fait écho presque mot pour mot à une description que fait Jean-Jacques Rousseau de l'homme dans l'état de nature : « je le vois se rassasiant sous un chêne, se désaltérant au premier ruisseau, trouvant son lit au pied du même arbre qui lui a fourni son repas, et voilà ses besoins satisfaits » (1782 : 70). Chez Rousseau comme chez Bartram, la nature sauvage est donc, évolution notable, bienveillante et pourvoit aux besoins de l'homme. Elle permet ainsi d'atteindre bien-être physique et harmonie. Mais chez Rousseau, l'homme encore sauvage n'est pas préparé à être en société :

> Rien au contraire n'eût été si misérable que l'homme sauvage, ébloui par des lumières, tourmenté par des passions, et raisonnant sur un état différent du sien. Ce fut par une providence très sage, que les facultés qu'il avait en puissance ne devaient se développer qu'avec les occasions de les exercer, afin qu'elles ne lui fussent ni superflues et à charge avant le temps, ni tardives, et inutiles au besoin. Il avait dans le seul instinct tout ce qu'il fallait pour vivre dans l'état de nature, il n'a dans une raison cultivée que ce qu'il lui faut pour vivre en société (*ibid.* : 110-111).

L'homme que décrit William Bartram n'est toutefois pas le primitif de Rousseau. Il est gouverné par la raison et non l'instinct ; et surtout, il est sociable, précisément. C'est la *wilderness* qui lui permet, paradoxalement, d'atteindre cet état d'harmonie avec ses semblables et d'en apprécier le commerce, impression que confirme l'extrait suivant. Alors qu'il est entre la Caroline du Sud et la Géorgie, William Bartram explore le sud des Appalaches, territoire cherokee. L'hôte et ami qui l'a hébergé les jours précédents et accompagné au début de la journée tourne bride, le laissant seul. Et Bartram de songer :

> Je me retrouvais à errer seul dans ces montagnes mornes. Il y avait certes un chemin, je n'étais pas perdu, mais ma situation n'était cependant pas entièrement agréable, bien que j'aie toujours plaisir à contempler les paysages naturels vierges.
>
> Pouvons-nous supposer que les humains aient une prédilection pour la société de leurs semblables ; ou bien sommes-nous ravis par des scènes où s'expriment les arts et la culture des humains, qui flattent les passions et nous divertissent par la variété des objets présentés pour notre plaisir ?
>
> Je me trouvais incapable, en dépit des remontrances et des arguments de ma raison, d'effacer entièrement de mon esprit l'impression qu'y avait laissée la compagnie des habitants aimables et courtois de Charleston. Et je ne pouvais m'empêcher de comparer ma situation à celle de Nabuchodonosor

lorsqu'il fut chassé de la société des hommes et contraint d'errer dans les montagnes, de s'agréger aux bêtes sauvages de la forêt et se nourrir avec elles[35] (Bartram, W., [1791] 1996 : 293-294).

En établissant un parallèle entre sa propre situation, seul dans les Appalaches, et celle de Nabuchodonosor, ravalé au rang d'animal après avoir commis le péché d'arrogance, William Bartram montre que la *wilderness* est le lieu où la perte de sociabilité équivaut à la perte d'humanité, mais également celui où la sociabilité, quand elle y existe, prend tout son sens et toute sa valeur. Cependant, la sociabilité dans la *wilderness*, zone de contact par excellence, prend également d'autres formes.

La sociabilité avec les populations indigènes

Selon la définition qu'en donne Mary Louise Pratt, les zones de contact sont des « espaces sociaux où des cultures différentes se rencontrent, se heurtent et sont aux prises les unes avec les autres, souvent dans des relations asymétriques de domination et de subordination » (1992 : 4). Cette asymétrie dans les relations dont fait état Pratt semble toutefois partiellement redressée par la sociabilité, notamment la sociabilité alimentaire, qui s'établit entre explorateurs et populations indigènes et qui permet aux premiers d'abandonner, au moins momentanément, certaines attitudes ou opinions stéréotypées du colon. John Lawson, qui évoquait la proximité entre tribus amérindiennes et colons dans l'extrait cité plus tôt (Lawson, [1709] 1967), mentionne ainsi de nombreux exemples de repas partagés avec des Indiens, où il découvre la manière qu'a chaque tribu de préparer le produit de la chasse. Ainsi, en territoire congaree, il écrit : « on nous servit une oie grasse bouillie, de la venaison, du raton laveur et des noix

---

35. "I was left again wandering alone in the dreary mountains, not indeed totally pathless, nor in my present situation entirely agreeable, although such scenes of primitive unmodified nature always pleased me. May we suppose that mankind feel in their hearts, a predilection for the society of each other; or are we delighted with scenes of human arts and cultivation, where the passions are flattered and entertained with variety of objects for gratification? I found myself unable notwithstanding the attentive admonitions and persuasive arguments of reason, entirely to erase from my mind, those impressions which I had received from the society of the amiable and polite inhabitants of Charleston ; and I could not help comparing my present situation in some degree to Nebuchadnezzar's, when expelled from the society of men, and constrained to roam in the mountains and wilderness, there to herd and feed with the wild beasts of the forest."

pilées[36] », si bien que Lawson juge que ces Indiens sont « un peuple débonnaire et affable[37] ». Il met toutefois cette affabilité sur le compte de leur proximité avec les Anglais : « vivant près des Anglais, ils sont devenus très accommodants[38] » (*ibid.* : 23).

John Bartram est, quant à lui, très largement convaincu que les Indiens sont des barbares assoiffés de sang, et n'en fait pas mystère dans ses lettres à Collinson, par exemple en février 1756, lors de la guerre de Sept Ans : « Nous sommes actuellement dans une situation cruelle et affligeante : les indigènes barbares, inhumains et ingrats assassinent chaque semaine des habitants des régions reculées ; et les quelques Indiens qui déclarent être nos amis attendent en fait une occasion de causer notre perte[39] » (Darlington, 1849 : 205-206). Il a pourtant lui aussi, lors de son voyage à Onondago quelques années auparavant, eu l'occasion d'apprécier leur hospitalité et les repas pris en commun : « [A]vant mon retour, j'avais appris à ne pas mépriser la bonne nourriture indienne. Cette hospitalité est en accord avec l'honnête simplicité des temps anciens et si scrupuleusement respectée que non seulement ce qui est déjà préparé est immédiatement servi au visiteur, mais que les affaires les plus pressantes sont remises à plus tard pour lui préparer le meilleur qu'ils aient à lui offrir[40] » (Bartram, J., 1751 : 16).

Même si dans le cas de John Bartram, le contexte géopolitique semble avoir pris le pas sur l'expérience vécue et influence son jugement, les repas et l'hospitalité partagés avec les tribus indiennes nuancent donc généralement la vision monolithique et stéréotypée qui fait partie du bagage culturel de l'Euro-Américain au XVIIIe siècle. L'Indien, très généralement pensé comme un Autre sauvage, violent et impitoyable, y gagne une dimension humaine qui a le potentiel de remettre en question, par un effet boomerang, la manière dont l'Occidental se perçoit et se définit.

---

36. "[…] we were entertain"d with a fat, boil"d Goose, Venison, Racoon, and ground Nuts."

37. "[…] a well-humour"d and affable People […]."

38. "[…] living near the *English*, are become very tractable […]."

39. "We are now in a grievous distressed condition: the barbarous, inhuman, ungrateful natives weekly murdering our back inhabitants; and those few Indians that profess some friendship to us, are mostly watching for an opportunity to ruin us."

40. "[…] before I came back, I had learnt not to despise good Indian food. This hospitality is agreeable to the honest simplicity of ancient times and is so punctiliously adhered to, that not only what is dressed is immediately set before a traveler, but the most pressing business is postponed to prepare the best they can get for him."

Ainsi, au fil de son récit, des rencontres et des repas pris en commun, Lawson en vient à penser que les indigènes sont moralement et humainement supérieurs aux Occidentaux :

> Ils nous manifestent vraiment plus de bonté que nous ne leur en montrons ; dans leurs Villages, ils nous donnent toujours des victuailles, et prennent soin de nous prémunir contre la Soif et la Faim : nous n'en faisons pas autant pour eux (en général) mais les laissons passer devant chez nous, affamés, sans soulager leur faim. Nous les regardons avec Dédain et Mépris, et les considérons à peine mieux que des Bêtes à Figure Humaine. Cependant, si nous y faisions plus attention, nous réaliserions que, malgré toute notre Religion et notre Éducation, nous sommes affublés de davantage de Difformités Morales et de Maux que ces Sauvages ne le sont[41] ([1709] 1967 : 243).

On perçoit le potentiel subversif de ce changement de perspective, qui mène un peu plus tard Lawson, pourtant nouvellement nommé *Surveyor General* de la Caroline, à en appeler à la raison afin de remettre en question le bien-fondé même de la colonisation de ces peuples et de leurs territoires :

> Si nous laissons la Raison être notre Guide, elle nous informera que ces Indiens sont le Peuple le plus libre du Monde, et que loin d'être des Intrus chez nous, c'est nous qui avons abandonné notre Terre natale pour les chasser de la leur et en prendre possession ; nous manquons également d'Équité lorsque nous Jugeons ces pauvres Barbares, car nous n'accordons aucun Crédit à leur Disposition Naturelle, ni à leur Éducation Sylvestre, ni aux étranges Coutumes (qui nous semblent frustes) qui sont les leurs et les seules qu'ils aient jamais connues[42] ([1709] 1967 : 243-244).

Si Lawson ne tire pas toutes les conclusions de cette remise en question, et termine malgré tout son ouvrage sur la nécessité d'une sociabilité, voire

---

41. "They are really better to us, than we are to them ; they always give us Victuals at their Quarters, and take care we are arm''d against Hunger and Thirst : We do not so by them (generally speaking) but let them walk by our Doors Hungry, and do not often relieve them. We look upon them with Scorn and Disdain, and think them little better than Beasts in Humane Shape, though if well examined, we shall find that, for all our Religion and Education, we possess more Moral Deformities, and Evils than these Savages do, or are acquainted withal."

42. "If we will admit Reason to be our Guide, she will inform us, that these *Indians* are the freest People in the World, and so far from being Intruders upon us, that we have abandon''d our own Native Soil, to drive them out, and possess theirs ; neither have we any true Balance, in Judging of these poor Heathens, because we neither give Allowance for their Natural Disposition, nor the Sylvian [sic] Education, and strange Customs, (uncouth to us) they lie under and have ever been train''d up to."

de mariages, entre colons et Indiens afin de répandre la foi chrétienne de manière pacifique, cette prise de conscience prend en revanche tout son sens chez William Bartram. Ce dernier écrit *Travels* dans le contexte de la controverse entre les tenants de la théorie de la dégénération développée par le comte de Buffon et ses adversaires. Buffon voit dans le manque de sociabilité de l'indigène américain une preuve de la tendance générale à la dégénération des formes de vie sur le continent américain:

> [I]ls aiment foiblement leurs pères et leurs enfants; la société la plus intime de toutes, celle de la même famille, n'a donc chez eux que de foibles liens; la société d'une famille à l'autre n'en a point du tout: *dès lors nulle réunion, nulle république, nul état social.* Le physique de l'amour fait chez eux le moral des mœurs; leur cœur est glacé, leur société froide et leur empire dur (Buffon, 1825-1828, vol. 15: 446).

Buffon n'est pas lui-même un promoteur de la colonisation, mais la fiction qu'il crée autour de la nature nord-américaine et de ses habitants fixe leur identité de manière immuable en la faisant censément reposer sur les lois de la biologie. La parole de l'homme des Lumières prend une dimension politique, car, comme le soutient Edward Said:

> La bataille principale de l'impérialisme se livre pour s'approprier une terre; mais lorsqu'il a fallu déterminer qui possédait la terre, qui avait le droit de s'y installer et de la travailler, qui l'entretenait et qui, maintenant, est responsable de son avenir – tous ces sujets ont été pensés, discutés et même déterminés dans des récits. Comme l'a suggéré un critique, les nations elles-mêmes sont des récits. Le pouvoir de produire un récit, ou d'empêcher la formation et l'émergence d'autres récits, est crucial pour la culture et l'impérialisme et constitue l'un des principaux liens qui les unit[43] (Said, 1994: xxi).

En niant à l'indigène américain une capacité à vivre en société, Buffon le déshumanise et crée ainsi un espace vide permettant aux Euro-Américains de justifier l'imposition de leur propre modèle de société.

Bien loin de cette vision, donc, William Bartram propose un récit autre. Les tribus indiennes qu'il présente pratiquent la sociabilité tout

---

43. "The main battle in imperialism is over land, of course; but when it came to who owned the land, who had the right to settle and work on it, who kept it going, who won it back, and who now plans its future – these issues were reflected, contested, and even for a time decided in narrative. As one critic has suggested, nations themselves are narrations. The power to narrate, or to block other narratives from forming and emerging, is very important to culture and imperialism, and constitutes one of the main connections between them."

autant que les Européens ; elles sont donc régies par les lois de la civilité et ne peuvent plus être aussi commodément qualifiées de « sauvages ». Comme l'écrit Eve Kornfeld (1995), William Bartram découvrit, au cours de ses nombreux échanges avec les Amérindiens, une altérité et une myriade de cultures différentes qu'il pouvait respecter.

Cette conscience de la différence de l'autre n'empêche certes pas William Bartram de tomber parfois dans le piège du cliché et de recourir lui aussi à une vision stéréotypée des populations amérindiennes. Il qualifie ainsi les Séminoles de « sauvages sans éducation » (Bartram, W., [1791] 1996 : 110). Mais il se reprend aussitôt, s'apercevant que son propos est vide de sens :

> J'ai bien peur que cette épithète commune n'ait aucun sens, ou en tout cas qu'elle leur soit appliquée de manière incorrecte ; car ces gens sont à la fois *éduqués et courtois* ; et il apparaît à l'observateur impartial, même s'il ne réside pas longtemps parmi eux, que leurs lois et leurs coutumes tirent leur force et leur énergie du plus délicat sens de l'honneur et de la réputation de leurs tribus et de leurs familles[44] (*ibid.* : 110).

Ces moments où le texte fait retour sur lui-même témoignent de la mise en œuvre par l'auteur de l'intention qu'il énonçait dès les premières pages de *Travels* : « étant décidé, pendant que je voyagerai parmi eux, à les fréquenter, de manière à pouvoir juger par moi-même s'ils méritent les critiques sévères que formulent généralement les Blancs à leur égard, à savoir qu'ils sont incapables d'être civilisés[45] » (*ibid.* : 24). La sociabilité partagée avec les populations amérindiennes permet donc à William Bartram de prendre de la distance par rapport à l'idéologie de son époque, qui voit au mieux l'Indien comme un être à civiliser. De cette manière, il montre également que les territoires qu'il traverse sont occupés et cultivés, contrairement à nombre de naturalistes, qui avaient tendance à représenter les paysages explorés comme autant d'espaces inhabités : « Dans les écrits, le paysage est représenté sans habitants, sans propriétaire, sans

---

44 "I am afraid this is a common phrase epithet, having no meaning, or at least improperly applied ; for these people are both *well tutored and civil* ; and it is apparent to an impartial observer, who resides but a little time amongst them, that it is from the most delicate sense of the honour and reputation of their tribes and families, that their laws and customs receive their force and energy". [Nous soulignons]

45. "being induced, while travelling among them, to associate with them, that I might judge for myself whether they were deserving of the severe censure, which prevailed against them among the white people, that they were incapable of civilization".

histoire et vierge de toute occupation, y compris celles des voyageurs eux-mêmes[46] » (Pratt, 1992 : 51).

La figure du naturaliste instrument de l'hégémonie impériale, nommant la nature tel un nouvel Adam, s'avère donc réductrice dans le cas de William Bartram, d'autant plus que les moments de partage avec les populations indigènes qu'il relate sont aussi des occasions pour celles-ci de reprendre, symboliquement, la main dans leurs relations avec les Euro-Américains. En 1774, Bartram est ainsi accueilli à Cuscowilla par le chef séminole Cowkeeper : « le chef, que l'on dénomme le Gardien de Vaches, accompagné de plusieurs anciens, vint vers nous et nous serra la main (ou plutôt le bras), une forme de salut spécifique aux Indiens d'Amérique, de manière fort amicale[47] » (Bartram, W., [1791] 1996 : 165). Après avoir fumé, bu et festoyé ensemble, celui-ci donne de manière formelle l'autorisation à Bartram de botaniser sur son territoire et le nomme Puc Puggy, le chasseur de fleurs : « il me donna toute latitude pour voyager sur son territoire dans le but de collecter des fleurs, des plantes médicinales, etc., m'affubla du nom de PUC PUGGY, ou le Chasseur de Fleurs, et me recommanda à l'amitié et la protection de son peuple[48] » (*ibid.*). Cowkeeper, de son vrai nom Ahaya, renverse ainsi la situation en rappelant au naturaliste qu'il est un invité sur les terres séminoles et en lui octroyant un surnom, tout comme les Euro-Américains l'ont fait pour lui-même.

* * *

Le propos du présent chapitre était de présenter des formes de sociabilité non institutionnalisées, sans lieu spécifique dévolu à leur pratique, et donc de fait à la marge, à la fois dans leur nature et leur localisation. Faisant se rencontrer virtuellement amateurs londoniens de botanique et explorateurs coloniaux, l'environnement naturel américain donne naissance à une sociabilité à distance, passant par des échanges épistolaires et matériels

---

46. "The landscape is written as uninhabited, unpossessed, unhistoricized, unoccupied even by the travelers themselves."

47. "[…] the chief, who is called the Cowkeeper, attended by several ancient men, came to us, and in a very free and sociable manner, shook our hands (or rather arms) a form of salutation peculiar to the American Indians […]."

48. "[…] giving me unlimited permission to travel over the country for the purpose of collecting flowers, medicinal plants, &c. saluting me by the name of PUC PUGGY or the Flower hunter, recommending me to the friendship and protection of his people."

qui rééquilibrent au moins partiellement les relations métropole-colonie. En outre, face à la solitude de l'exploration, des exemples de sociabilité qui ont pour cadre la *wilderness* offrent un contrepoint nécessaire à la brutalité de cet environnement naturel. Enfin, en modifiant la dynamique des échanges entre voyageurs et populations indigènes, la sociabilité rend possible une autre représentation des tribus amérindiennes, qui tente de se débarrasser des clichés et prend en compte les spécificités des tribus rencontrées. Sans aller jusqu'à dire qu'elle rend les protagonistes égaux (*in fine*, le colon reste colon et l'explorateur colonial reste subordonné au mécène londonien), on peut toutefois voir dans cette forme de sociabilité « un jeu où l'on fait "comme si" tous les gens étaient égaux, comme si l'on estimait tout le monde[49] » (Simmel et Everett, 1949 : 257).

---

49. "[…] a game in which one 'acts' as though all were equal, as though he especially esteemed everyone."

CHAPITRE 11

Loges maçonniques et indigénisation en Inde britannique

The vernacularization of masonic lodges in British India

Simon Deschamps

Résumé en français

Seulement treize ans séparent la création de la Grande Loge d'Angleterre (1717) et la constitution de la première loge maçonnique sur le sous-continent indien en 1730. La franc-maçonnerie fut importée en Inde et se développa dans le sillage des activités commerciales de la Compagnie britannique des Indes orientales. Les premières loges maçonniques étaient composées essentiellement de marchands, de soldats, mais aussi d'administrateurs de la Compagnie, composition qui évolua néanmoins par la suite.

La franc-maçonnerie était l'une des rares formes d'organisation sociale au sein desquelles Européens et Indiens pouvaient se rencontrer et échanger sur un pied d'égalité. Toutefois, l'incorporation d'éléments culturels indigènes donna lieu à quelque chose de nouveau. Comment se construisit cet espace social partagé et quelle fut son influence sur la société coloniale ? Quel rôle ce processus d'incorporation joua-t-il dans l'avènement d'une franc-maçonnerie indienne ? Le concept de « sociabilité coloniale » sera au cœur du présent chapitre grâce à une étude des phénomènes d'implantation, d'évolution et d'hybridation des loges coloniales dans les Indes britanniques au cours du long XVIIIe siècle.

On 21 March 1877, the freemasons of Bombay gathered at the Town Hall from which they were to march in celebration of the *Jamshedi Navroz* festival, a religious festival traditionally celebrated by the Parsis on the vernal equinox. This was a rather spectacular sight, as British and Indian masons walked side by side in celebration of what was originally a native festival. At that point, Freemasonry was one of the only forms of organized sociability open to native membership, and so this event would tend to suggest that the increasing number of Indians who joined the organization were becoming more inclined to incorporate elements of their own culture and see Freemasonry as an institution of their own.

Kharshedji Rustamji Cama (1833-1909), one of the most influential Parsis within the masonic circles of Bombay, played a major role in this process. In 1874, he submitted his plan for the *Jamshedi Navroz* masonic celebrations to the Provincial Grand Lodge of Western India, which welcomed the idea and made arrangements to make it happen. In the speech he delivered on the occasion, Cama argued that "[...] the *Jamshedi Navroz* had a relation with Freemasonry in that Freemasonry enjoined its professors to study nature and sciences, including the science of astronomy" (Wadia, 1912: 193). Freemasonry's universal ideal obviously made it particularly well suited to the syncretic ambitions of Indian freemasons such as K. R. Cama.

The concept of "vernacularization" mostly applies to languages and usually refers to the process of translating an idiom into the natural language peculiar to a people. And yet, the term has also been used to refer to the incorporation or internalization of ideas and cultural concepts across cultural communities. The incorporation of the *Jamshedi Navroz* festival to masonic ritual in India is a case in point. It is also quite tempting to apply the concept to the world of material culture, by which native artefacts made their way into the masonic lodge. Here again, Freemasonry offers an interesting insight. But how could masonic ritual practices be so easily reshaped at the local level? How was the shared social space of the masonic lodge negotiated and constructed and what impact did it have on colonial society as a whole? More provocatively maybe, can this phenomenon be associated to the emergence of the Indian nationalist movement?

Much has been written about the exportation of British sociability. Peter Clark's seminal work on the matter highlights the dynamics that made it possible throughout the British Empire, most notably. However, much remains to be written about how British clubs and societies adapted to the local context. This paper seeks to explore the very concept of 'colonial sociability' by examining the implantation, evolution, and hybridization of colonial lodges in British India in the long eighteenth century and beyond. The first part of this paper will examine the masonic lodge as a mediation space within the colonial public sphere, while the second part will focus on cultural blending and the 'indianization' of masonic ritual and practices. The third and final part will explore this process in relation to the emergence of Indian nationalism.

The Masonic Lodge as a Mediation Space within the Colonial Public Sphere

Thirteen years only separates the foundation of the Grand Lodge of England in 1717, from the constitution of the first masonic lodge of the Indian subcontinent, in 1730. From the very origins of its creation, Freemasonry had turned its attention to the "wider world" as shown by the contents of its *Constitutions*: "[…] we are also of all Nations, Tongues, Kindreds, and Languages" (Anderson, 1888, 63). This universal rhetoric partly explains why Freemasonry was at the forefront of the exportation of British sociability. In India, it flourished in the wake of the East India Company and its trading activities. The first masonic lodges were essentially composed of merchants, soldiers, and administrators of the Company. Freemasonry worked as a form of assistance to mobility and more particularly to emigration. But colonial lodges were also instrumental in creating a familiar environment, a *reservoir* of Britishness that contributed to making the British feel at home while strengthening their sense of community, cultural and political. When they sought employment in India, the British left behind a world of great sociability, a world in which a man's cultural life and social status were partly determined by how "clubbable" he was, in the words of Samuel Johnson. Freemasonry was an integral part of this phenomenon. In a speech he delivered in 1776, William Dodd, the Grand Chaplain of the Grand Lodge of England, thus insisted on the fact that "that man [was] being formed for society and deriving from thence his highest felicity[1]."

---

1. *The Freemason's Magazine* [online], 16, August 1, 1793, p. 16 [hereafter FM, art. …].

Freemasonry thus made a significant contribution to the early exportation of British sociability in the Indian Empire. The presidency capitals of Calcutta, Madras and Bombay grew rapidly, and became the three main Indian centres of British India's associational activity, to the point where Calcutta became "the leading overseas arena for British-style sociability and associations outside North America" (Clark, 2000: 423). Of course, masonic lodges were not the only form of sociability to be found in colonial India. Towards the end of the eighteenth century, a growing number of coffeehouses and punch houses were created alongside several clubs and societies. The Noble Order of Bucks (1777), the Catch Club (1784), the Asiatic Society of Bengal (1784), the Bachelor's Club (1785), the Calcutta Turf Club (1809), the Bengal Club (1827), and the Bombay Byculla Club (1833) were all rather successful within the presidency towns and also contributed to the "growing Anglicization of the lifestyles of British merchants and officials" (Clark, 428). Most of them were offshoots of London associations. In fact, many clubs and societies shared the same membership. William Hickey (1749-1830), for instance, who served as a lawyer of the East India Company, was a member of a masonic lodge, but also of the Noble Order of Bucks, of the Bachelor's Club, and of the Catch Club. In that respect, the main function of colonial sociability was to facilitate the integration of newcomers, and foster the *esprit de corps* of the local British elite.

And yet, masonic lodges were rather unique in the sense that they gradually opened up to native participation at a time when most forms of British organized sociability were strongly segregated, much in the same way as the urban space in which they operated. Calcutta, for instance, was divided into "Blacktown" and "Whitetown," which Claude Markotvits described as "a sort of protected oasis which sheltered some 3,000 British residents in 1837" (Markovits: 1994, 391). In fact, George Orwell described the club as "the spiritual citadel, the real seat of the British power, the Nirvana for which native officials and millionaires pine in vain" (Orwell, 1967: 21). More often than not, Indians "pined in vain" because they were formally excluded from British forms of sociability. The Bengal Club, which was founded in 1827, openly excluded women, dogs, and Indians (Sinha: 2001). According to Bernard Cohn, the British actively "constructed a system of codes of conduct which constantly distanced them - physically, socially and culturally - from their Indian subjects" (111). Colonial clubland played a major role in the process, especially as it was often conceived as one of the few places in which the British could take off their 'white mask' without incurring the risk of altering the image they sought to project to the native population. In his *Passage to India*, E. M. Forster explains that the "windows were barred lest the servants should see their mem-sahibs acting, and the heat was consequently immense" (Forster, 2010 : 24).

And yet, there were also several clubs and societies that sought to break down the race barrier. The Asiatic Society of Bengal, which was founded in 1784 by William Jones (1746-1794), did consider Indian membership. In the inauguration speech he delivered, Jones broached upon the subject: "Whether you will enrol as members any number of learned Natives, you will hereafter decide, with many other questions as they happen to arise" (*Centenary Review*, 6). But in practice the first Indian was only admitted in 1830, and remained an exception until the following century. According to Mrinalini Sinha, British clubland in India "held out the promise of potential clubbality to an emerging 'Westernized' middle-class while endlessly [deferring] the realization of such a possibility" (512). The Calcutta Union Club (1859) and the Madras Cosmopolitan Club (1873), however, were specifically designed to welcome both Europeans and Indians. In fact, the Calcutta Union Club was founded with the declared purpose "to promote friendly intercourse between European and Native gentlemen" (Cohen, 2009 : 139). But neither of them were very successful. In fact, the Union Club was nicknamed "the Oil and Water club" in reference to its failed attempt at bringing together the British and the Indian (*Proceedings of the Provincial Grand Lodge*). This makes the gradual opening of masonic lodges to Indian participation quite remarkable. It has often been pointed out that the homosociality of masonic lodges greatly contributed to making interracial mixing possible between the British and the Indian, in the sense that it alleviated the obsessive fear of seeing the natives degrade British women, and more so the Victorian virtues of domesticity and moral purity they were meant to embody. And yet, the exclusion of women is something the masonic lodge and the British club had in common, which makes the initiation of the first native into freemasonry all the more unique, especially as it took place as early as 1776. It was Umdat-ul-Umrah, the eldest son of the Nawab of Arcot and heir to the throne, who paved the way for the handful of

Indians, who had become members by the turn of the century. Most of them were Muslim and were either political or trading partners of the British.

Colonial India thus became a laboratory in which the universal ideal of Freemasonry could be put to the test, especially as the eligibility of native candidates was far from unanimous, although it only turned into a real debate in the 1840s. And indeed, not all masons were favourable to the inclusion of Indian candidates, far from it. In a speech he delivered in June 1865, Brother Abbott, an officer of the Provincial Grand Lodge of Bengal, pointed out that:

> We never could know the Asiatic intimately; there was a wide and impassable gulph between us, which nothing could bridge over. Men though of the same blood, were not all alike, the word 'man' did not always bear the same signification; there were various races, various ranks and walks of life, and our race differed in every essential point from that of the Asiatic, so that we could never meet as brothers[2].

Nevertheless, in the first half of the nineteenth century, an increasing number of Indians were finding their way into the masonic lodges that the British had opened in India. The actual turning point occurred in 1843 with the creation of the first so-called native lodge *Rising Star of Western India* No. 342. This lodge of a new kind was constituted in Bombay for the specific purpose of initiating "the native gentlemen of recognized respectability and character of Bombay" (Wadia, 1912: 87). Between 1843 and 1893, another 8 native lodges were created across British India, 7 of which were opened in Bombay, which tends to suggest that the phenomenon took a unique precedence in that city. These native lodges evolved alongside the so-called mixed lodges, which were growing in number and welcomed both the British and the Indian. By the mid-19th century, there were at least 12 natives of different creeds in four different mixed lodges in the district of Madras (Muthukrishnan, 1933). Incidentally, these 12 natives gathered to open their own lodge, lodge *Carnatic* No. 2031, E.C., in 1883. The fact they chose to open a lodge devoted to Indian members of the Craft, clearly shows that they were dissatisfied with the treatment

---

2. "Quarterly Communication of the 24th June 1865," *Proceedings of the Provincial Grand Lodge of Bengal*, United Grand Lodge of England: Indian Correspondence (Unreferenced Material).

they received in the existing lodges, which were dominated by the British. The new lodge was thus opened with the purpose of "levelling all differences of race feelings between the rulers and the ruled" in the name of "the bond of Universal Brotherhood" (Muthukrishnan, 1933, 10). In many ways, the native lodge was an ideal compromise in the sense that it meant Indians could join Freemasonry while allowing the existing lodges to maintain their exclusive practices. This was one of the means by which Freemasonry responded to the growing tension between its universal inclusive rhetoric and its *de facto* exclusive practices. However, it also provided for increased Indian membership to the point where they were now in a position to impress their own mark on Indian Freemasonry.

The Indianization of Masonic Ritual and Practices

From the moment of its creation, Freemasonry displayed highly syncretic potential when constructing the myth of its origins. As early as 1723, the *Constitutions* drafted by James Anderson specifically mentioned India as having witnessed the emergence of an ancient masonic tradition:

> So that after the Erection of Solomon's Temple, Masonry was improv'd in all the neighbouring Nations [...] Kings, Princes, and Potentates, built many glorious Piles, and became the Grand Masters, each in his own Territory, and were emulous of excelling in this Royal Art; nay, even in India, where the Correspondence was open, we may conclude the same (Anderson, 1888: 17).

The opening of masonic lodges in India came as a fantastic opportunity for British Freemasonry to back the universalist claims it had put down in writing in its *Constitutions*. This party explains why the masons in India were so keen on trying to find the vestiges of an antique Indian freemasonry. In 1733, for instance, three years only after the first lodge had been constituted in India, a letter was sent by the Secretary of the Grand Lodge of England to the Provincial Grand Lodge of Calcutta, asking the local masons to collect as much information as possible about the Parsi religious community:

> Providence has fixed your Lodge near those learned Indians that affected to be called Noachidae, the strict observers of his precepts taught in those parts by the disciple of the great Zoroastrus, the learned Archimagus of Bactria or Grand Masters of the Magians, whose religion is largely preserved in India (which we have no concern about) and also many of the rituals of the ancient

Fraternity used in his time, perhaps more than they are sensible of themselves. Now if it was consistent with your other business to discover in these parts the remains of old Masonry and transmit them to us [...] ancient nations that have been renowned for arts and sciences and must have some valuable remains among them still (Gould, 1900: 136-137).

There is little written evidence of other such requests. Nevertheless, this letter alone is enough to suggest that local lodges were put to contribution in the process of collecting information relative to oriental cultures, especially where it could contribute to further establish Freemasonry's universal claims.

The interest of Freemasonry in Eastern cultures clearly increased from the time the question of native participation was officially raised, especially on the part of those masons who had actively promoted native participation. The speech delivered by James Burnes on the occasion of the cornerstone-laying ceremony of the Jamsetjee Jeejeebhoy Hospital, in January 1843, further testifies to it: "Such then is the simple origin of one portion of these ceremonies which so far will be recognized as analogous to those performed by one of our most distinguished Parsi families in laying the foundation keels of some of those superb vessels which of late years have brought Great Britain and India into closer and dearer connection" (*Laying of the Foundation Stone*, 6). Here, Burnes clearly sought to draw his audience's attention to the similarities of the masonic ceremony he was presiding with the long-standing native tradition he mentioned in his speech. Two years later, when he addressed lodge St. Andrews in the East, in Pune, he elaborated on the shared historical origins of Freemasonry and Hinduism: "No one who has studied history can doubt its connection, or rather identity, with the ancient mysteries of the Hindoos and Egyptians, and others that Emanated from them" ("A Rare Record," vol. 18). It is interesting to note that James Burnes was also a member of the Asiatic Society and the main architect of the creation of *Rising Star of Western India* No. 342, the first lodge specifically designed to welcome native candidates.

Despite the hostility of some masons to Indians and their culture, especially in the wake of the 1857 Indian Mutiny, there are many instances of high-ranking British masons going as far as to contend that India was the cradle of both of European civilization and Freemasonry, one of its by-products. At the consecration of Lodge *Aryan*, in 1873, Edward Tyrrell

Leith, then Deputy Grand Master of the District of Bombay, stated that "long prior to the dawn of history [...] the ancestors of our native brethren migrated south from the cradle of their race in Central Asia [...] as far as the Atlantic seaboard and gave rise to those European States, whose noble mission it has been to spread the light of civilization in every quarter of the globe" (FM, 9). Leith's claim was loosely based on William Jones's theory of Indo-European languages, which rested on the fact Indian and European languages showed many essential similarities and belonged to the same linguistic family. If eastern and western people were indeed brothers, or at least distant cousins, Freemasonry could boast to having spearheaded the movement that sought to reunite them.

In post-Mutiny India, British administrators, many of whom were masons themselves, showed a renewed interest in these theories because they could contribute to spinning a narrative that would better accommodate British presence in India. Christian evangelicalism, which had gained momentum in India since the 1813 *Charter Act*, was often considered to be one of the main causes of the 1857 events. Victoria's *Proclamation* (1858) thus called for a radical change in policy based on religious non-interference. When laying the foundation stone of the Elphinstone Dock, in 1875, the Prince of Wales, also the Grand Master of the United Grand Lodge of England, celebrated freemasonry's potential "to unite together men of various castes and creeds in the bonds of fraternal brotherhood" (*Proceedings of the District Grand Lodge of Bombay*). The masonic rhetoric of universal brotherhood thus became part and parcel of the imperial cult that developed in the last quarter of the 19th century (Fozdar, 2011). This might explain the eagerness with which British masons integrated Indian history to the masonic narrative of the origins, and also the ease with which elements of local culture were incorporated to the masonic ritual. Although the process was undeniably facilitated by favourable colonial policy, it still meant that Freemasonry, an essentially European form of sociability which emerged in a Christian environment, had to redefine itself. The role of religion in freemasonry has been subject to debate. While Fozdar posits that freemasonry gradually de-christianized itself to embrace a religious universalism, Harland-Jacobs contends that it eventually came to be characterized by "the stamp of loyalty and Protestantism" both at home and in the colonies, over the course of the nineteenth century (Harland-Jacobs, 2007: 161; Fozdar, 2011: 494). And yet, the fact much of the vernacularization process took place as a result of increased Indian membership, and especially under the influence of the growing number of native lodges, would tend to suggest that in India at least, freemasonry became neither de-christianized nor more Protestant, but rather more communalized, much like the larger colonial society it evolved with.

Unsurprisingly, the alleged filiation of Freemasonry with the early Indian civilizations found a very favourable echo among the Indian freemasons of all creeds. As early as 1868, Dadabhai Naoroji, also a member of *Lodge Rising Star of Western India* and the first British MP in Westminster, had drawn attention to the fact that "the young Parsees, yet mere striplings in Masonry, are already showing the arrogance of contesting that if masonry was not their own, they were at least fellow masons from the earliest times" (Wadia, 1912: 167). Naoroji played a significant role in the masonic orientalist enterprise, most notably as a member of the *Masonic Archeological Institute* in London, an institution which contributed to spreading the theory according that the history of Freemasonry could be traced back to antique oriental cultures, including the Order of Dervishes (*The Freemasons' Quarterly Review*, 488). A few years later, Darasha Chichgur, another Parsi, visited the Grand Lodge of Scotland and further confirmed the theory: "It is true that Masonry [has] its origin in the East, but owing to the decay and downfall of civilization, and consequent spread of the spirit of religious intolerance, it left its shores and entered a far more congenial sphere in the West" (FM, 1885: 11). The Parsis were particularly interested in tying their history to that of Freemasonry, but the other Indian communities were just as involved. In his "A Discourse on Freemasonry among the Natives of Bombay," delivered in Bombay in 1877, K. R. Cama mentions that "[...] this year, some erudite Hindoo or Mahomedan brother should give us a discourse showing some connection, if any, between the Hindoo or Mahomedan religion and Freemasonry" (Cama, 1). Indian masons were generally very eager to inscribe Freemasonry in a historical tradition of their own. Now all they needed was for the present masonic ritual to match this "invented tradition," as defined by Eric Hobsbawm (Hobsbawm & Ranger, 1983: 1).

As early as the 1870s, some of the lodges in the princely state of Hyderabad began conferring masonic degrees upon Muslim candidates in Urdu. In 1878, for instance, Meer Yusoof Ali Khan, who had become a member of *Lodge Morland* a couple of years earlier, was passed to the second degree in Urdu by one Colin Johnston (Gribble, 1910). This would tend to suggest that British members did not object to vernacular languages being used in the lodge, which is particularly surprising when one bears in mind the exclusionary language policies, which characterized British sociability in India. The Bombay Club, for instance, had banned the use of foreign languages on its premises and even reflected upon "whether Scotchmen are to be allowed to speak Scotch" (Brendon, 2008 : 343). In the case of Freemasonry, by contrast, the use of Urdu had become so common amongst native members that a lodge *Hyderabad* was created with the novelty that it would work exclusively in that language (Gribble, 1910 : 229). Although vernacular languages were mainly used in the so-called native lodges, there were many instances of them finding their way into mixed lodges across the Indian presidencies. In September 1889, the District Grand Master of Madras was welcomed in lodge *Orion in the West* with songs sung in English, in Welsh, but also in Parsi (FM, 1889 : 9)!

The phenomenon, however, went a lot further than the mere use of vernacular languages in the local lodges. In fact, many material and symbolical elements of Indian culture eventually found their place in the masonic ritual. One of the earliest and most notable incorporation was that of the Zend Avesta and the Koran alongside the Bible, referred to as the "volume of sacred law." This process of cultural blending was often carried out along religious community lines, mainly because the 'confessional lodge' had become rather commonplace by the end of the 1870s (Lodge *Cyrus* in 1871, Lodge *Aryan* in 1873, Lodge *Islam* in 1876). The fact confessional lodges sprang up in the 1870s is no coincidence. Historians have situated the emergence of the view according to which Muslims and Hindus were two different communities with conflicting interests at that particular time (Masselos, 2002 : 104). Unsurprisingly then, the vernacularization of Indian Freemasonry also operated through a closer identification of the lodges with the different Indian religious communities. This closer religious identification was best expressed in the banners adopted by those lodges. Although it had been founded in 1843, Lodge *Rising Star of Western India* designed its banner in the 1870s. It represented the 12 zodiac signs, a Persepolis Temple and *Mount Alborz*, which clearly identified it as Zoroastrian (Wadia, 1912). Lodge *Cyrus* adopted a banner representing King *Cyrus* on his throne, while lodge *Aryan* later adopted a banner representing *Shiva*.

That the natives would choose to integrate their religious iconography and use their 'volume of sacred law' within their own lodges is hardly surprising. What is more striking maybe is that the Koran and the Zend Avesta were also incorporated in the ritual performed by the District Grand Lodges, which supervised all masonic activity in India. In the 1880s, the Grand Lodge of All Scottish Freemasonry in Bombay, as it was then called, created two new offices: the Grand Koran Bearer and the Grand Zend Avesta Bearer (FM, 1888: 10). Most District Grand Officers were still British at that point, which means that most of them did not object to these ritual innovations. As early as 1874, masons of all creeds approved and participated in the *Jamshedi Navroz* festival, a month only after the Parsee-Muslim riots that broke out in Bombay (Wadia, 1912: 193). The Parsis were then by far the most represented Indian community in the Bombay lodges, be them native or mixed. This might account for the very unusual ceremony that took place on 25 April 1899 on the occasion of the dedication of the new Masonic Hall in Bombay. Early in the morning, a group of Parsis gathered to perform the house warming of the new building "in native fashion" (*The Freemasons' Chronicle*, 1899: 7). Parsi songs were sung, as the women sprinkled rose water, rice, and wheat in the different rooms. Different colours were applied to the front door in keeping with the Parsi tradition. The dedication ceremony organized by the Parsi community clearly testifies to the gradual vernacularization of Indian lodges, and also to the great syncretic potential of masonic sociability in India. It also substantiates Abner Cohen's claim according to which: "Freemasonry has different structural functions under different social conditions [...] Its functions are determined neither by its doctrine nor by its formal organization" (Cohen, 1971: 457). This remarkable event also perfectly illustrates how much the natives were eager to set their cultural stamp on local Freemasonry, and how much their influence had grown on the Craft. The case of Bombay was in no way exceptional if we are to consider the discussions that took place with the view of building a new Grand Hall in Madras at the turn of the century. The members of Carnatic Lodge, most of whom were Hindu, insisted on the fact "a separate kitchen for orthodox Indian Brethren and proper cooking utensils should be provided, and a Brahmin cook entertained" (Muthukrishnan, 1933:

106). Masonic sociability was yet again made to suit the needs of its native members, to the point where it actually accommodated, to a certain extent, the caste system.

Ritual Appropriation and the Struggle for Equality

The eagerness of Indian masons to impress their mark on Freemasonry tends to suggest that the vernacularization of masonic lodges in India cannot simply be assimilated to British attempts to co-opt the Indian elite, especially as it occurred alongside the emergence of the early nationalist movement, in the second half of the nineteenth century. In fact, according to Harland-Jacobs: "The majority of British Freemasons in India resisted the idea of wide-scale admission of Indian Freemasons" (Harland-Jacobs, 2007: 261). Masonic rhetoric, therefore, was not always in tune with masonic practices. The question emerges, therefore, as to whether the vernacularization of the masonic lodge by the Indian elite be understood as a political claim for greater equality. If we are to believe the anthropologist David Kertzer, ritual has often been used in political struggles both by dominant and subaltern groups. This is what he writes: "Far from simply propping up the status quo, ritual provides an important weapon in political struggle, a weapon used both by the contestants for power within stable political systems and by those who seek to protect or overthrow unstable systems" (Kertzer, 1988: 104). Interestingly enough and according to Bernard Cohn and David Cannadine, the colonial public sphere was then the prime site of the dramatization of power and staged a symbolical battle between the opposing forces of colonial society. Cannadine more specifically mentions the importance of ritual: "In India, the nationalists expressed their disdain for the Raj by appropriating the rituals for their own purposes, so that their Congress leaders might be placed on an equal plane with those of the imperial hierarchy" (Cannadine, 2001: 147). This may explain why Indian masons considered masonic sociability as a potential arena of contestation.

From the start in 1717, Freemasonry had given the concept of equality pride of place both in rhetoric and practice. The *Constitutions*, published a few years later established that "[...] all masons are as Brethren upon the same *Level*" (Anderson, 1888: 63). It is hardly surprising, therefore, that Indian masons would have seen the codified space of the lodge as the ideal venue to seek redress for some of the grievances they were subjected to in the profane world. In fact, there is plenty of evidence to suggest that Indian masons were determined to make sure they were treated as equals by their European brethren. Not only did they generalize the practice of having their own sacred books open on the altar in their own lodges, they also insisted that this practice be extended to mixed lodges as well. In 1881, one P. M. Jeejeebhoy visited lodge *Hiram* in Bombay, and brought to the attention of the members of the lodge that the Zend Avesta was not on the altar alongside the Bible as it ought to be. He insisted that the issue be addressed without delay, especially as lodge *Hiram* had a number of Parsi brothers in its ranks. The presence of the Zend Avesta among the artefacts used in the lodge was obviously important in terms of what it represented.

This desire to make sure that British and Indian masons were put on an equal footing within the lodge was also the impulse that led to the creation of lodge *Carnatic* in the district of Madras. The lodge was constituted by 12 natives of different creeds, most of whom were Hindu. They were all members of existing lodges and had decided to found a lodge of their own, following the appeal of an Indian by the name of Pulney Andy, an influential Indian mason, who had called attention to the fact that "it is generally reported that natives do not find easy admission into free-masonry, and that many of our native brethren who were fortunate enough to be admitted to that privilege, on finding that they had no chance for further advancement, were obliged to disconnect themselves to form a new lodge for the special benefit of our countrymen" (Muthukrishnan, 1933: 6). In fact, the new lodge was designed as a means of "leveling all differences of race feelings between the rulers and the ruled in the name of the bond of Universal Brotherhood" (Muthukrishnan, 1933: 10). Hindus had long been excluded from freemasonry. In fact, it was not until 1873 that their eligibility was officially established, after the nine-year campaign led by one Prosonno Coomar Dutt against the District Grand Lodge of Bengal. Many Hindu candidates actually went to great lengths to establish the monotheistic nature of their religion so as to make it more compatible with masonic membership, which is maybe further proof that freemasonry had not quite shaken off its Christian origins (Harland-Jacobs, 2007).

Interestingly enough, lodge *Carnatic* is one of the lodges in which the process of vernacularization was the most obvious. In 1885, the same year the Indian National Congress was founded, the members of the lodge decided that white should be the colour of the member's dress in the lodge. The members had come to the conclusion that "evening dress and black waistcoats could not be said to be the ordinary convention of Indian society in this country" (Muthukrishnan, 1933: 27). The fact the members of the lodge chose to give up the usual European suit in favour of more traditional Indian clothing is very significant. In his landmark anthropological study entitled *Colonialism and its Forms of Knowledge*, Bernard Cohn explains that "Clothes are not just body coverings and matters of adornment, nor can they be understood only as metaphors of power and authority, nor as symbols; in many contexts, clothes literally are authority" (Cohn, 2009: 115). In the context of colonial India, this is best illustrated by the importance that *khadi*, the hand-spun and handwoven Indian cloth promoted by Gandhi in the following decades, was to take in the nationalist movement. Clothing was undeniably one of the grounds on which the symbolical battle was fought. Most Indian masons associated their traditional headwear (the turban, the Muslim *taqiyah* or the Parsi *Pagdhi*) together with the standard European suit. The members of lodge *Carnatic* took this process of hybridization one step further in what resembles a political act.

The same interest and attention to Freemasonry's rhetoric of equality was displayed by Nobin Chand Bural, a Calcutta magistrate and mason, in the speech he delivered to the *Emulation Lodge of Improvement*, in 1886. Bural actually enjoined his "fellow-countrymen" to "fully exemplify the precepts of Freemasonry before our European brethren, to show that we are not wanting in the essential qualifications of Masons, and prove ourselves worthy of all the Masonic honours" (*The Freemasons' Chronicle*, 1886: 3). At the end of his speech, Bural even shifted from equality within amongst freemasons to equality between British and Indian subjects. This is what he said:

> If England with its political constitution, social institutions, and religious establishments, failed within the space of nearly one hundred years, to recognize native society and raise its status on a par with that of England, it was undoubtedly a misfortune, but, brethren, England's mission has been fulfilled at last [...] Having thus established our aptitude for positions of trust and responsibility, it remains for us to prove by our efforts that we are not behind in points of civilization and progress (*ibid.*).

Clearly, he was drawing a parallel between the Indian's struggle for equality within the lodge and his struggle for equality outside the lodge. He insisted on the responsibility of Indian masons to "prepare the ground for [their] countrymen who do not belong to the Craft to follow [their] example" (*The Freemasons' Chronicle*, 1886 : 3). And indeed, it so happens that Bural was also a member of the *East India Association*, an organization founded by Dadabhai Naoroji, a fellow mason, with the aim of furthering the rights of Indians and providing them with representation in local government bodies (Lethbridge, 1893). Indian Freemasonry was closely involved with the first nationalist organizations, including the Indian National Congress, which was created in 1885. Womesh Chandra Bonerjee, the first president of the INC, was a member of Calcutta lodge *Anchor and Hope*. Besides, out of the 23 presidents who chaired the Congress between 1885 and 1901, at least 11 were masons (Fozdar, 2001)[3]. Masonic sociability brought Indian leaders from all over India closer together, and allowed them to experience equality and fair representation at a time they were denied this outside the lodge. Some of them clearly sought to apply what they had learnt about self-government in the lodge to the larger society.

The way K. R. Cama concluded his 1877 *Jamshedi Navroz* speech in Bombay is quite telling of the relevance of discussing the vernacularization of masonic lodges within the more general frame of the implantation, evolution, and hybridization British forms of sociability across the Empire. In front of a large crowd of both Indian and British masons, he declared: "I have often heard it pointed out [...] that one of the happy results attained by introducing natives into Masonry has been that of bringing them to closely associate socially with their European brethren _ I was almost going to say, masters" (Cama, 1877 : 4). Here, Cama was clearly suggesting that organized sociability played a significant role in reforming colonial society in India and driving greater equality between the colonizer and the colonized.

The interest of focusing on the process by which elements of native culture were gradually incorporated to Indian Freemasonry is double.

---

3. W. C. Bonnerjee (1885), Dadabhai Naoroji (1886), Badruddin Tyabji (1887), Pherozeshah Mehta (1890), W. C. Bonnerjee (1892), Dadabhai Naoroji (1891), Rahimtulla Muhammad Sayani (1896), Narayen Ganesh Chandarvakar (1900), Dadabhai Naoroji (1906), Rash Behari Ghosh (1907).

From the point of view of masonic studies, it further proves the porosity, not only of masonic rhetoric, which Margaret Jacob underlined in *Living the Enlightenment*, but also the extraordinary porosity of its ritual (66). Freemasonry was not only "an object lesson in associational achievement during the eighteenth century", to quote Peter Clark, but also quite clearly in the nineteenth century. It fully participated in the larger dynamic of exporting British sociability overseas and provided for a rather unique degree of hybridization all along. It was one of the few associations in which Indians and Europeans could sit side by side. In fact, the study of the vernacularization of masonic lodges in colonial India would tend to suggest that organized sociability was one of the venues in which the tension between commonality and alterity was expressed and negotiated. This was made possible by its paradoxical nature: Freemasonry was both exclusive and inclusive (as most esoteric organizations), culturally embedded and universal (founded in the British Enlightenment and aspiring to a universal brotherhood of Man). Over time it was able to embrace the unprecedented diversity it encountered in Indian society. In fact, Freemasonry's structural and ritual flexibility no doubt contributed to its success overseas. It also further proves that any attempt to define Freemasonry based solely on its ritual is most likely to lead to a dead end.

In the field of colonial studies, the 'vernacularization' of masonic lodges offers an interesting answer to the question raised by Eric Hobsbawm: "What of the opposite effect of the dependent world on the dominant?" (79). This is a topic that has attracted increased attention in recent years, most notably in Andrew S. Thompson's *The Empire Strikes Back: The Impact of Imperialism on Britain from the Mid-Nineteenth Century* (2005). The case of Freemasonry in India tends to confirm that the exchanges between eastern and western cultures were mutual. Sociability offers an interesting insight into study this phenomenon. The emergence in Britain of orientalizing masonic orders such as the *Royal Oriental Order of the Sikha and Sat B'hai* (Royal Order of the Seven Brothers) in 1872 is a good example (Howe, 1972). The many 'empire lodges' founded in London at the end of the nineteenth century for the specific purpose of bringing together colonial subjects, is another case in point. It would be interesting to look into how they impacted London sociability. But this is material for further research.

CHAPITRE 12

Langage politique et socialisation dans les sociétés esclavagistes caribéennes

Miles Ogborn

Le lien entre langage, politique et espace est au cœur des travaux sur la sociabilité européenne au XVIIIᵉ siècle, comme l'illustrent les débats autour de l'idée que se faisait Jürgen Habermas des conversations de café et de la nature de l'espace public. Toutefois, ces réflexions n'envisagent que rarement le XVIIIᵉ siècle dans sa globalité, un siècle dont les formes et modes de sociabilité sont inextricablement liées aux spoliations impériales et à l'asservissement de millions d'hommes, de femmes et d'enfants africains dans les Amériques. Dans l'Europe du XVIIIᵉ siècle, c'est le langage parlé qui régit la distinction entre l'homme et l'animal, et son étude permet donc d'explorer la contradiction centrale au cœur de l'esclavage racialisé : le fait qu'il dépend des capacités humaines de personnes à qui l'on refuse la plénitude de leur humanité (Hartman, 1997). La fonction de la parole est donc profondément ambiguë, car elle est à la fois ce qui renforce et ce qui fragilise l'esclavage racialisé. En effet, la parole a été utilisée pour contrôler et réguler (souvent avec une extrême violence), mais aussi pour défier, subvertir et transgresser les structures de pouvoir des sociétés esclavagistes. Ce n'est pas le contenu du propos qui nous intéresse ici, mais bien plutôt les « formes d'expression » telles que les serments, les proclamations, les sermons et les conversations. Le langage est ici envisagé comme un ensemble de pratiques incarnées, exécutées et localisées, qui ont à la fois des histoires et des géographies. Le langage peut ainsi prendre différentes formes ou expressions selon la nature des espaces de sociabilité.

Le langage est ici conçu comme un « espace commun mais radicalement asymétrique » (Ogborn, 2019 : 17), c'est-à-dire comme une pratique à laquelle tout le monde se livre, qui relie tout autant qu'elle divise[1]. Il s'agit, par le prisme de l'esclavage, de porter un regard sur le langage parlé, et plus précisément sur les « espaces de sociabilité » qui constituent un mode d'expression où s'entremêlent l'oralité, les corps et les pratiques. La conversation joue dès lors un rôle central. Les travaux sur la sociabilité au XVIIIe siècle ont montré l'importance de nombreux types de conversation et leurs capacités à générer, apparemment à partir de rien, quelque chose de nouveau dans un espace ou une situation sociale : un ensemble de relations, une atmosphère, ou un mode de pouvoir ou de résistance.

Cependant, la merveilleuse multiplicité des pratiques langagières pose un problème analytique dans la compréhension de ce que la parole produit et comment elle le produit. Si chaque type de langage ne peut être décrit qu'en ses propres termes – en distinguant par exemple la conversation des commérages ou les discours des sermons –, ceci signifie que la parole agit pour transformer les choses de multiples façons. Dans le présent chapitre, je me suis inspiré des travaux de divers théoriciens qui ont récemment revisité la théorie de l'acte langagier de J. L. Austin (1975) sur la nature du langage et son fonctionnement. Pour Austin, l'examen des « actes de langage » a montré à quel point la parole est plus qu'une simple forme de communication. Certains mots prononcés, tels que les vœux de mariage ou une condamnation à mort proclamée par un juge, sont des actions sociales. Cependant, l'efficacité de ces actes de langage dépend de ce qu'Austin appelle leurs « conditions de félicité », à savoir comment, où et par qui ils sont prononcés. Cette idée a été développée par Bruno Latour dans son analyse sur les « modes d'existence » qui reposent sur l'élucidation des « conditions de félicité » (Latour, 2012 : 375).

---

1. L'auteur aimerait remercier les Presses de l'Université de Chicago pour leur permission de réutiliser en français des éléments tirés de *The Freedom of Speech: Talk and Slavery in the Anglo-Carribean World* (2019).

Le rôle de la parole dans la formation du groupe politique

Selon Latour, le langage politique ne se définit pas par son contenu, mais par un « régime de parole », dont la caractéristique première est d'être toujours « décevant » si on le juge à l'aune des exigences de franchise ou de franc-parler, ou de ce qu'il appelle, pour reprendre les termes de Habermas, une « raison raisonnable » œuvrant à la réalisation des « conditions idéales de communication ». Si l'on évalue le langage politique selon les critères de véridiction de la science ou du droit, « on accusera la profération politique de dissimulation et de mensonge, de corruption ou de versatilité, d'inauthenticité et d'artifice » (Latour, 2002 : 147). Latour soutient que cela revient à se méprendre sur les conditions particulières de félicité de ce régime d'énonciation. En réalité, parler politiquement « vise à *faire exister* ce qui, sans lui, n'existerait pas : le public comme totalité provisoirement définie. Ou bien ce public est tracé pour un temps, et la parole a dit vrai ; ou bien il ne l'est pas, et c'est à faux que la parole a été prononcée » (*ibid.* : 148). Il s'agit, dit-il, « de la création continuelle du public ». En conséquence, pour Latour, étudier la parole politique ne vise pas simplement à représenter des entités ou des catégories sociales existantes. Elle a plutôt pour objectif de comprendre le rôle joué par ces énoncés dans la formation et la reformation des groupements politiques. Comme il l'écrit, il n'y a « [p]as de groupement sans (re)groupement, pas de regroupement sans parole mobilisatrice » (*ibid.* : 150).

Pour rendre notre propos plus concret, référons-nous aux archives des discours politiques caribéens du xviiie siècle. En décembre 1719, Robert Lowther, gouverneur de la Barbade et représentant du roi George I sur l'île, s'adresse au grand jury. Politicien whig et partisan de la monarchie protestante et hanovrienne, il se prononce contre ses rivaux tories – soupçonnés de catholicisme et de soutien au prétendant au trône, Charles Stuart – en faveur du droit constitutionnel, de la stabilité sociale et de la moralité de discours. Il leur donne une leçon d'histoire sur la Glorieuse Révolution de 1689 et la monarchie constitutionnelle afin de démontrer qu'en Grande-Bretagne, « les lois sont une mise à l'épreuve à la fois de l'autorité royale et de l'obéissance des sujets », mais il fait valoir que nombreux sont ceux, en particulier au sein de l'Église anglicane, qui ont fait campagne contre la monarchie en « prêchant pour le Prétendant & eux-mêmes & non pour Jésus Christ » et ont ainsi créé des divisions en babillant, en se querellant et en se fustigeant, en proférant des jurons, en blasphémant et en mentant. S'inspirant de l'essai de Montaigne sur le mensonge, il leur déclare :

> Nous ne sommes liés les uns aux autres que par la parole, notre compréhension ne se faisant pas autrement que par les mots, celui qui ment trahit la société publique : c'est le seul instrument par lequel nous communiquons nos pensées, c'est l'interprète de nos âmes ; si nous en sommes privés, nous ne sommes plus liés les uns aux autres, ni ne nous connaissons ; si elle nous trompe, elle brise toute notre correspondance et dissout le lien de notre politique[2].

Ici, parler et dire la vérité constituent la base des liens de la « société publique » – même si l'appartenance à celle-ci est soumise à de fortes contraintes de race et de genre – et le ciment social qui maintient le régime politique en place. Il serait tentant, naturellement, de suggérer que les motivations de cet homme politique du XVIIIe siècle étaient uniquement fondées sur de grands principes, aussi étroitement circonscrits soient-ils. Il est donc important de souligner que ce discours constitue un plaidoyer de Lowther pour déclarer le révérend William Gordon (membre du parti tory et, de longue date, véritable épine dans le pied du gouverneur) coupable de trahison pour avoir « du haut de sa chaire, avancé [...] des doctrines tendant à créer des jalousies et des divisions parmi les sujets de Sa Majesté, ou à les inciter à la sédition et à la rébellion [...][3] » (LT, vol. 14 : 210). Gordon, à son tour, fit valoir qu'il tenait simplement le gouverneur pour responsable de la corruption dont Lowther fut par la suite accusé.

Cependant, la complexité du contexte politique dans lequel s'affrontent les factions ne fait que renforcer l'idée que le langage politique est, comme le suggère Latour, un mode de (re)groupement continu : c'est un processus perpétuel mais les agrégats sociaux produits par le langage et par d'autres modes de communication ont une existence temporaire.

---

2. Bibliothèque publique de la Barbade, transcriptions Lucas du procès-verbal du Conseil de la Barbade [ci-après LT], vol. 14, p. 212 (8 décembre 1719).: "Laws are the Test both of the Royal Authority & of the Subjects' obedience'; 'preach[ing] the Pretender & themselves & not Jesus Christ' et "We are tied to one another only by Speech, our Understanding being directed by no other way than that of words, he who speaks falsely betrays the public Society: It is the only Instrument whereby we impart our thoughts, it is the Interpreter of our Souls; if we are deprived of it, we are no longer tied to, nor know one another; if it deceives us, it breaks all our Correspondence & dissolves the bond of our Policy."

3. "advanced [...] doctrines from the Pulpit that tend to create jealousies and divisions among H[is] M[ajesty's] Subjects, or to incite them to Sedition & Rebellion."

Il est donc significatif que la dispute entre Gordon et Lowther se soit exprimée par divers intermédiaires et au sein d'une variété d'espaces. Gordon fit imprimer à Londres et distribuer à la Barbade un pamphlet – *A Representation of the Miserable State of Barbados* (1719) –, puis il détourna le service d'action de grâces ordonné par le gouverneur pour marquer la répression de la rébellion jacobite de 1715, en donnant un prêche que Lowther, qui enrageait parmi les fidèles, considéra comme «une satire virulente à l'encontre des meilleurs sujets et amis du roi». En représailles, le gouverneur recueillit des dépositions sous serment sur la mauvaise réputation de Gordon et rédigea une longue «déclaration» pour réfuter les revendications de Gordon. Celle-ci fut «publiée à Bridge Town au son du tambour» par le prévôt et la lecture ordonnée «d'une voix distincte et audible» simultanément dans toutes les églises paroissiales de l'île. Cependant, même ceux restés pour l'écouter – les partisans de Gordon rapportant qu'au début de la lecture, «les dames saisissant leur éventail et les messieurs leur chapeau, se hâtèrent avec tant de précipitation pour sortir, qu'ils se marchèrent sur les talons» – auraient également vu, apposé aux portes de chaque église, un «papier écrit» par Gordon, réfutant la réfutation. Peut-être même l'ont-ils lu et en ont-ils discuté avant que l'assemblée ne le fasse brûler par le bourreau comme «impudent, faux et malveillant» (Gordon, 1719: s. p.; LT, vol. 14: 69). À chaque étape, le langage croise d'autres modes de communication, et des groupements politiques se forment et se reforment. Ils fonctionnent comme des formes de «langage politique» en ce sens qu'ils font naître des «publics», mais les pratiques de communication diffèrent en fonction de la nature des espaces.

Dans ce qui suit, je veux me servir de ces idées pour examiner le lien entre le langage politique et les «espaces de sociabilité» dans les sociétés esclavagistes de la Jamaïque et de la Barbade: d'abord en rapport avec les espaces formels du gouvernement colonial, et ensuite en rapport avec les conspirations et révoltes des esclaves, qui déstabilisent régulièrement ces îles. Ce sont des pans de l'histoire de l'esclavage qui sont rarement saisis conjointement, mais qui peuvent être mis en relation en se concentrant sur la politique, le langage et l'espace, notamment à travers le prisme des idées et des pratiques de délibération et de décision collectives. Cette démarche permet de jeter un regard neuf sur ces notions.

Les assemblées esclavagistes et la politique du débat

Ces îles étaient gouvernées par l'action conjointe, bien que parfois source de tensions, d'un gouverneur nommé par le roi, d'un conseil consultatif et d'une assemblée législative représentant les propriétaires fonciers. Ce système reflétait, sans toutefois le reproduire, le partage des pouvoirs entre le roi, la Chambre des lords et la Chambre des communes en Angleterre. Il soulevait en même temps d'importantes questions de représentation politique et, avec elles, la question des formes de communication appropriées pour les assemblées des îles qui participaient au processus d'élaboration des lois. Pour maintenir un sentiment d'anglicité et d'appartenance à une entité impériale étendue leur accordant les mêmes droits que les « hommes anglais nés libres » (« *freeborn Englishmen* »), il était crucial pour les insulaires blancs d'être régis par des lois connues et adaptées. Ils admettaient que le pouvoir souverain établissait la base du gouvernement colonial et convenaient que le souverain devait disposer d'un droit de veto sur les lois adoptées. Après tout, il s'agissait des lois du monarque, et ces insulaires blancs étaient tributaires du droit anglais pour la sécurité de leurs biens et la possibilité de les transmettre. Quant à l'élaboration des lois les régissant, les planteurs et les commerçants des îles firent savoir qu'il s'agissait d'une question relevant des représentants des propriétaires fonciers insulaires eux-mêmes. Les propriétaires fonciers blancs se réunissant lors des assemblées des îles décidaient donc des lois en procédant à des débats et à des votes : ils « consentissaient » aux lois en vertu desquelles ils se gouvernaient. Par conséquent, le mode d'expression collectif utilisé dans les assemblées était essentiel pour légitimer non seulement les décisions prises et les lois adoptées, mais aussi l'autorité politique de ces assemblées.

Les assemblées se sont inspirées, en grande partie, de la Chambre des communes anglaise, se faisant même appeler en Jamaïque « les Représentants des communes de l'île[4] ». Plus concrètement, la légitimation des actions des assemblées consistait à établir des règles formelles régissant la manière dont les membres devaient s'exprimer, afin de garantir

---

4. « Thomas Modyford's answers to the inquiries of His Majesty's commissioners », *Journals of the Assembly of Jamaica* [ci-après JAJ], vol. 1, appendix, 1670, p. 22 ; et Bibliothèque nationale de la Jamaïque [ci-après NLJ] ms. 159 *History and State of Jamaica under lord Vaughan*, p. 30.

qu'un groupe de riches hommes blancs débattant de politique constitue une « assemblée représentative ». C'est ainsi qu'en 1674, l'assemblée de la Barbade établit ses propres règles. Ces dernières stipulaient qu'elle devait être dirigée par un « *speaker* » – qualifié plus tard en Jamaïque de « bouche de la chambre » (Bourke, 1766 : xix) – choisi en son sein par les membres de l'assemblée. Le quorum était atteint à 15 représentants (sur 22) et les décisions étaient prises à la majorité, le *speaker* ayant le dernier mot. Pour qu'une loi soit adoptée, elle devait être « lue et votée » trois fois lors de deux sessions distinctes, séparées d'au moins un samedi. Le *speaker* devait orchestrer les délibérations de l'assemblée. Le règlement précisait « que le *Speaker* devait avoir un marteau en bois [...] près de lui et que chaque fois qu'il en frappait la table, tous les membres devaient garder le silence », sous peine d'une amende d'un shilling. On décréta également que « dans tous les débats de la Chambre, chaque membre ayant l'intention de prendre la parole devait se lever et s'adresser uniquement au Speaker », sous peine d'une amende de deux shillings. Un vote à la majorité permettait de décider qui serait le premier intervenant sur une motion, et toute personne interrompant un membre (sauf pour alerter le *speaker* de l'assemblée sur une violation du règlement) devait être condamnée à une amende de deux shillings et six pence. L'ordre discursif devait également être étendu au contenu de ce qui était dit et à la manière dont cela était dit. On détermina que « tout membre qui parlerait d'un sujet autre que celui qui faisait débat, ou qui entamerait une nouvelle question avant que le débat ne soit résolu[,] clos ou tranché », serait passible d'une amende de deux shillings et six pence, et « que tout membre qui utiliserait un langage grossier ou désagréable lors d'un débat, ou qui proférerait des injures à l'encontre d'un autre, devrait s'acquitter d'une amende de dix shillings ». En outre, des sanctions étaient prévues en cas d'absence et toute mauvaise conduite était menacée d'expulsion[5].

---

5. Les précédentes citations sont tirées des Archives nationales, Kew, TNA CO31/2 Assemblée de la Barbade, 1670-1683, p. 127-130 (2 décembre 1674): "Read & Voted"; "that the Speaker have a wooden hammer [...] lyeing by him & whensoever he Knocks or strikes on the table therewith, all the members are to keep silence"; "that in all Debates in the House, every member who is Intended to Speake signifie it by his Rising up & onely address himself in all he saith to the Speaker"; "that whatsoever member shall speak to any other thing than is in Debate, or Begin any new Question, untill that in Debate be resolved[,] ended or Determined"; "that whatsoever member shall utter any ill or unhandsome Language in any Debate, or use any Reflecting & Reviling speeches to each other shall pay tenne shillings." Il ne s'agit pas des premières règles, qui ont dû, sous une forme ou une

Le règlement de l'assemblée jamaïcaine était très similaire, même s'il stipulait que personne ne pouvait prendre la parole plus de deux fois au cours du même débat, à moins d'y être invité par le *speaker* (une pratique plus tard adoptée à la Barbade); et «que chacun s'installe comme il vient, qu'il ne semble pas y avoir de disparité» (JAJ, vol. 1: 24). En d'autres termes, les membres de l'assemblée devaient prendre le siège vacant le plus proche plutôt que de s'asseoir à un endroit spécifique ou avec un groupe. Ces règles ont perduré dans le temps, elles ont été débattues, complétées et modifiées, mais les principes de base ont été maintenus[6].

Ces règles ne doivent être envisagées comme des descriptions exactes de ce qui se passait dans les assemblées, mais plutôt comme la représentation d'une théorie politique normative du langage qui définit un type d'«espace de sociabilité». Elles visaient à prévenir certaines des disputes observées dans les premières assemblées, déchirées par des conflits entre royalistes et partisans du Commonwealth (Shilstone, 1943: 175). Pourtant, l'application de ces règles est demeurée sujette à controverse[7]. La question était, entre autres, de savoir dans quelle mesure les assemblées se conformaient au modèle de la Chambre des communes anglaise quand on ne pouvait pas se contenter de simplement dupliquer la procédure. Par exemple, en 1694, l'assemblée de la Barbade fut censurée par le gouverneur pour avoir voté d'une manière «non pratiquée en Angleterre». Elle obtempéra mais fit valoir «qu'elle disposait du privilège d'établir ses propres règles, au même titre que le Parlement d'Angleterre établissait les siennes[8]»

---

autre, commencer avec les premières assemblées. Pour d'autres «ordres de régulation des débats», voir Shilstone (1943).

6. Pour les nouvelles règles, voir JAJ, vol. 1: 60 (22 septembre 1682), 82 (2 juin 1686), 98 (17 septembre 1686), 117 (11 avril 1688); et LT, vol. 5: 490 (19 novembre 1696). Les règles semblent s'être stabilisées au début du XVIIIe siècle, voir JAJ, vol. 1: 314-315 (8 octobre 1703) et 325-326 (12 avril 1704), mais étaient affichées plus tôt: JAJ, vol. 1: 120 (21 juillet 1688).

7. Voir, par exemple, le différend sur la question de savoir si les propos de Thomas Martyn correspondaient à une «réflexion très indigne ou scandaleuse sur divers membres» de l'assemblée et de ses travaux, ou étaient justifiés par le fait qu'il avait compris «qu'un membre était libre de se déplacer et de parler librement, sans exception ou préjugé» (JAJ, vol. 1: 17 [25 mai et 7 juin 1677]).: 'reflecting very unworthily or scandalously on divers members' et 'that a member had liberty to move and speak freely, without exception or prejudice....'

8. "[...] not practiced in England"; 'that it is their Privilege to make their own Rules, as the Parliament of England proceeds to make their Rules." Voir aussi JAJ, vol. 1: 12 (19 avril 1677) pour les projets de loi refusés par le gouverneur de la Jamaïque en 1675 au motif que les lire seulement deux fois n'était pas conforme à la pratique des «parlements ou assemblées anglais».

(LT, vol. 5 : 228-232). Il existait également certaines similitudes avec l'idée habermassienne du *coffeehouse*, comme l'injonction à occuper le premier siège disponible, avec néanmoins la présence d'une autorité pour faire régner l'ordre et punir les transgressions, éléments qui distinguaient l'assemblée du *coffeehouse*. Dans l'ensemble, les règles visaient à garantir la prise de décision par un débat entre « égaux » – une égalité obtenue en excluant de l'assemblée toute personne n'étant pas libre, blanche, de sexe masculin, anglicane et ne disposant pas de biens suffisants – et par la règle de la majorité, après avoir dûment délibéré. Il s'agissait d'une société délimitée, dotée d'une sociabilité réglementée indispensable pour définir un espace de langage politique légitime et déterminant.

Cette conception normative du langage politique et du « public » qu'elle a forgé a renforcé l'identité des membres de l'assemblée et leurs relations aux autres, du souverain à ceux qu'ils avaient réduits en esclavage. En Jamaïque, à l'ouverture de chaque session de l'assemblée, et après avoir prêté serment, écouté une prise de parole du gouverneur et avoir pris la parole en retour, le *speaker* demandait au gouverneur de confirmer leurs « privilèges » en matière d'arrestation (garantissant la capacité des membres à se réunir sans interférence), leur liberté de parole, et leur droit d'accès à la personne du gouverneur (JAJ, vol. 1 : 11). À la Barbade, ces privilèges étaient considérés comme acquis, jusqu'à la fin du XVIIIe siècle, date à laquelle le rituel consistant à les solliciter fut instauré. Pour les représentants de l'assemblée, cela confirmait leur rôle central dans le processus législatif. Il s'agissait de « privilèges » vivement défendus pour garantir « la liberté de parole de cette chambre », privilèges à la base de ce que les membres de l'assemblée appelaient leur « voix délibérative » : le droit de promulguer les lois en vertu desquelles ils étaient gouvernés (JAJ, vol. 1 : 351)[9]. En Jamaïque, ce droit fut établi par une confrontation constitutionnelle contre le roi Charles II et les Lords of Trade en 1679-1680, à propos de mesures qui auraient impliqué que le pouvoir impérial promulgue les lois permanentes pour l'île. Cette bataille pour la « voix » de l'assemblée a ensuite été rappelée et rejouée dans le cadre de chaque conflit entre la colonie et l'Empire (Ogborn, 2019 : 86).

Ces préoccupations caribéennes concernant la voix délibérative ont fait entrer le langage politique de l'esclavage – la négation ou l'affirmation

---

9. "[T]he liberty of speech of this house"; "deliberative voice".

des libertés et des droits des Anglais nés libres – en contact avec les ins-titutions de l'esclavage racialisé. La liberté d'expression se trouvait donc intimement liée à la liberté tout court. Liberté et esclavage étaient consi-dérés comme des conditions politiques qui dépendaient de qui avait la parole et qui ne l'avait pas. Par exemple, les partisans du révérend Gordon affirmaient, du fait de leur incapacité à faire entendre leurs réclamations : « nous nous reconnaissons nous-mêmes, qui sommes nés avec des libertés et des privilèges que personne sous le soleil n'a jamais eus, les plus mépri-sables et misérables de tous les esclaves[10] ! » Et ils déclarèrent cela au cœur des controverses politiques dans les années 1760, lorsque l'assemblée jamaïcaine soutint que la défense des privilèges d'une assemblée libre et indépendante contre le gouverneur Lyttleton était la seule « protection contre le pouvoir arbitraire » (Bourke, 1766 : 2-3). Pour Nicholas Bourke, membre de l'assemblée, c'était le manque de consentement qui avait placé les Anglais en état d'esclavage, et il incombait aux hommes libres de résister à cette oppression. Cela signifiait qu'il fallait prendre la parole. Comme l'affirme John Dickinson de Philadelphie, accusant les Barbadiens d'être « un peuple *qui a choisi* d'être *esclaves* » après avoir renoncé à résister aux *Stamp Acts*, lois par lesquelles l'Empire britannique cherchait à exercer un contrôle fiscal sur les colonies, « [l]a nation *britannique* ne vise pas à exercer un empire sur des vassaux. Et doit, j'en suis convaincu, être plus satisfaite d'entendre ses enfants parler la langue des hommes libres, que de marmonner les timides murmures des esclaves[11] » (Dickinson, 1766 : 8, 10 ; italique dans le texte).

Dans cet esprit, certains planteurs ont fait valoir – même en présence de preuves contradictoires évidentes – que les Africains réduits en escla-vage n'avaient pas « cette idée de liberté qu'ont les nations européennes », et étaient heureux dans leur « ignorance[12] » (Frere, 1768 : 117). Néanmoins, d'autres commentateurs ont cité Pufendorf et Locke pour soutenir que les gens ne pouvaient pas légitimement être réduits en esclavage par la force (Trelawny, 1746 : 12, 34). Au milieu du XVIIIe siècle, le discours des

---

10. *The Self-Flatterer*, Londres, 1720, sig. A2[1] v: "means acknowledging ourselves, who are born to such Liberties and Privileges as no People under the Sun have besides, the most despicable and miserable of all Slaves!"

11. "[…] a people *chusing* to be *slaves*"; "The *British* nation aims not at empire over vassals. And must, I am convinced, be better pleased to hear their children speaking the language of freemen, than muttering the timid murmurs of slaves." [Souligné dans le texte]

12. "that idea of liberty which European nations have."

assemblées sur la liberté et l'esclavage pouvait donc être considéré comme hypocrite. L'historien et esclavagiste Edward Long a remarqué que «les ennemis des îles antillaises» ont répondu aux appels des planteurs à l'autonomie politique en affirmant: «Donnez la liberté aux autres avant de la revendiquer pour vous-mêmes[13]» (Long, 1774, vol. 2: 5). La construction des identités politiques fortes et des idées de liberté et d'esclavage se faisait continuellement à partir de pratiques de langage éphémères, changeantes, contestées et susceptibles d'être usurpées. Dès lors, les tentatives de lier ces pratiques à des catégories de personnes étaient à la fois constamment transgressées, et réprimées conformément aux contraintes induites par ce type de langage.

Ces idées sur le langage et la liberté ont certainement façonné la manière dont les esclaves ont pu s'exprimer et comment leur parole a été entendue dans leurs propres espaces de sociabilité. La dernière partie de ce chapitre explore la façon dont le regroupement de formations politiques s'est opéré par le langage au sein des populations noires asservies et libres de la Barbade et de la Jamaïque, alors en quête de leur propre liberté, et comment leurs actes ont été interprétés par ceux qui leur refusaient cette liberté.

Les conspirations d'esclaves comme espaces de sociabilité

Edward Long, ancien *speaker* de l'assemblée jamaïcaine, savait que les esclaves parlaient entre eux, et parlaient aussi de politique. D'après lui, ils avaient des attaches familiales et fictives «dans presque toutes les paroisses de l'île [...]. Ainsi, une correspondance générale est entretenue, à travers l'île, entre les Noirs créoles; et la plupart d'entre eux se familiarisent avec toutes les affaires, tant publiques que privées, des habitants blancs[14]» (Long, 1774, vol. 2: 414). Il s'agissait là d'un «public» en réseau dans l'espace de l'île et au-delà, réuni par le langage, et qui suscitait les craintes des planteurs[15]. Ces discussions n'étaient pas non plus sans rapport avec

---

13. "Give freedom to others, before you claim it for yourselves." Formulation rendue célèbre par Samuel Johnson (Bundock, 2015: 112).

14. "[...] in almost every parish throughout the island [...]. Thus a general correspondence is carried on, all over the island, amongst the creole blacks; and most of them become intimately acquainted with all affairs of the white inhabitants, public as well as private."

15. En 1776, Basil Keith, le gouverneur jamaïcain, déclara à propos des «nègres créoles» qu'il y avait «toutes les raisons de craindre qu'ils aient des contacts dans toute

la politique des planteurs. Lorsque les «querelles de partis» se sont empa-
rées de la Jamaïque, Long s'est exclamé: «même nos propres nègres sont
devenus des politiciens» (1774, vol. 1: 25). En 1776, John Lindsay, le recteur
de Spanish Town, déplorait dans une lettre à l'historien William Robertson
d'Édimbourg qu'une décennie de «disputes répétées à nos tables (où
chaque personne dispose de son propre serveur)», et de toasts portés aux
héros coloniaux, tels les rebelles américains, qui avaient reçu «les honneurs immortels pour avoir trouvé la mort plutôt que de se soumettre à
l'esclavage et de laisser dorer ses chaînes», a fait que «cette chère Liberté
a sonné dans le cœur de chaque esclave domestique, sous une forme ou
une autre, pendant ces dix dernières années». Selon Lindsay, les bavar-
dages sur la liberté engendreraient la révolte (Sheridan, 1976: 300-301)[16].

Si les préoccupations de Lindsay établissaient un lien entre les colonies
nord-américaines et les Caraïbes par le discours des planteurs, des marchands et des politiciens blancs, cela ne représentait qu'une petite partie
des flux de renseignements, de nouvelles, de rumeurs et de commérages
qui, véhiculés par les marins, les esclaves, les colporteurs et les commerçants, circulaient entre les îles sucrières et d'un bout à l'autre du monde
atlantique. Ce que Julius Scott a qualifié de «souffle commun» – un réseau
régional de communication orale liant les sociétés «afro-américaines»
qui se développa grâce au commerce entre les îles et à travers l'Empire,
surtout après les années 1760 – circula très amplement entre la Jamaïque,
Cuba et Saint-Domingue dans les années 1780 et 1790. Bien qu'appartenant
à des empires différents, ces îles étaient séparées par des eaux facilement
navigables, permettant le commerce régional et océanique d'esclaves et
d'autres marchandises, et donc liant les îles les unes aux autres, ainsi qu'à
d'autres parties du monde atlantique. Ces connexions servirent de base
non seulement à l'infrastructure de l'esclavage, mais également à de multiples conversations fugitives dans lesquelles les nouvelles et les rumeurs
– sur les changements de la politique impériale, les possibilités de commerce et les perspectives de liberté – étaient impossibles à démêler. Aussi,
lorsqu'une révolte massive des esclaves, finalement couronnée de succès,

---

l'île». Voir TNA CO137/71 Jamaica, Original Correspondence, Basil Keith to the Lords of
Trade, 6 août 1776, ff.228r et 230r: "[T]here was every reason to fear that they had connections throughout the whole island."

16. "Dear Liberty has rung in the heart of every *House-bred Slave*, in one form or
other, for these Ten years past."

éclata à Saint-Domingue en 1791, leurs pairs de la côte nord de la Jamaïque l'apprirent avant que la nouvelle n'atteigne les esclavagistes. Ils en eurent vent grâce à ce qu'un propriétaire de plantation décrivit comme « un mode inconnu de transmission des informations entre Nègres », ce qui suscita des discussions de toutes parts sur les possibles répercussions des événements se déroulant outre-Atlantique sur l'esclavage en Jamaïque (Scott, 2018 : 10)[17].

En 1776, le révérend Lindsay rédigea une réponse directe aux poursuites et à l'exécution d'esclaves, hommes et femmes, pour leur participation à une « conspiration » de révolte, « découverte » dans la paroisse nord de Hanovre cet été-là. Toutes les preuves de ces conspirations d'esclaves reposaient uniquement sur des paroles – sur qui avait dit quoi à qui, sur qui se révolterait, quand et comment. En tant que telles, ces preuves soulèvent des questions importantes sur le langage, la politique et l'esclavage, tant pour ceux qui les considèrent comme des vecteurs importants de résistance que pour ceux qui y voient l'expression des craintes des planteurs, tissées à partir de témoignages extorqués, de murmures de condamnés, et des cauchemars d'esclavagistes et d'esclaves, réunis dans le cadre d'interrogatoires dont dépendait leur vie ou leur mort.

Le processus judiciaire entourant les révoltes et les « conspirations » manifeste selon moi un désir de révéler la « voix délibérative » des esclaves. Les acteurs chargés de ce processus ont recherché une série de lieux et de moments, de prises de décision collective – c'est-à-dire un espace de sociabilité et d'expression politique – qui ferait d'une conspiration tissée de mots un événement politique réel. Dans le cas d'un précédent complot en 1692 à la Barbade, les autorités chargées de l'enquête rapportèrent que des centaines d'Africains réduits en esclavage avaient l'intention de saisir des armes, de brûler la ville principale de l'île, de massacrer les Blancs et de renverser son gouvernement. Les aveux obtenus par la torture montraient que les comploteurs « avaient été très actifs et zélés pour rallier des hommes à leur parti au cours des trois derniers mois ». Les enquêteurs ont ainsi reconstitué la discussion collective et le processus décisionnel des conspirateurs, et conclu que « l'affaire aurait depuis longtemps été mise à exécution » s'il n'y avait pas eu ces nouvelles de la victoire sur les Français et la rétention de deux régiments à destination de la Martinique

---

17. "[…] some unknown mode of conveying intelligence among Negroes".

« pour y mettre un terme ». Cependant, il y avait toujours une menace, car les conspirateurs craignaient d'être bientôt capturés et torturés, et ils « résolurent de passer à l'acte immédiatement (ce qu'ils avaient différé quelque temps auparavant pour les raisons susmentionnées)[18] ». Les enquêteurs en déduirent alors que ces derniers en avaient discuté collectivement et qu'ils s'étaient résolus à agir.

Le processus judiciaire fournit les preuves que les esclaves se réunissaient en « conseil » pour « se consulter et s'arranger ». Ces preuves étaient fabriquées grâce aux réponses des témoins terrifiés par les questions oppressantes des magistrats, animés par le désir de vengeance et la peur ; dans un tel contexte, les paroles et intentions des esclaves étaient passibles de mort. De fait, ce récit ainsi reconstruit correspondait exactement à ce que les magistrats avaient besoin d'entendre pour poursuivre les hommes et les femmes qui avaient « conspiré, s'étant regroupés, associés et avaient convenu [...] de s'impliquer dans un complot rebelle[19] » (Saltonstall, 1675 : 19). L'accusation portait sur le fait que les esclaves et leurs alliés avaient constitué un espace de sociabilité pour exprimer une parole politique.

Mais est-ce suffisant pour conclure que ces espaces de sociabilité, où s'exprimait la parole politique des esclaves, au sein desquels la « voix délibérative » se déployait, étaient l'œuvre des puissants ? Tout d'abord, si le langage politique est un processus constant de regroupement et d'agrégation, alors il faut reconnaître que des intervenants nombreux et différents créent (ou tentent de créer) de nombreux espaces de sociabilité. Les discussions entre les esclaves au sujet de leurs expériences, des nouvelles ou des rumeurs, des difficultés rencontrées, de l'endroit où les armes étaient détenues, de ceux qui avaient été punis ou exécutés, ou de la pro-

---

18. TNA CO28/1 Barbados, Original Correspondence, Governor James Kendall to the Lords of Trade, Barbados, 3 novembre 1692, f. 205r : "have been most active and industrious in gaining men to their Party within these three months" ; "the matter had been long ere now putt in Execution" ; "were resolved on yᵉ mischief immediately (which they had sometime before defer'd for yᵉ reasons aforementioned)".

19. TNA CO31/1, « Journal of the Proceedings of the Governor and Council of Barbados », 29 mai 1660 au 30 novembre 1686, 16 février 1686, f. 385v ; « Procédures judiciaires relatives au procès et au châtiment des rebelles, ou prétendus rebelles, dans l'île de la Jamaïque depuis le 1ᵉʳ janvier 1823 », [ci-après JPTPR] dans *Papers Relating to the Manumissions, Government and Population of the Slaves in the West Indies, 1822-1824*, House of Commons, *British Parliamentary Papers* 1825 (cc) xxv, p. 37-132 : "did conspire, combine, confederate and agree together [...] to be concerned in a rebellious conspiracy" (64).

gression des guerres entre empires, étaient un processus fluide et incertain. Ce collectif indécis était rassemblé dans des espaces spécifiques par le langage, qui aurait facilement pu ne pas dépasser le stade des mots si ceux-ci n'avaient pas été transformés en une conspiration par les magistrats ou en une révolte par (certains) des esclaves, qui estimaient avoir suffisamment confiance en ce qu'ils avaient entendu pour agir. En second lieu, si le langage politique et ses espaces de sociabilité peuvent revêtir de nombreuses formes, alors des formes de langage autres que celles des assemblées d'esclavagistes peuvent créer des organisations politiques. Ce point peut être illustré par l'étude des formes de langage politique et d'espace de sociabilité dans trois séries de « conspirations » ayant eu lieu dans les paroisses du nord de la Jamaïque en 1823-1824 (JPTPR : 40). À cette époque, les inquiétudes concernant les agitateurs en provenance d'Haïti et les nouvelles de l'activisme abolitionniste en Grande-Bretagne faisaient également partie du tableau (et du discours), au même titre que les rumeurs de liberté accordée par les puissances souveraines ou impériales et refusée par les esclavagistes de l'île. Une attention particulière aux formes de langage politique et d'espace de sociabilité impliquées dans ces cas précis peut permettre de comprendre le processus de formation de différents types de collectif (ou public). Selon l'interprétation des nouvelles et des rumeurs, ces collectifs ou publics pouvaient passer ou non de la discussion à l'action.

De même, à Saint Mary, William, un jeune esclave, avait révélé à son maître « l'intention des nègres de commencer à brûler et à détruire les maisons, de vandaliser les maisons et les domaines et quand l'incendie se produirait, d'assassiner tous les habitants ». Au tribunal, il mit en cause son père, James Sterling, et déclara qu'il « avait observé à deux reprises des nègres [hommes et femmes] rassemblés en grandes foules près d'un pont entre le domaine Frontier et Port Maria, où il les avait entendus parler d'un soulèvement ». D'autres corroborèrent ses propos, arguant que les prétendus meneurs du réseau s'étaient réunis pour planifier le soulèvement et avaient déclaré que « lorsqu'ils l'auraient achevé, ils seraient libres ». Les magistrats soit ne demandèrent pas de preuves des rumeurs colportées par les autres, ou des propos sur l'abolition ou les abolitionnistes, soit n'en reçurent aucune, car elles pouvaient être dissimulées ou n'existaient pas. Un meneur, Charles Watson, avait, selon les témoignages, dit à une femme esclave prénommée Mary, « originaire de Saint-

Domingue », et à son mari qu'« ils allaient tous être libres » ; or, le lien ne fut pas fait avec une quelconque rumeur ou influence extérieure, tous préférant se demander si les comploteurs avaient réussi à se procurer des armes à feu (JPTPR : 38). Toutes les personnes jugées furent condamnées à la pendaison, et il fut rapporté qu'« aucun d'entre eux ne mentionna d'autres nègres en rapport avec eux, ni ne montra de signes de religion ou de repentir[20] » (JPTPR : 41-42).

En revanche, le nom de l'abolitionniste William Wilberforce et les rumeurs de modifications de la loi, voire de l'octroi de la liberté, étaient sur toutes les lèvres dans la paroisse de Saint James à la fin de l'année 1823. En décembre, les magistrats enquêtaient sur une information relayée par un homme noir libre, Robert Bartibo, selon laquelle les esclaves de Unity Hall s'étaient réunis et allaient se soulever à Noël, avec le plus grand nombre possible d'autres domaines, pour « tuer toute personne blanche qu'ils rencontreraient ». Bartibo rapporta également : « ils ont dit que le roi les avait libérés[21] » (JPTPR : 45). Le témoignage de Bartibo révèle que les rassemblements du samedi soir – pour manger, boire et danser – se tenant dans les « maisons de nègres » de la plantation de Unity Hall, à un demi-mile de la maison du contremaître, permettaient ces discussions entre esclaves de plantations voisines. Il témoigna que lors d'une danse chez John Cunningham, ils « dirent qu'ils se soulèveraient à Noël, à moins qu'ils n'obtiennent le vendredi et le samedi [pour eux-mêmes], ou la liberté » ; lors d'une autre, chez Mary Ann Reid, « ils trinquèrent, "à votre santé, M. Wilberforce", – c'était leur devise, [...] et chaque fois que son nom était prononcé, ils l'acclamaient[22] » (JPTPR : 47). Les témoignages donnés, et de toute évidence recueillis par les magistrats en fonction de ce qu'ils voulaient entendre, mettaient en doute les personnes présentes, ce qui avait été dit et par qui, ce qui avait été entendu et, bien sûr, ce que tout cela signifiait. Cela concernait aussi bien les femmes que les hommes ;

---

20. Témoignage de Mary, 19 décembre 1823, et Henry Cox à William Bullock, Industry, Jamaïque, 25 décembre 1823, JPTPR, p. 44 : "none would mention any other negroes concerned with them, or shew any symptoms of religion or repentance".

21. Samuel Vaughn à William Bullock, Saint James, 9 octobre 1823. Interrogatoire de Samuel W. Sharpe, 19 décembre 1823 : "[...] kill every white person they met with" et "[...] they said the King had made them free." (JPTPR, p. 46)

22. Interrogatoire de Robert Bartibo, 21 décembre 1823 : "said they would rise at Christmas, unless they got Friday and Saturday [for themselves], or freedom [...]" ; "they drank their toast, 'here is your health Mr. Wilberforce' – this was the main word with them, [...] and every time his name was mentioned they hurra'd."

ceux qui disaient que la liberté viendrait par décret, ou « que Wilbe[r]force avait une loi pour la liberté » (JPTPR : 52), et ceux qui disaient en douter ; ceux qui disaient qu'ils devraient gagner leur liberté par eux-mêmes et ceux qui exprimaient leurs craintes que cette liberté n'aggrave les choses. Il est évident que cela faisait partie d'une discussion plus générale, de « nouvelles glanées sur les routes » (JPTPR : 53). D'autres déclarèrent que « les nègres avaient dû entendre parler de la liberté au marché, alors que tout le monde en parlait à Montego Bay » (JPTPR : 79)[23]. La fiabilité des témoins, en particulier celle de Robert Bartibo et de son frère Peter, faisait également l'objet de nombreux débats. Pouvait-on croire ce qu'ils disaient plus que la parole des autres ?

En fin de compte, la majorité des magistrats conclurent qu'il ne s'agissait là que de paroles, qu'« il ne sembl[ait] pas y avoir eu de lieu fixe ou général, ni de grands préparatifs, le cas échéant, en vue d'une rébellion[24] » (JPTPR : 48). Bien qu'il ait fait état d'autres réunions et conversations nocturnes, notamment de la réunion d'un grand groupe « à l'insu des blancs ; juste après la barrière de l'embarcadère, près du marécage », les magistrats conclurent que « la situation actuelle [était] exclusivement due aux récits de ce qui se passe en Angleterre » et qu'ils avaient « tué dans l'œuf » cette prétendue rébellion. Le gouverneur reconnut que, contrairement à Saint Mary, « il sembl[ait] y avoir eu un très vif esprit critique, qui peut naturellement s'expliquer sans qu'on puisse leur attribuer une quelconque intention criminelle ». Le problème venait des rumeurs de liberté qui « les ont amenés à faire usage d'expressions inconsidérées, voire intempestives ». Les personnes jugées coupables d'avoir participé à des conversations dangereuses et à des réunions illégales furent condamnées à des peines de travaux forcés, et le gouverneur souligna la « clémence » dont fit preuve l'État colonial, qui aurait pu infliger la peine capitale. Les rumeurs, en tant que propos difficiles à relier à des interlocuteurs, pouvaient justifier un démenti de toutes parts (JPTPR : 59)[25].

---

23. Interrogatoire de William Stennett de Unity Hall, 25 décembre 1823 : "that Wilbe[r] force had a law for free" ; de Polydore, 25 décembre 1823 : "news on the road" ; et de Jane McDonald de Unity Hall, 28 janvier 1824, JPTPR, p. 79 : "The negroes must have heard about freedom at market, when it was all the talk at Montego Bay."

24. Vaughn à Bullock, Montego Bay, 23 décembre 1823 : "there does not appear to have been any fixed or general place, or any great preparation, if any, for a rebellion."

25. Interrogatoire de Robert Goldring, 5 janvier 1824 : "[…] out of hearing of the white people ; just past the wharf gate, near the morass" ; Vaughn à Bullock, St James, 2 février

À Saint George, les formes de langage étaient encore différentes. Comme à Saint Mary, il y avait des témoignages, cette fois de la part de personnes soucieuses de sauver leur peau, de rassemblements clandestins sur la plantation Balcarres pour planifier un soulèvement la nuit suivant Noël, et de communications avec d'autres plantations « pour se soulever en même temps, et commencer à assassiner tous les Blancs se trouvant à leur portée ». Comme à Saint James, il existe un témoignage de discussions entre esclaves sur le fait « que le roi leur avait accordé le vendredi et le samedi, mais que les buckras refusaient d'appliquer cette mesure[26] ». Pourtant, les contextes et les formes de langage étaient sensiblement différents. Une grande partie de la discussion s'était déroulée chez Richard Montagnac, dont la résidence était surnommée le « palais de justice ». Des hommes équipés d'épées en bois y avaient été rassemblés et avaient escorté Dennis Kerr, le « gouverneur », jusqu'à la maison du « roi », James Thompson, où les discussions s'étaient poursuivies. Dans son propre témoignage, Montagnac déclara que « tout cela avait pour but de s'amuser », et que le surnom de son domicile était dû au fait que c'était là que les hommes se rencontraient pour boire le rhum payé par les amendes perçues lorsqu'« un nègre en insultait un autre ». Selon lui, il s'agissait d'un autre lieu de droit, et non de souveraineté résistante. Mais le tribunal apprit aussi, par Jean Baptiste Corberand de la plantation Mullett Hall, l'homme qui avait fait office de témoin du roi, que « la loi avait été interprétée, qu'ils devaient avoir trois jours dans la semaine » et « ils marchèrent alors sur la maison suivante ». Interrogé par les magistrats, il affirma que ceux du « palais de justice » et Thompson – le « roi » de Mullett Hall – avaient approuvé « la même loi », et que « Henry Oliver dit que le roi [d'Angleterre] leur avait donné le vendredi et le samedi, et qu'ils devaient en disposer,

---

1824 : "The present disposition is entirely owing to the reports of what is going on in England" (JPTPR, p. 60) ; et Bullock à Vaughn, Spanish Town, 9 février 1824 : "There seems to have been a very active spirit of inquiry, which may be naturally accounted for without attributing to them any criminal intentions […]" ; "[…] led them to make use of inconsiderate and, in some instance, intemperate expressions." (JPTPR, p. 82).

26. Interrogatoire de Charles Mack du domaine Cambridge, 7 janvier 1824 ; JPTPR, p. 85 : "[…] to rise at the same time, and proceed to murder all the white people in their reach,' et témoignage de Jean Baptiste Corberand, JPTPR, p. 93 : "[…] that the King had given them Friday and Saturday, but the buckras would not give them.". Mack avait été recapturé après avoir échappé à l'esclavage et Corberand était devenu témoin du roi. Buckra était le nom donné aux Blancs par ceux qu'ils ont asservis.

sinon, ils le prendraient par la force[27] » (JPTPR : 84). Comme si la parole politique des esclaves, structurée par une appropriation des formes du discours juridique et du discours de souveraineté caractéristiques des modalités militaires masculines de l'Empire et des assemblées d'esclavagistes, avait transformé une rumeur, voire une nouvelle, en un éventuel appel aux armes.

Corberand fit également état d'un agitateur arrivé de l'extérieur, « Baptiste », qui « était venu de Saint-Domingue dans le but d'agiter les nègres », d'armes à feu parvenues de Kingston aux rebelles, et d'un homme pratiquant l'*obeah*[28] nommé « Jack » – spécialiste spirituel capable d'invoquer d'autres forces dans le monde – qui, à l'invitation d'Henry Oliver (« qui n'était jamais au travail, [et] s'était rendu à pied partout, convenant avec différentes personnes de la manière dont elles devaient agir »), était venu mobiliser les esclaves. Jack avait fait prêter serment ou « jurer » et « avait préparé une quantité d'herbes pilées, dont il avait enduit le corps des comploteurs, affirmant que cela devait les rendre invulnérables ». Selon Corberand, ce rituel se déroula à Balcarres, les hommes se tenant dans un cercle – les femmes n'ayant pas été informées du plan. Une fois les hommes « enduits », John Smith, un « major », « donna l'ordre et dit qu'ils devaient tous n'avoir qu'une seule parole, une seule bouche, une seule langue et un seul désir[29] » (JPTPR : 85-86). Pour sa part, Jack, arrêté et accusé à la fois de complot rebelle et de pratique de l'*obeah*, témoigna de la participation étroite de Corberand au complot. En outre, face à la mort, il n'exprima aucun repentir pour ses étranges pouvoirs, déclarant qu'il « savait que sa pratique de docteur était ce que les buckras appelaient

---

27. Interrogatoires de Richard Montagnac et Corberand, 26 décembre 1823 : "[…] was all meant in fun" et "[…] when one negro cursed another" ; et témoignage de Corberand, 19 janvier et 7 avril 1824. : "[…] the law was read, that they were to have three days in the week" ; "[…] they then marched from one house to another" (JPTPR, 88) et "Henry Oliver said that the King [of England] had given them Friday and Saturday, and they must have it, or they would take it by strong." (JPTPR, 103)

28. « *Obeah* » est le nom donné dans le monde anglo-caribbéen aux pratiques vaudou qui allient rituels et croyances spirituelles, médicales et juridiques.

29. Interrogatoire de Corberand, 8 janvier 1824 et témoignage de Corberand, 19 janvier et 2 février 1824. : "[…] who was never at work, [and] had walked every where, arranging with different persons how they were to act' et 'prepared a quantity of pounded bush, with which he anointed the bodies of the conspirators, affirming that was to render them invulnerable." ; "[…] came from St. Domingo on purpose to stir up the negroes" (JPTPR, 89) et : "[…] gave the order, and said they must all have one word, one mouth, one tongue and one desire […]." (JPTPR, 96)

l'*obeah*. Les buckras avaient leur propre mode ; en Guinée, les nègres pouvaient exercer la médecine ». Et il fit allusion à la façon dont cette médecine ouvrait d'autres mondes au-delà de la mort, disant qu'il ne reprochait pas à Corberand sa liberté, « mais qu'il espérait le rencontrer de temps à autre ». Jack fut condamné à la pendaison, tout comme Oliver et quatre autres personnes, pour ce qui a été jugé comme « un complot des plus diaboliques[30] » (JPTPR : 109). D'autres, dont Montagnac et Kerr, furent déportés. Ni les armes, ni l'agitateur révolutionnaire « Baptiste » ne furent retrouvés.

Les réunions nocturnes, les rumeurs lors de rassemblements dans les quartiers d'esclaves, l'appropriation des idiomes et des espaces juridiques et gouvernementaux, les discussions animées sur l'Atlantique noir et la communication révolutionnaire entre les îles (ou du moins sa possibilité) ont participé à la formation des sociabilités offrant un espace de discussion politique entre esclaves dans les plantations jamaïcaines dans les années 1820. Tout cela constituait un ensemble de ressources orales riches favorisant la formation de publics temporaires en opposition aux silences de l'esclavage. Ces différents modes de paroles politiques animaient des espaces de sociabilité qui pouvaient, ou non, participer à la production de formes d'action violente contre l'esclavage. Les différences entre ces modes d'expression suggèrent que la transformation de la rumeur en révolte n'était pas un processus simple, et que l'agentivité de l'esclave, façonné par des formes langagières particulières (et différenciées selon le sexe) tissées grâce à leurs réseaux de relations sociales au sein des plantations, était cruciale à cet égard. Quelle que soit l'issue de ces conspirations et révoltes, elles témoignent toutes de la fabrication active, inventive, multiple et différenciée des mondes politiques des esclaves par la parole.

Tandis que ces mots étaient prononcés, ou évoqués, les magistrats et hommes politiques blancs des Caraïbes entendaient, ou croyaient entendre, des sujets politiques s'exprimant comme eux dans ce qui était à la fois une reconnaissance de la subjectivité politique – preuve de la voix délibérative des esclaves – et un prélude aux poursuites et à la violence extrême face au paradoxe des esclaves « parlant librement » (Ogborn, 2019 :

---

30. Aveux de Jack, 8 avril 1824 : "[…] he knew that his doctoring was what buckra called obeah. Buckra had their own fashion ; in Guinea, negro could doctor" ; "[…] but he hoped to meet him by and by" ; et William A. Orgill à Bullock, Paradise, Saint George's, 10 janvier 1824 : "a most diabolical plot" (JPTPR : 82).

226-227). Parallèlement, les esclaves utilisaient les idiomes et les espaces des planteurs pour leur propre usage. Sur l'île Saint Christopher en 1770, les autorités, soupçonnant un complot, ne trouvèrent « rien de plus qu'une réunion tous les samedis soir des principaux nègres appartenant à plusieurs domaines dans une partie de l'île appelée Palmetto Point, durant laquelle ils imitaient leurs maîtres et avaient nommé un général, un lieutenant-général, un conseil et une assemblée et d'autres membres du gouvernement, et après avoir tenu un conseil et une assemblée, ils concluaient la nuit par une danse[31] » (Woodley, cité dans Gaspar, 1985 : 212). Le gouverneur jugea que ces réunions n'avaient encore donné lieu à aucun complot, mais qu'une telle perspective pourrait certainement advenir.

∗ ∗ ∗

Ces réflexions sur les géographies historiques de l'esclavage et de la parole politique dans les Caraïbes visent à reconsidérer, à partir des asymétries criantes de l'esclavage, la création d'espaces de sociabilité et le rapport de ces espaces au langage au cours du long XVIIIe siècle. On ne peut comprendre l'esclavage sans étudier les relations constitutives et les exclusions et inclusions qui ont façonné les espaces de sociabilité tels que les assemblées coloniales. En effet, ces espaces ont servi de base à l'élaboration non seulement de formes d'identité, mais aussi de modes de parole et d'action. Ces « voix délibératives » revendiquent une autorité – s'engageant elles-mêmes et engageant les autres à l'action – qui peut potentiellement avoir des conséquences fatales.

Néanmoins, mon intention, en discutant à la fois de la politique des planteurs et des complots parmi les esclaves, est également d'en faire ressortir les points communs. Les deux formes de groupement et de regroupement politiques montrent comment les actes de langage – exécutés dans des espaces particuliers, par et pour des orateurs et des publics spécifiques – ont été essentiels sur le plan politique à la production pra-

---

31. Gouverneur Woodley au secrétaire d'État, 20 avril 1770 : "nothing more than a Meeting every Saturday night of the Principle Negroes belonging to Several Estates in One quarter of the Island called Palmetto Point, at which they affected to imitate their Masters and had appointed a General, Lieutenant General, a Council and Assembly and other Officers of Government, and after holding a Council and Assembly they Concluded the night with Dance."

tique et continue de « publics ». Il n'est pas simplement question de pouvoir d'un côté et de résistance de l'autre, mais de la création de sujets politiques par des actes langagiers localisés et incarnés. En même temps, la différenciation des modes de langage pratiqués permet de différencier les publics qui se sont formés à travers eux et les espaces dans lesquels ils se sont constitués.

Ces espaces, compris en termes de microgéographies, sont à la fois constitutifs de ces actes de langage – qui font partie de l'élaboration de leurs « conditions de félicité » –, mais aussi constitués par cette parole. La relation entre politique, espace et sociabilité devient ainsi, en quelque sorte, indéterminée ou fluide, puisqu'elle doit exister dans et par la réalisation des actes de langage. Par exemple, pour qu'ils existent réellement, les modes de « liberté d'expression » des assemblées devaient être continuellement affirmés et promulgués en tant que principe politique et pratique. De plus, dans les complots des esclaves, des formes de mimétisme et d'appropriation semblaient évidentes et pouvaient ou non constituer des préludes à la révolte. Au début des années 1820, il était difficile de savoir à Saint George, en Jamaïque, si les esclaves se préparaient à la révolte ou s'ils participaient simplement à un « esprit actif de revendication ». Dans la mesure où les espaces de sociabilité se construisent continuellement par la pratique, notamment par l'acte langagier, ils peuvent toujours être constitués ou reconstitués de différentes manières.

De plus, toutes les formes de langage politique dont j'ai parlé ont de multiples géographies qui constituent leurs « espaces de sociabilité ». Ces derniers ont été façonnés par des systèmes de plantation à l'échelle de l'île et par la parenté des esclaves ; par des réseaux de commerce et de rumeurs entre les îles ; et par des formations atlantiques de culture politique impériale et coloniale, et diasporique ou atlantique noire, et par des façons de connaître le monde – des droits des Anglais nés libres aux rituels de l'*obeah*. Toutes ces géographies étaient susceptibles d'être exploitées dans la constitution de ces espaces par le langage.

Ainsi, en interprétant ces espaces comme des « espaces de sociabilité » – des espaces où un certain collectif s'est, au moins temporairement, constitué et en les analysant à travers le prisme des pratiques de langage –, le présent chapitre a mis en relief le processus constant de construction de collectifs à partir de matériaux très divers et contestés. Pour les planteurs, comprendre les espaces de sociabilité politiques par le langage permet de mettre l'accent sur la construction constante, active, permanente mais toujours contestée de leurs modes de suprématie blanche. Quant à la parole des esclaves, il s'agit de l'envisager comme située, incarnée et prononcée dans des contextes qui favorisent l'émergence d'une parole politique pour comprendre comment elle peut briser le silence et faire surgir un espace de sociabilité à partir de presque rien.

Conclusion

Dès lors qu'un individu ou un groupe d'individus investit et s'approprie matériellement et culturellement un espace par les pratiques et les objets dont il fait usage et qu'il met en scène, cet espace contribue en retour à son identification, à la création d'une identité individuelle et collective. Quelles que soient la diversité des espaces étudiés, la nature professionnelle ou ludique des pratiques de sociabilité, leur configuration circulaire ou réticulaire, il semble que «l'individu n'existe lui-même que par son emprise sur l'espace» (Fischer, 1978 : 404). Les contributions de cet ouvrage ont montré qu'une interprétation de l'espace au prisme de la sociabilité permettait de repenser celle-ci au-delà d'une conception formelle, ludique et quelque peu fictive des interactions entre individus pour révéler les tensions et les paradoxes inhérents aux processus d'agrégation sociale.

Si l'espace détermine la nature sociable des relations humaines et fait figure de «matrice de l'existence quotidienne», il est également «terrain de conflit entre des catégories antagonistes» (Fischer, 1978 : 404). Plusieurs chapitres de ce volume ont cherché à mettre en lumière le rôle de groupes sociaux apparemment minoritaires ou inférieurs – l'influence des femmes, des paysans, des ouvrières, des indigènes, des esclaves, des méthodistes – et leur relation au pouvoir à travers leurs pratiques de sociabilité. Comprendre la formation des espaces sociaux par la sociabilité nous amène à valoriser l'influence de ces catégories d'individus, souvent invisibilisés, sur la redéfinition des modèles de sociabilité, sur la formation des réseaux et sur la mise en œuvre de modes d'action et de stratégies collectives. Les tensions ou frictions qui peuvent opposer des individus au sein d'un groupe ou des groupes sociaux entre eux se révèlent alors fructueuses, car sources de prise de distance, d'émancipation et d'affranchissement. Que ce soit en quête d'identité ou au service d'une cause, pratiques de sociabilité riment avec appropriation de l'espace et liberté d'action et de parole en vue de réinventer une identité sociospatiale ou d'affirmer une identité politique.

Cette étude des sociabilités et des espaces aux XVIIIe et XIXe siècles s'est efforcée de montrer comment ces deux notions ainsi conjuguées pouvaient entrer en résonance pour produire, par les pratiques variées qui les animent, des identités sociales et culturelles. De même, elle a permis de comprendre comment, par le commerce et les circulations en Europe et dans les colonies, et par les forces et tensions inhérentes à la sociabilité humaine, les modèles se transforment et se redéfinissent sans cesse par un phénomène d'hybridation propre à tout transfert culturel.

Dans le cadre de ses travaux pionniers sur les transferts culturels, Michel Espagne (2013) a proposé de repenser la dynamique entre centre et périphérie, et le lien entre influence et pouvoir. Ce changement de focale est à ses yeux essentiel pour appréhender l'histoire du colonialisme comme un long processus d'influence mutuelle plutôt que comme un mouvement unilatéral : un processus créatif toujours à double sens. Les colonies ont influencé la métropole, qui exportait de la nourriture et des vêtements, de telle sorte que la culture matérielle et les modes de pensée des colonisateurs se sont trouvés inévitablement modifiés sous l'influence de la culture locale. Par ce processus de transfert et de migration d'une aire culturelle vers une autre, tout objet se retrouve dans un contexte nouveau et prend une signification nouvelle. De fait, l'échange culturel ne décrit pas la simple circulation des objets ou des idées dans leur état de départ, mais la manière dont ils sont constamment réinterprétés, repensés, redéfinis.

De même, plutôt que d'opposer centre et périphérie, Felicity Nussbaum préfère parler de carrefour ou de croisement (« *crossing* ») et met en avant l'imbrication entre le local, le régional et le global (Nussbaum, 2003 : 10)[1]. Ainsi, les zones où se rencontrent plusieurs influences favorisent le mélange culturel par l'hybridation des modèles. Ces « zones de contact », pour reprendre l'expression de Mary-Louise Pratt (1992), sont

---

1. " [I]nstead of imagining the globe in terms of centers and peripheries we might turn to diasporic areas of cultural mixture."

des espaces où s'opère un phénomène de «transculturation». L'expression «*sociable encounter*», qui a récemment servi de trame à l'ouvrage codirigé par Sebastian Domsch et Mascha Hansen (2021), fait écho à cette approche et nous a permis d'envisager le commerce, les correspondances, les voyages comme des vecteurs de sociabilité, favorables aux processus d'échange, de mélange culturel et d'hybridation des modèles. La rencontre, qui fonde le lien social et engage les individus et les groupes dans un processus de socialisation, prend une dimension sociable à l'époque des Lumières, où l'ouverture des espaces européens au monde est rendue possible grâce au commerce, à la navigation et à l'intensification des circulations, qu'il s'agisse des individus, des biens, des pratiques ou des savoirs.

Dans le cas de l'expansion anglaise sur tout le continent nord-américain et dans la Caraïbe s'opposent deux phénomènes illustrés par la formule de l'historien Malcom Gaskill, «*Old World fantasy cut with New World reality*» (2014: 380): l'anglicisation d'une part, par laquelle les colons anglais invoquaient leur héritage pour rendre compte de leur statut et de leur condition, et de l'autre, la créolisation, émanant de leur expérience spécifique d'Anglais en Amérique, au service de leurs intérêts et dépendants de leur environnement.

Le concept de «créolisation[2]» (Brathwaite, 1971; Glissant, 1981), utilisé par l'historiographie des empires coloniaux et de l'esclavage atlantique, a permis de définir ce besoin qu'ont les individus et groupes transplantés de reformuler, de «créoliser» la culture métropolitaine afin de l'adapter aux conditions physiques locales, aux structures socioéconomiques et aux modèles d'occupation et d'usage de la terre, tout en faisant en sorte qu'elle réponde aux attentes de populations issues de différentes origines culturelles (Greene, 2013).

Ce phénomène de mélange, d'appropriation réciproque et d'interpénétration des langues et des cultures, bien qu'ancré historiquement, est en réalité à la fois continu et en devenir. La créolisation désigne non seulement un processus sociétal, mais aussi les effets de ces contacts et rencontres sur les peuples ainsi mis en relation, passant par une recomposition de leur paysage mental. Au-delà de l'indigénisation de la langue

---

2. Le terme de «créolisation» est inventé en 1971 par l'historien et poète jamaïquain Edward Brathwaite, puis est ensuite développé à l'échelle franco-antillaise par le romancier et philosophe Édouard Glissant.

ou de l'hybridation des pratiques langagières à des fins politiques abordées dans la dernière partie de ce volume, il nous semble que ce processus est central pour comprendre comment les sociabilités européennes ont évolué grâce aux circulations, aux migrations et à l'appropriation de nouveaux territoires à l'échelle globale et comment ces individus et ces groupes transplantés sont parvenus à construire et développer de nouvelles pratiques et identités culturelles et sociales.

Appréhender le concept de sociabilité en étudiant la manière dont circulent et se diffusent tous ses composants – gestes, objets, pratiques, modèles associatifs – permet ainsi de dépasser une vision simplifiée et idéalisée de la sociabilité comme mode d'interaction sociale et ludique entre égaux. La prise en compte du sentiment d'appartenance, de l'appropriation de l'espace et des processus identitaires enrichit la compréhension des modèles de sociabilité à l'époque des Lumières et jusqu'à la fin du XIXᵉ siècle. De plus, au-delà d'une approche comparatiste ou transnationale, l'ensemble des contributions de cet ouvrage ont également montré que la superposition des échelles – locale, nationale et globale – offrait un angle d'analyse particulièrement fertile pour saisir la complexité et la dynamique des processus par lesquels apparaissent et s'épanouissent les sociabilités.

Notices biographiques

Valérie Capdeville est maître de conférences HDR en histoire et civilisation britanniques à l'Université Sorbonne Paris Nord. Spécialiste de l'histoire des sociabilités du long XVIIIe siècle et des clubs britanniques, ses travaux portent à présent sur le transfert du modèle du club dans l'Empire colonial. Cofondatrice et directrice du Groupement d'intérêt scientifique (GIS) Sociabilités depuis 2019, elle est membre du projet européen DIGITENS et directrice adjointe de l'encyclopédie numérique DIGITENS.

Aurélie Chatenet-Calyste est maître de conférences en histoire moderne à l'Université de Rennes 2. Ses travaux portent sur l'histoire sociale et économique des femmes de la noblesse française au XVIIIe siècle. Elle se penche actuellement sur le train de vie et la sociabilité des dames suivantes à la cour de France.

Simon Deschamps est maître de conférences à l'Université Toulouse-Jean Jaurès. Outre la franc-maçonnerie et la sociabilité des Lumières, ses recherches portent sur l'Empire britannique, et tout particulièrement l'histoire de l'Inde coloniale. Il s'intéresse aux réseaux coloniaux, à l'impérialisme culturel et à la mondialisation.

Isabelle Guégan est docteur en histoire moderne de l'Université de Bretagne occidentale. Elle s'intéresse tout particulièrement aux relations entre seigneurs et paysans au sujet de la terre et aux pratiques agraires.

Sihem Kchaou est maître-assistante à la Faculté des lettres, des arts et des humanités à l'Université de La Manouba en Tunisie. Ses recherches portent sur l'histoire sociale en France aux XVIIe et XVIIIe siècles, l'histoire de la famille et l'histoire de la vie privée. Elle a publié plusieurs articles sur les pratiques de sociabilité à table.

Pierre Labrune est maître de conférences en civilisation britannique et traduction à l'Université de Lille. Docteur en études anglophones de Sorbonne Université, agrégé d'anglais et ancien élève de l'École normale supérieure de Paris. Ses recherches portent sur les querelles religieuses, esthétiques et politiques dans la Grande-Bretagne du long XVIIIe siècle, et plus particulièrement sur les débats entourant le développement du méthodisme. Il contribue au projet DIGITENS.

Giacomo Lorandi enseigne l'histoire économique et sociale au Département d'histoire moderne et contemporaine de l'Université catholique de Milan. Sa recherche porte sur l'Europe des Lumières, et plus particulièrement sur l'innovation dans le domaine du soin et des maladies affectant les femmes. Depuis 2015, ses travaux sur la fonction sociale du médecin et la construction de la réputation médicale dans les milieux aristocrates l'ont amené à s'intéresser à la figure du médecin suisse Théodore Tronchin.

Laurence Machet est maître de conférences à l'Université Bordeaux-Montaigne. Après une thèse, un ouvrage et des articles consacrés à Wedgwood et à l'histoire industrielle britannique des XVIIIe et XIXe siècles, elle travaille depuis 2011 sur la thématique «peuples indigènes et environnement» et a coédité la revue *Elohi* pendant huit ans. En ce moment, elle s'intéresse plus particulièrement aux récits de voyage des premiers écologues américains.

Fabienne Moine est professeure de civilisation britannique à l'Université Paris-Est Créteil. Ses recherches portent sur les pratiques sociales et culturelles des Victoriens, en croisant histoire sociale, histoire culturelle, histoire des idées, sociologie et études de genre. Elle s'intéresse en particulier à la poésie populaire, de sa production à sa consommation, en tant que pratique sociale.

Michael North est professeur et titulaire d'une chaire en histoire moderne à l'Université de Greifswald (Allemagne). Il est directeur de l'Interdisciplinary Centre for Baltic Sea Region Research (IFZO) et spécialiste d'histoire économique, sociale et culturelle de l'Europe.

Miles Ogborn est professeur de géographie historique à l'Université de Queen Mary (Londres). Ses recherches portent sur le commerce de la Grande-Bretagne au sein de l'empire colonial au XVIIIe siècle.

Kimberley Page-Jones est maître de conférences en études britanniques à l'Université de Bretagne Occidentale. Ses travaux portent sur les récits de voyages et pratiques de sociabilités à l'époque romantique (1790-1830). Membre du GIS Sociabilités, elle coordonne le projet européen DIGITENS et est directrice adjointe de l'encyclopédie numérique DIGITENS.

Mathieu Perron termine un doctorat en histoire/études québécoise, en cotutelle UQTR/Université de Laval, sur la construction de l'État colonial québécois et bas canadien en relation avec le système d'encadrement du commerce de l'alcool. Il est chargé de cours à l'Université du Québec à Montréal et à Rimouski.

Léa Renucci est docteure en histoire associée au Centre Norbert Elias et qualifiée aux fonctions de maîtresse de conférences en histoire (section 22) par le Conseil National des Universités. Ses recherches abordent le fonctionnement d'institutions académiques, les pratiques et les sociabilités culturelles et intellectuelles de leurs membres ainsi que les réseaux liés, à partir d'écrits personnels, principalement des correspondances.

Ouvrages cités[1]

Introduction

ARMITAGE, David *et al.*, « Le retour de la longue durée : une perspective anglo-américaine », *Annales. Histoire, sciences sociales*, vol. 70, n° 2, 2015, p. 289-318.

BEAUREPAIRE, Pierre-Yves (dir.), *La plume et la toile. Pouvoirs et réseaux de correspondance dans l'Europe des Lumières*, Arras, Artois Presses Université, 2002.

—, *La communication en Europe de l'âge classique au siècle des Lumières*, Paris, Belin, 2014.

BIDART, Claire, « Étudier les réseaux, apports et perspectives pour les sciences sociales », *Informations sociales*, n° 147, 2008, p. 34-45.

BLANDIN, Bernard, *La construction du social par les objets*, Paris, Presses universitaires de France, 2015.

BOURDIEU, Pierre, *La distinction. Critique sociale du jugement*, Paris, Éditions de Minuit, coll. « Le sens commun », 1979.

CAPDEVILLE, Valérie et Éric FRANCALANZA (dir.), *La sociabilité en France et en Grande-Bretagne au siècle des Lumières. L'émergence d'un nouveau modèle de société*, t. III : *Les espaces de sociabilité*, Paris, Éditions Le Manuscrit, coll. « Transversales », 2014.

COLLEY, Linda, *Britons. Forging the Nation, 1707-1837*, New Haven, Yale University Press, 2005.

COOPER, Anthony Ashley, 3ᵉ comte de Shaftesbury, *Sensus Communis. An Essay on the Freedom of Wit and Humour*, Londres, E. Sanger, 1709.

FOUCAULT, Michel, *Surveiller et punir. Naissance de la prison*, Paris, Gallimard, 1975.

GARVE, Christian, *Gesammelte Werke*, édition établie sous la direction de K. WÖLFEL, Zürich, Olms, 1985, 15 vol.

GWYNN, John, *London and Westminster Improved, Illustrated by Plans. To Which Is Prefixed, A Discourse on Publick Magnificence ; With Observations on the State of

---

1. Une bibliographie complémentaire est disponible sur le site web des PUM : pum. umontreal.ca/catalogue/la_fabrique_des_sociabilites_en_europe_et_dans_les_colonies

Arts and Artists in this Kingdom, Wherein the Study of the Polite Arts Is Recommended as Necessary to a Liberal Education; Concluded by Some Proposals Relative to Places not Laid Down in the Plans, Londres, imprimé par l'auteur, 1766.

HUME, David, « Of Commerce », dans *Essays. Moral, Political and Literary*, édition établie sous la direction d'Eugene F. MILLER, Indianapolis, Liberty Fund, [1758] 1987.

JAFFRO, Laurent, *Éthique de la communication et art d'écrire : Shaftesbury et les Lumières anglaises*, Paris, Presses universitaires de France, 1998.

KLEIN, Lawrence E., *Shaftesbury and the Culture of Politeness*, Cambridge, Cambridge University Press, 1994.

LEUWERS, Hervé, « Pratiques, réseaux et espaces de sociabilité au temps de la Révolution française », dans Jean-Clément MARTIN (dir.), *La Révolution à l'œuvre. Perspectives actuelles dans l'histoire de la Révolution française*, Rennes, Presses universitaires de Rennes, 2005, p. 41-55.

LILTI, Antoine, *L'héritage des Lumières. Ambivalences de la modernité*, Paris, Éditions du Seuil/Gallimard, 2019.

MANDEVILLE, Bernard, *La fable des abeilles*, t. I, traduit de l'anglais par Jean BERTRAND à partir de la 6ᵉ édition, Londres, Jean Nourse, [1714] 1750.

NUSSBAUM, Felicity (dir.), *The Global Eighteenth Century*, Baltimore, John Hopkins University Press, 2003.

OGBORN, Miles, *Spaces of Modernity : London's Geographies, 1680-1780*, Londres/New York, Guilford Press, 1998.

SAY, Léon, *David Hume, Oeuvre économique*, Paris, Guillaumin, 1852.

SIMMEL, Georg, *Sociologie et épistémologie*, traduit de l'allemand par Liliane Gasparini, Paris, Presses universitaires de France, [1908] 1981.

SMITH, Adam, *The Wealth of Nations*, Londres, W. Strahan and T. Cadell, 1776.

TAJFEL, Henri, « Social identity and intergroup behaviour », *Social Science Information*, vol. 13, n° 2, 1974, p. 65-93.

WASZEK, Norbert, « La "tendance à la sociabilité" (*Trieb der Geselligkeit*) chez Christian Garve », *Revue germanique* internationale, n° 18 : « Trieb : tendance, instinct, pulsion », sous la direction de Myriam Bienenstock, 2002, p. 71-85.

Chapitre 1. Travaux agricoles et réjouissances en Basse-Bretagne

BOUËT, Alexandre, et Olivier PERRIN, *Breiz-Izel ou la vie des Bretons de l'Armorique*, Tchou, Paris, [1835] 1970.

CALVEZ, Ronan, « Les mots et les causes. Du Dictionnaire de Coëtanlem », *La Bretagne linguistique*, n° 17, 2013, p. 15.

COËTANLEM DE ROSTIVIEC, Pierre de, *Dictionnaire de la langue bretonne*, Brest, Bibliothèque municipale de Brest, t. I, II, III et V, ms. 200, 1789-1820.

GUILCHER, Jean-Michel, « L'aire neuve en Basse-Bretagne », *Arts et traditions populaires*, vol. 8, 1960, p. 158-164.

HAUDEBOURG, Guy, *Mendiants et vagabonds en Bretagne au XIXᵉ siècle*, Presses universitaires de Rennes, 1998.

LEMAITRE, Alain J., *La misère dans l'abondance en Bretagne au* XVIIIe *siècle. Le mémoire de l'intendant Jean-Baptiste des Gallois de La Tour*, Rennes, Société d'histoire et d'archéologie de Bretagne, 1999.

MAUSS, Marcel, *Essai sur le don. Forme et raison de l'échange dans les sociétés archaïques*, Paris, Presses universitaires de France, 2012.

ROUDAUT, Fanch, Daniel COLLET et Jean-Louis LE FLOC'H, *1774. Les recteurs léonards parlent de la misère*, Quimper, Société archéologique du Finistère, 1987.

Chapitre 2. Sociabilités méthodistes et orthodoxie anglicane

ANDERSON, Misty G., *Imagining Methodism in Eighteenth-Century Britain: Enthusiasm, Belief, & the Borders of the Self*, Baltimore, Johns Hopkins University Press, 2012.

ANONYME [Edmund GIBSON], *Observations upon the Conduct and Behaviour of a Certain Sect, Usually Distinguished by the Name of Methodists*, 2e édition, Londres, E. Owen, 1744.

CHURCH, Thomas, *A Serious and Expostulatory Letter to the Rev. Mr. George Whitefield, on Occasion of his Late Letter to the Bishop of London, and other Bishops; and in Vindication of the Observations upon the Conduct and Behaviour of a Certain Sect usually distinguished by the Name of Methodists, Not Long Since Published*, Londres, M. Cooper, 1744.

CRAGWALL, Jasper, *Lake Methodism*, Columbus, Ohio State University Press, 2013.

GIBSON, Edmund, « The Bishop of London's Pastoral Letter to the People of his Diocese : By way of Caution against Lukewarmness on one Hand, and Enthusiasm on the Other », dans *The Bishop of London's Pastoral Letter Answer'd by the Reverend Mr. George Whitefield*, Londres, S. Buckley, 1739.

LAVINGTON, George, *The Enthusiasm of Methodists and Papists Compared*, Londres, J. and P. Knapton, 1749.

LEFEBVRE, Henri, « La production de l'espace », *L'Homme et la société*, n°s 31-32, 1974, p. 15-32.

McINELLY, Brett C., *Textual Warfare and the Making of Methodism*, New York, Oxford University Press, 2014.

WARBURTON, William, *The Doctrine of Grace, or the Offices and Operations of the Holy Spirit Vindicated from the Insults of Infidelity and the Abuses of Fanaticism*, Londres, A. Millar, 1763.

WESLEY, John, *The Nature, Design, and General Rules of the United Societies in London, Bristol, Kingswood, and Newcastle upon Tyne*, Bristol, Felix Farley, 1743.

—, « A Letter to the Author of Enthusiasm of Methodists and Papists Compared », dans *The Works of John Wesley*, vol. 13, Londres, Thomas Cordeux, 1812, p. 1-17.

WHITEFIELD, George, *The Nature and Necessity of Society in General, and of Religious Society in Particular. A Sermon Preached in the Parish Church of St. Nicholas in Bristol, and before the Religious Societies, At One of their General Quarterly Meetings, in Bow-Church, London, in the Year 1737*, 4e édition, Londres, W. Bowyer, 1738.

—, « Directions how to Hear Sermons. A Sermon, Preached at Christ's Church, in Spittlefields, London », *The Christian's Companion, or Sermons on Several Subjects*, Londres, s. é., 1739.

—, *A Letter to the Reverend Mr. Thomas Church, M. A., Vicar of Battersea, and Prebendary of St. Paul's; in Answer to his Serious and Expostulatory Letter to the Revd. Mr. George Whitefield, on Occasion of his Later Letter to the Bishop of London, and other Bishops*, Londres, W. Strahan, 1744a.

—, *An Answer to the First Part of an Anonymous Pamphlet, Entitled, Observations upon the Conduct and Behaviour of a Certain Sect Usually Distinguished by the Name of Methodists. In a Letter to the Right Reverend the Bishop of London*, Boston, Rogers and Fowle, 1744b.

—, *Some Remarks on a Pamphlet, Entitled The Enthusiasm of Methodists and Papists compar'd; Wherein Several Mistakes in Some Parts of his Past Writings and Conduct are Acknowledged, and his Present Sentiments Concerning the* Methodists *Explained. In a Letter to the Author*, Londres, W. Strahan, 1749.

Chapitre 3. Poésie ouvrière et paternalisme en Grande-Bretagne

« DOUGLAS », « A visit to Saltaire, Christmas 1857 », *Bradford Observer*, 21 janvier 1858.

ABEL, George, *Gordon, and Other Poems*, Londres, Millington Brothers, 1885.

BALGARNIE, Robert, *Sir Titus Salt, Baronet : His Life and its Lessons*, Londres, Hodder and Stoughton, 1877.

BLAIR, Kirstie, *Working Verse in Victorian Scotland. Poetry, Press, Community*, Oxford, Oxford University Press, 2019a.

BLAIR, Kirstie, « The piston and the pen : poetry and the Victorian industrial worker », *Journal of the British Academy*, vol. 7, 2019b, p. 123-139.

DEBOUZY, Marianne, « Permanence du paternalisme ? », *Le Mouvement social*, n° 144 : « Paternalismes d'hier et d'aujourd'hui », juillet-septembre 1988, p. 3-16.

GOODRIDGE, John et Bridget KEEGAN (dir.), *Nineteenth-Century English Labouring-Class Poets 1800-1900*, vol. 3, Londres, Pickering & Chatto, 2006.

GORDON, Mrs D. H., « St Leonard's works excursion », dans *Poems by « Violet »*, Dunfermline, A. Romanes, 1890.

HOLROYD, Abraham, *Saltaire and Its Founder, Sir Titus Salt, Bart.*, Saltaire, Abraham Holroyd, 1871.

JOHNSTON, Ellen, *Autobiography, Poems and Songs of Ellen Johnston, the "Factory Girl"*, Glasgow, William Love, 1867.

JOYCE, Patrick, *Work, Society and Politics : The Culture of the Factory in Later Victorian England*, Brighton, Harvester Press, 1980.

MAIDMENT, Brian, *The Poorhouse Fugitives : Self-Taught Poets and Poetry in Victorian Britain*, Manchester, Carcanet Press, 1987.

MERRYWEATHER, Mary, *Experience of Factory Life Being a Record of Fourteen Years at Mr. Courtauld's Silk Mill at Halstead in Essex*, Londres, Victoria Press, 1862.

ROBERTS, F. David, *The Social Conscience of the Early Victorians*, Stanford, Stanford University Press, 2002.

TIMNEY, Meagan, « Working-Class Women's Writing in the Nineteenth-Century Radical Periodical Press : Chartist Threads », *Philological Quarterly*, vol. 92, n° 2, 2013, p. 177-197.

WADDINGTON, James, *Flowers from the Glen. The Poetical Remains of James Waddington of Saltaire*, Bradford, Abraham Holroyd, 1862.

ZLOTNICK, Susan, *Women, Writing, and the Industrial Revolution*, Baltimore, Johns Hopkins University Press, 2001.

Chapitre 4. Objets et pratiques aristocratiques dans l'espace domestique

ANF, MC, étude CXVII, liasse 441. Inventaire après décès du 12 décembre 1741 d'Anne-Sabine Olivier de Sénozan, première épouse de Charles-François de Montmorency-Luxembourg, deuxième prince de Tingry.

ANF, MC, étude XCII, liasse 547. Inventaire après décès du 1er décembre 1746 du premier prince de Tingry. Louis-Christian de Montmorency-Luxembourg est souverain de Luxe, comte de Beaumont, marquis de Bréval, chevalier des ordres du roi, lieutenant général au gouvernement de Flandre, gouverneur des ville et citadelle de Valenciennes, des ville et château de Mantes, grand bailli de Mantes, du pays mantois et de Meulan, maréchal de France à partir de 1734. Il est le quatrième fils du maréchal de Luxembourg (1628-1695).

ANF, MC, étude XCII, liasse 561. Inventaire après décès du 17 septembre 1749, de Louise-Madeleine de Harlay, comtesse de Beaumont, marquise de Bréval, maréchale de Montmorency.

ANF, MC, étude XCII, liasse 569. Inventaire après décès du 1er février 1751 de Françoise-Thérèse-Martine Le Pelletier de Rosambo, comtesse de Montmorency, première épouse du comte de Montmorency.

ANF, MC, étude LII, liasse 424. Inventaire après décès du 13 octobre 1762 de Joseph-Maurice-Annibal, comte de Montmorency, lieutenant général des armées du roi.

ANF, MC, étude XCII, liasse 925. Inventaire après décès du 27 avril 1787 du deuxième prince de Tingry. Charles-François-Christian est duc de Beaumont, marquis de Bréval, comte de Luxe. Il a occupé les fonctions de capitaine des gardes du corps du roi puis lieutenant général de ses armées et au gouvernement de Flandre.

ANONYME, *L'école parfaite des officiers de bouche contenant le vray maître d'hôtel, le grand ecuyer tranchant, le sommelier royal, le confiturier royal, le cuisinier royal et le pâtissier royal*, 4e édition, Jean Ribou, Paris, 1680.

ARCHIVES DÉPARTEMENTALES DE SEINE-ET-MARNE, Q 2011. Procès-verbal du commencement de vente de meubles de l'émigré Montmorency, le 1er juillet 1793. Ce document concerne le château de Beaumont d'Anne-Christian de Montmorency-Luxembourg de Tingry, duc de Beaumont.

AUDOT, Louis-Eustache, *La cuisinière de la campagne et de la ville ou La nouvelle cuisine économique…*, Paris, librairie Audot, 1896.

BRILLAT-SAVARIN, Jean Anthelme, *Physiologie du goût*, Paris, Gabriel de Gonet, 1848.

CAPDEVILLE, Valérie, *L'âge d'or des clubs londoniens (1730-1784)*, Paris, Honoré Champion, 2008.

DUHAMEL DU MONCEAU, Henri-Louis, *L'art de faire les pipes à fumer le tabac*, Paris, imprimerie de L. F. Delatour, 1771.

ELIAS, Norbert, *La société de cour*, Paris, Flammarion, coll. « Champs », 1985.

FURETIÈRE, Antoine, *Dictionnaire universel*, La Haye/Rotterdam, Arnout et Reinier Leers, 1690.

GHERCHANOC, Florence (dir.), *La maison, lieu de sociabilité, dans des communautés urbaines européennes, de l'Antiquité à nos jours*, Colloque international de l'Université Paris VII Paris-Diderot, 14-15 mai 2004, Paris, Manuscrit Université, 2006.

LA BRUYÈRE, Jean de, *Les caractères de Théophraste, traduits du grec, avec Les caractères ou les mœurs de ce siècle*, Amsterdam, chez les frères Wetsteins, 1720.

LESTIENNE, Cécile, « La salle à manger : naissance et adoption d'une pièce réservée au repas (XVIIe-XIXe siècle) », *In Situ*, n° 41, 2019, [En ligne], [https://journals.openedition.org/insitu/26742].

LILTI, Antoine, *Le monde des salons. Sociabilité et mondanité à Paris au XVIIIe siècle*, Paris, Fayard, 2005.

LOUSSOUARN, Sophie, « La cérémonie du thé dans la peinture anglaise du XVIIIe siècle », *Revue française de civilisation britannique*, vol. 13, n° 4, 2006, [En ligne], [https://journals.openedition.org/rfcb/1637].

LUYNES, Charles-Philippe d'Albert, duc de, *Mémoires du duc de Luynes sur la cour de Louis XV (1735-1758)*, vol. 14, Paris, Firmin Didot frères, fils et cie, 1863.

MARENCO, Claudine, *Manières de tables, modèles de mœurs, XVIIe-XXe siècle*, Cachan, Éditions de l'ENS-CACHAN, 1992.

MEYZIE, Philippe, *L'alimentation en Europe à l'époque moderne*, Paris, Armand Colin, 2010.

ORTIGUE DE VAUMORIÈRE, Pierre, *L'art de plaire dans la conversation, augmenté de deux entretiens, l'un sur le jeu, et l'autre sur le génie et le propre*, Paris, Jean et Michel Guignard, 1701.

PARDAILHÉ-GALABRUN, Annick, *La naissance de l'intime, 3 000 foyers parisiens, XVIIe-XVIIIe siècles*, Paris, Presses universitaires de France, 1988.

RICHELET, Pierre, *Dictionnaire françois*, Genève, chez Jean Herman Widerhold, 1680.

—, *Dictionnaire de la langue françoise, ancienne et moderne*, Amsterdam, aux dépens de la compagnie, 1732.

RIVIÈRE, Claude, *Les rites profanes*, Paris, Presses universitaires de France, 1995.

VERDIER, Marc, « Le château de Beaumont-en-Gâtinais avant la Révolution », *Monuments et sites de Seine-et-Marne*, 1977, p. 24-29.

Chapitre 5. Sociabilités féminines à la cour de France

CENTRE DE RECHERCHE DU CHÂTEAU DE VERSAILLES (CRCV), « Dames du palais de Marie Leczinska, 1725-1768 », 2012, [En ligne], [http://chateauversailles-recherche.fr/IMG/pdf/dames_palais_marie_leczinska.pdf].

CHEVALLIER, Pierre, « Une promotion épiscopale sous Louis XV (1752-1753), *Revue d'histoire moderne et contemporaine*, vol. 6, n° 3, juillet-septembre 1959, p. 211-225.

CHEVERNY, Jean Nicolas Dufort, comte de, *Mémoires*, édition établie sous la direction de Jean-Pierre GUICCIARDI, Paris, Perrin, 1990.

CHOLLET, Mathilde, *Être et savoir. Une ambition de femme au siècle des Lumières*, Rennes, Presses universitaires de Rennes, coll. « Histoire », 2016.

COMBEAU, Yves, *Le comte d'Argenson (1696-1764), ministre de Louis XV*, Paris, École nationale des Chartes, 1999.

COSANDEY, Fanny, «Honneur aux dames. Préséances au féminin et prééminence sociale dans la monarchie d'Ancien Régime (xvie-xviie siècles)», dans Giulia CALVI et Isabelle CHABOT (dir.), *Moving Elites. Women and Cultural transfers in the European Court System*, EUI Working Papers, HEC, février 2010, p. 65-75, [En ligne], [http://hdl.handle.net/1814/14234].

COSANDEY, Fanny, *La reine de France. Symbole et pouvoir, xve-xviiie siècle*, Paris, Gallimard, coll. «Bibliothèque des histoires», 2000.

CROŸ, Emmanuel, duc de, *Journal inédit sur la cour de Louis XV et Louis XVI*, édition établie sous la direction du vicomte DE GROUCHY et de Paul COTTIN, Paris, Flammarion, 1907.

HÉNAULT, Charles Jean François, *Mémoires du président Hénault de l'Académie française, écrits par lui-même, recueillis et mis en ordre par son arrière-neveu M. le baron de Vigan*, Paris, E. Dentu, 1855.

HOURS, Bernard, *Louis XV et sa cour. Le roi, l'étiquette et le courtisan. Essai historique*, Paris, Presses universitaires de France, 2002.

LALANNE, Manuel, «L'appartement de Marie Leszczyńska (1725-1768)», *Bulletin du Centre de recherche du château de Versailles*, 2012, [En ligne], [https://journals.openedition.org/crcv/12078 ?lang=en].

LE ROY LADURIE, Emmanuel, (avec la collaboration de Jean-François Fitou), *Saint-Simon ou Le système de la Cour*, Paris, Fayard, 1997.

LUYNES, Charles-Philippe d'Albert, duc de, *Mémoires du duc de Luynes sur la cour de Louis XV (1735-1758)*, Paris, Firmin Didot frères, fils et cie, 1860-1865, 17 vol.

MOUSNIER, Roland, «Conclusion», *xviie siècle*, n° 122 : «La mobilité sociale au xviie siècle», 1979, p. 73-77.

NEWTON, William Ritchey, *L'espace du roi, la cour de France au château de Versailles, 1682-1789*, Paris, Fayard, 2000.

RAVEL, Agnès, «Le "parti dévot" à la cour de France sous Louis XIV, Louis XV et Louis XVI», thèse de doctorat, Paris, EHESS, 2010.

SURREAUX, Simon (dir.), «*Aimez-moi autant que je vous aime*». *Correspondances de la duchesse de Fitz-James, 1757-1771*, Paris, Éditions Vendémiaire, 2013.

Chapitre 6. Médecine, société mondaine et célébrité

BALZAC, Honoré de, *Romans et contes philosophiques. Le Réquisitionnaire*, Paris, Charles Gosselin, 1831.

BOISSIER, Raymond, «Voltaire et les médecins. 1. Voltaire et Tronchin», *Le progrès médical*, n° 51, 1927, p. 2031-2040.

CABANÈS, Alain, *Mœurs intimes du passé*, vol. 5, Paris, Albin Michel, 1912.

COLLÉ, Charles, *Journal et mémoires de Charles Collé. Sur les hommes de lettres, les ouvrages dramatiques et les événements les plus mémorables du règne de Louis XV, 1748-1772*, t. I, Paris, Firmin Didot frères, fils et cie, 1868.

GRIMM, Friedrich Melchior, *Correspondance littéraire, philosophique et critique de Grimm et de Diderot depuis 1753 jusqu'en 1790*, vol. 2, édition établie sous la direction de Jules-Antoine TASCHEREAU et A. CHAUDÉ, Paris, Furne, 1829.

LUYNES, Charles-Philippe d'Albert, duc de, *Mémoires du duc de Luynes sur la cour de Louis XV (1735-1758)*, vol. 15, Paris, Firmin Didot frères, fils et cie, 1865.

MAUGRAS, Gaston. *Le duc et la duchesse de Choiseul. Leur vie intime, leurs amis et leur temps*, Paris, Plon, 1902.

VOLTAIRE, *Œuvres complètes de Voltaire*, édition établie par Theodore BESTERMAN, Oxford, Voltaire Foundation, 1968-1977.

Chapitre 7. Culture matérielle et circulation des modes dans l'empire colonial néerlandais

DIBBITS, Hester C., « "Als men sooverre van den anderen is…" Het maatschappelijk vermogen van Gustaaf Willem Baron van Imhoff, gouverneur-generaal van de Verenigde Oostindische Compagnie 1743-1750 », thèse de doctorat, Amsterdam, Université d'Amsterdam, 1989.

GERRITSEN, Anne, « Domesticating goods from overseas : global material culture in the early modern Netherlands », *Journal of Design History*, vol. 29, n° 3, 2016, p. 228-244.

GORDON, Daniel, « The dematerialization principle : sociability, money and music in the eighteenth century », *Historical Reflections/Réflexions historiques*, vol. 31, n° 1 : « Money in the Enlightenment », printemps 2005, p. 71-92.

HEYDT, Johann Wolfgang, *Allerneuester Geographisch- und Topographischer Schau-Platz von Africa und Ost-Indien oder Ausführliche und Wahrhafte Vorstellung und Beschreibung, von den Wichtigsten der Holländisch-Ost-Indischen Compagnie in Africa und Asia zugehörigen Ländere, Kü…/*, Wilhelmsdorf, Tetschner, 1744.

JACOBS, Jaap, « "It has pleased the Lord that we must learn English" : Dutch New York after 1664 », dans Deborah L. KROHN, Marybeth DE FILIPPIS et Peter N. MILLER (dir.), *Dutch New York between East and West. The World of Margrieta van Varick*, New Haven, Yale University Press, 2009, p. 55-65.

KANT, Emmanuel, *Anthropology from a Pragmatic Point of View*, traduit de l'allemand en anglais par Robert B. LOUDEN, Cambridge, Cambridge University Press, [1798] 2006.

KLOOSTER, Wim, *The Dutch Moment. War, Trade, and Settlement in the Seventeenth-Century Atlantic World*, Ithaca, Cornell University Press, 2016.

MALAN, Antonia, « The cultural landscape », in N. WORDEN (dir.), *Cape Town. Between East and West : Social Identities in a Dutch Colonial Town*, Cape Town, Jacana, 2012, 1-25.

MITCHELL, Laura J., *Belongings. Property, Family, and Identity in Colonial South Africa (An Exploration of Frontiers, 1725-c. 1830)*, New York, Columbia University Press, 2009

MONTIAS, John Michael, *Artists and Artisans in Delft. A Socio-Economic Study of the Seventeenth Century*, Princeton, Princeton University Press, 1982.

—, « Works of art in seventeenth-century Amsterdam : an analysis of subjects and attributions » dans David FREEDBERG et Jan DE VRIES (dir.), *Art in History, History in Art : Studies in Seventeenth-Century Dutch Culture*, Los Angeles/Santa Monica, Getty Center for the History of Art and the Humanities, 1991, p. 331-372.

NIJBOER, Harm, « De fatsoenering van het bestaan. Consumptie in Leeuwarden tijdens de Gouden Eeuw », thèse de doctorat, Groningen, Université de Groningen, 2007.

NORTH, Michael, *Art and Commerce in the Dutch Golden Age*, New Haven, Yale University Press, 1997.

—, « *Material Delight and the Joy of Living* » *Cultural Consumption in the Age of Enlightenment in Germany*, traduit de l'allemand en anglais par Pamela Selwyn, Aldershot, Ashgate Publishing, 2008.

—, « Production and reception of art through European company channels in Asia », dans Michael NORTH (dir.), *Artistic and Cultural Exchanges between Europe and Asia, 1400-1900*, Farnham, Ashgate Publishing, 2010, p. 89-108.

—, « Domestic interiors in seventeenth- and eighteenth-century Batavia », dans Raquel A. G. Reyes (dir.), *Art, Trade, and Cultural Mediation in Asia, 1600-1950*, Londres, Palgrave Macmillan, 2019, p. 103-121.

PAGANI, Catherine, *Eastern Magnificence and European Ingenuity. Clocks of Later Imperial China*, Ann Arbor, University of Michigan Press, 2001.

PANETTA, Roger (dir.), *Dutch New York. The Roots of Hudson Valley Culture*, New York, Hudson River Museum/Fordham University Press, 2009.

PIWONKA, Ruth, « "I could not guess what she intended to do with it" : colonial American-Dutch material culture », dans Roger PANETTA (dir.), *Dutch New York. The Roots of Hudson Valley Culture*, New York, Hudson River Museum/Fordham University Press, 2009, p. 159-188.

Ross, Robert, *A Concise History of South Africa*, Cambridge, Cambridge University Press, 1999.

The Getty Provenance Index Database http://piprod.getty.edu/starweb/pi/servlet. starweb?path=pi/pi.web

VEENENDAAL, Jan, *Furniture from Indonesia, Sri Lanka and India during the Dutch Period*, Delft, Volkenkundig Museum Nusantara, 1985.

VENEMA, Janny, *Beverwijck. A Dutch Village on the American Frontier, 1652-1664*, Hilversum/Albany, Verloren/State University of New York Press, 2003.

WORDEN, Nigel (dir.), *Cape Town. Between East and West : Social Identities in a Dutch Colonial Town*, Jacana, 2012.

Chapitre 8. Tavernes et cafés au Québec ancien

BÉGON, Élisabeth, *Lettres au cher fils. Correspondance d'Élisabeth Bégon avec son gendre (1749 à 1753)*, Montréal, Hurtubise HMH, 1972.

BOSWELL, James, *Life of Johnson*, Oxford, Oxford University Press, [1791] 2008.

BRIAND, Yves, « Auberges et cabarets de Montréal (1680-1759). Lieux de sociabilité », mémoire de maîtrise, Québec, Université Laval, 1999.

CUSHING, Elmer, *An Appeal, addressed to a Candid Public and to the Feeling of Those whose Upright Sentiments and Discerning Minds, Enable Them to « Weight It in the Balance of the Sanctuary »* by Elmer Cushing, Esquire, wherein is Displayed the Singular History of the Author Together with that of the Other Americans Settled in the Province of Lower-Canada, Stanstead, imprimé pour l'auteur par S. H. Dickerson, 1826.

EAMON, Michael, *Imprinting Britain. Newspapers, Sociability, and the Shaping of British North America*, Montréal/Kingston, McGill-Queen's University Press, 2015.

ELIAS, Norbert, *La société de cour*, Paris, Flammarion, coll. «Champs», 1985.

ELLIS, Markman, *The Coffee House. A Cultural History*, Londres, Weidenfeld & Nicolson, 2004.

FYSON, Donald, «Domination et adaptation: les élites européennes au Québec, 1760-1841», dans Claire LAUX *et al.* (dir.), *Au sommet de l'Empire. Les élites européennes dans les colonies (XVIᵉ-XXᵉ siècle)*, Berne, Peter Lang, 2009, p. 167-196.

GREENWOOD, Murray F., *Legacies of Fear: Law and Politics in Quebec in the Era of the French Revolution*, Toronto, Toronto University Press, 1993.

INNIS, Harold A., *Select Documents in Canadian Economic History, 1497-1783*, Philadelphie, Porcupine Press, [1929] 1977.

JOHNSON, Samuel, *A Dictionary of the English Language: in Which the Words Are Deduced from Their Originals, and Illustrated in Their Different Significations by Examples from the Best Writers to Which Are Prefixed, History of the Language, and an English Grammar: in Two Volumes*, vol. 1, Londres, Strahan, 1755.

KALM, Pehr, *Voyage de Pehr Kalm au Canada en 1749*, journal de route traduit du suédois et annoté par Jacques Rousseau et Guy Béthune, avec le concours de Pierre Morisset, Montréal, Pierre Tisseyre, 1977.

LAMBTON, John Georges, Charles BULLER et Edward Gibbon WAKEFIELD, *Rapport de Lord Durham sur les affaires de l'Amérique septentrionale britannique*, Montréal, L'Ami du peuple, 1839.

MULLIN, Janet E., *A Sixpence at Whist. Gaming and the English Middle Classes, 1680-1830*, Woodbridge, Boydell & Brewer, 2015.

OUELLET, Réal, *La relation de voyage en Amérique (XVIᵉ-XVIIIᵉ siècle). Au carrefour des genres*, Québec, Presses de l'Université Laval/éditions du CIERL, 2010.

ROBERTS, Julia, *In Mixed Company. Taverns and Public Life in Upper Canada*, Vancouver, University of British Columbia Press, 2009.

SÉGUIN, Robert-Lionel, *La vie libertine en Nouvelle-France au XVIIᵉ siècle*, Montréal, Leméac, vol. 1, 1972.

TÊTU, Henri et Charles Octave Gagnon, *Mandements, lettres pastorales et circulaires des évêques de Québec*, Diocèse de Québec, Église catholique, 1888.

TRENTMANN, Frank, *Empire of Things. How We Became a World of Consumers, from the Fifteenth to the Twenty-First*, New York, Harper Collins, 2016.

VERREAU, Hospice Anthelme, *L'invasion du Canada. Collection de mémoires*, Montréal, Eusèbe Sénécal, 1873.

WRIGHT, Louis B. et Marion TINLING (dir.), *Quebec to Carolina in 1785-1786. Being the Travel Diary and Observations of Robert Hunter, Jr. A Young Merchant of London*, San Marino, Huntington Library, 1943.

Chapitre 9. L'Arcadie de Rome aux Antilles

AGULHON, Maurice, *Le cercle dans la France bourgeoise 1810-1848: Étude d'une mutation de sociabilité*, Paris, Armand Colin, 1977.

BEAUREPAIRE, Pierre-Yves, *L'Europe des francs-maçons XVIIIe-XXIe siècles*, Paris, Belin, 2002.

BENTIVOGLIO D'ARAGONA, Luigi (dir.), *Adunanza de' pastori arcadi della colonia ferrarese. Per la laurea dell'acclamato pastore Poliarco Taigetide l'eccellentissimo signor D. Annibale Albani alla santità di nostro signore Clemente XI*, Ferrare, Bernardino Pomatelli, 1703.

BARUFFALDI, Girolamo, *Descrizione dell'adunanza de' pastori arcadi della colonia ferrarese convocata per la laurea dell'acclamato pastore Poliarco Taigetide*, Ferrare, Bernardino Pomatelli, 1704.

BOUTIER, Jean, Brigitte MARIN et Antonella ROMANO (dir.), *Naples, Rome, Florence. Une histoire comparée des milieux intellectuels italiens (XVIIe-XVIIIe siècles)*, Rome, École française de Rome, 2005.

FOUCHARD, Jean, *Le théâtre à Saint-Domingue*, Port-au-Prince, H. Deschamps, 1988a.

—, *Plaisirs de Saint-Domingue. Notes sur la vie sociale, littéraire et artistique*, Port-au-Prince, H. Deschamps, 1988b.

HATZENBERGER, Françoise, *Paysages et végétations des Antilles*, Paris, Karthala Éditions, 2001.

LILTI, Antoine, *Le monde des salons, sociabilité et mondanité à Paris au XVIIIe siècle*, Paris, Fayard, 2005.

MAUREL, Blanche, «Une société de pensée à Saint-Domingue, le "Cercle des Philadelphes" au Cap-Français», *Revue française d'histoire d'outre-mer*, vol. 48, n° 171, 1961, p. 234-266.

McCLELLAN, James E., «L'historiographie d'une académie coloniale: le Cercle des Philadelphes (1784-1793)», *Annales historiques de la Révolution française*, n° 320, 2000, p. 77-88.

—, *Colonialism and Science. Saint Domingue in the Old Regime*, Chicago, University of Chicago Press, 2010.

— et François REGOURD, *The Colonial Machine. French Science and Overseas Expansion in the Old Regime*, Turnhout, Brepols, coll. «De diversis artibus», 2011.

MICHEL, Olivier, «Les artistes français et l'académie des Arcades au XVIIIe siècle», dans Jérôme de LA GORCE, Françoise LEVAILLANT et Alain MÉROT (dir.), *La condition sociale de l'artiste XVIe-XXe siècle. Actes*, Saint-Étienne, Centre interdisciplinaire d'études et de recherches sur l'expression contemporaine, 1985, p. 51-63.

QUONDAM, Amedeo, «L'Istituzione arcadia, sociologia e ideologia di un'accademia», *Quaderni Storici*, n° 23, 1974, p. 388-438.

—, «L'accademia», dans *Letteratura italiana*, t. I: *Il letterato e le istituzioni*, Turin, Einaudi, 1982, p. 823-898.

REGOURD, François, «Science et colonisation sous l'Ancien Régime. Le cas de la Guyane et des Antilles françaises, XVIIe-XVIIIe siècles», thèse de doctorat, Bordeaux, Université Bordeaux III-Michel de Montaigne, 2000.

ROCHE, Daniel, *Les Républicains des lettres. Gens de culture et Lumière au XVIIIe siècle*, Paris, Fayard, 1988.

—, *Le siècle des Lumières en province. Académies et académiciens provinciaux, 1680-1789*, vol. 1, Paris, Éditions de l'École des hautes études en sciences sociales, 1989.

TREBITSCH, Michel, « Avant-propos : la chapelle, le clan et le microcosme », dans Michel TREBITSCH et Nicole RACINE (dir.), *Sociabilités intellectuelles. Lieux, milieux, réseaux*, Paris, Institut d'histoire du temps présent, CNRS, 1992, p. 11-21.

VAN DAMME, Stéphane et Antoine LILTI, « Un ancien régime de la sociabilité ? L'héritage des républicains des lettres », dans Michel PORRET, Vincent MILLIOT et Philippe MINARD (dir.), *La grande chevauchée. Faire de l'histoire avec Daniel Roche*, Genève, Droz, 2011, p. 89-103.

Chapitre 10. Sociabilité et exploration dans la wilderness américaine

ALBERTAN-COPPOLA, Sylviane, « Lumières et sociabilité d'après la correspondance de Diderot », *Cahiers du GRHIS*, vol. 1, 1994, p. 67-78.

BRADFORD, William, *Of Plymouth Plantation. 1620-1647*, New York, Modern Library, 1981.

BARTRAM, John, *Diary of a Journey Through the Carolinas, Georgia and Florida from July 1ˢᵗ 1765 to April 10, 1766*, édition établie sous la direction de Francis HARPER, Philadelphie, American Philosophical Society, [1769] 1942.

BARTRAM, William, *Travels Through North and South Carolina, Georgia, East and West Florida, the Cherokee Country, the Extensive Territories of the Muscogulges or Creek Confederacy, and the Country of the Chactaws. Containing an Account of the Soil and Natural Productions of Those Regions ; Together with Observations on the Manners of the Indians*, New York, Library of America, [1791] 1996.

BUFFON, Georges Louis Leclerc, comte de, *Œuvres complètes*, 34 volumes, Paris, Baudouin Frères, N. Delangle, 1827-1828.

COSSIC, Annick et Allan INGRAM (dir.), *La sociabilité en France et en Grande-Bretagne au siècle des Lumières. L'émergence d'un nouveau modèle de société*, t. I : *Les Lumières en France et en Grande-Bretagne. Les vecteurs d'une nouvelle sociabilité – entre ludique et politique*, Paris, Éditions Le Manuscrit, coll. « Transversales », 2012.

CRONON, William, « The trouble with wilderness : or, Getting back to the wrong nature », *Environmental History*, vol. 1, nº 1, janvier 1996, p. 7-28.

DARLINGTON, William, *Memorials of John Bartram and Humphry Marshall*, Philadelphie, Lindsay & Blakiston, 1849.

DE FEDERICO DE LA RUA, Ainhoa, « La sociabilité, un état des lieux contemporain en France et en Grande-Bretagne », dans Annick COSSIC et Allan INGRAM (dir.), *La sociabilité en France et en Grande-Bretagne au siècle des Lumières. L'émergence d'un nouveau modèle de société*, t. I : *Les Lumières en France et en Grande-Bretagne. Les vecteurs d'une nouvelle sociabilité – entre ludique et politique*, Paris, Éditions Le Manuscrit, coll. « Transversales », 2012, p. 31-78.

DOBBS, G. Rebecca, « Frontier settlement development and "initial conditions" : the case of the North Carolina Piedmont and the Indian trading path », *Historical Geography*, vol. 37, 2009, p. 114-137.

FRANÇOIS, Étienne et Rolf REICHARDT, « Les formes de sociabilité en France du milieu du XVIIIᵉ au milieu du XIXᵉ siècle », *Revue d'histoire moderne et contemporaine*, vol. 34, nº 3, juillet-septembre 1987, p. 453-472.

HARPER, Francis (dir.), *The Travels of William Bartram. Francis Harper's Naturalist Edition*, Athens, University of Georgia Press, [1958] 1998.

JOHNSON, Samuel, «Religion and superstition: a vision» [18 août 1750], *Samuel Johnson's Essays*, [En ligne], [http://www.johnsonessays.com/the-rambler/religion-superstition-vision/].

KORNFELD, Eve, «Encountering "the other": American intellectuals and Indians in the 1790s», *The William and Mary Quarterly*, 3ᵉ série, vol. 52, n° 2, avril 1995, p. 287-314.

LATOUR, Bruno, *La science en action. Introduction à la sociologie des sciences*, Paris, La Découverte, 2005.

LAWSON, John, *A New Voyage to Carolina*, édition établie sous la direction de Hugh TALMAGE LEFLER, Chapel Hill, University of North Carolina Press, [1709] 1967.

LOUSSOUARN, Sophie, «L'évolution de la sociabilité à Londres au XVIIIᵉ siècle: des *coffee-houses* aux clubs», *Bulletin de la société d'études anglo-américaines des XVIIᵉ et XVIIIᵉ siècles*, n° 42, 1996, p. 21-44.

MACKAY, David, «Agents of Empire: the banksian collectors and evaluation of New Land», dans David Philip MILLER et Peter Hanns REILL (dir.), *Visions of Empire. Voyages, Botany and Representations of Nature*, Cambridge, Cambridge University Press, 1996, p. 38-57.

NASH, Roderick, *Wilderness and the American Mind*, New Haven, Yale University Press, 1967.

PENN, William, *Select Works*, Londres, Phillips & Yard, 1825.

PRATT, Mary Louise, *Imperial Eyes: Travel Writing and Transculturation*, Londres/New York, Routledge, 1992.

RIVIÈRE, Carole Anne, «La spécificité française de la construction sociologique du concept de sociabilité», *Réseaux*, n° 123, 2004, p. 207-231.

ROUSSEAU, Jean-Jacques, *Discours sur l'origine et les fondements de l'inégalité parmi les hommes*, Londres, s. é., 1782.

SAID, Edward W., *Culture and Imperialism*, New York, Vintage Books, 1994.

SIGRIST, René et Eric WIDMER, «Training links and transmission of knowledge in 18ᵗʰ century botany: a social network analysis», *Redes. Revista Hispana Para El Análisis de Redes Sociales*, vol. 21, n° 7, 2011, p. 319-359.

SIMMEL, Georg et C. Hughes EVERETT, «The sociology of sociability», *American Journal of Sociology*, vol. 55, n° 3, novembre 1949, p. 254-261.

STEARNS, Raymond Phineas, «James Petiver promoter of natural science, c. 1663-1718», *Proceedings of the American Antiquarian Society*, vol. 62, 2ᵉ partie, octobre 1952, p. 243-365.

VAN RUYMBEKE, Bertrand, *L'Amérique avant les États-Unis. Une histoire de l'Amérique anglaise 1497-1776*, Paris, Flammarion, 2016.

YALE, Elizabeth, *Sociable Knowledge. Natural History and the Nation in Early Modern Britain*, Philadelphie, University of Pennsylvania Press, 2015.

Chapitre 11. Loges maçonniques et indigénisation en Inde britannique

Centenary Review of the Asiatic Society of Bengal from 1784 to 1883, Calcutta, Thacker, Spink and Co., 1885.

Proceedings of the Provincial Grand Lodge of Bengal, United Grand Lodge of England, Indian Correspondence (Unreferenced Material).

The Freemason, [En ligne], 1er août 1878.

The Freemason, [En ligne], 24 novembre 1888.

The Freemason, [En ligne], 3 octobre 1885.

The Freemason, [En ligne], 7 septembre 1889.

The Freemason's Magazine, [En ligne], 1er août 1793.

The Freemason's Chronicle, [En ligne], 17 juillet 1886.

The Freemason's Chronicle, [En ligne], 25 avril 1899.

The Freemason's Quarterly Review, Londres, Sherwood, Gilbert and Piper, 1870.

« A rare record : Bro James Burnes talk on freemasonry at Poona on 24th June 1847 », *The Freemason*, vol. 18, février 2001.

« Laying the foundation-stone of the Prince's Dock, Bombay, with Masonic Honours », *Proceedings of the District Grand Lodge of Bombay*, Londres, Library and Museum of Freemasonry Archives, 11 novembre 1875.

ANDERSON, Benedict, *Imagined Communities. Reflections on the Origin and Spread of Nationalism*, édition révisée, New York, Verso Books, 2006.

ANDERSON, James, *The Constitution Book of 1723. The Wilson M. S. Constitution*, Londres, Kenning's Masonic Archeological Library, 1888.

BRENDON, Piers, *The Decline and Fall of the British Empire*, Londres, Vintage Books, 2008.

BURNES, James, *Laying of the Foundation Stone of Sir Jamshedji Jeejeebhoy Hospital with Masonic Honours, 3rd January, 1843*, Bombay, W Bro. Echakbhai, 1969.

CAMA, K. R., *A Discourse on Freemasonry among the Natives of Bombay*, Bombay, Times of India Steam, 1877.

CANNADINE, David, *Ornamentalism. How the British Saw Their Empire*, Oxford, Oxford University Press, 2001.

CLARK, Peter, *British Clubs and Societies, 1580-1800 : The Origins of an Associational World*, Oxford, Oxford University Press, 2000.

COHN, Bernard S., *The Bernard Cohn Omnibus*, Oxford, Oxford University Press, 2009.

FORSTER, E. M., *A Passage to India*, New York, Rosetta Books, [1924] 2010.

FOZDAR, Vahid Jalil, « "That grand primaeval and fundamental religion" : the transformation of freemasonry into a British imperial cult », *Journal of World History*, vol. 22, n° 3, 2011, p. 493-525.

—, « Constructing the "brother" : Freemasonry, empire and nationalism in India, 1840-1925 », thèse de doctorat, Berkeley, University of California, 2001.

GOULD, Robert Freke, *The History of Freemasonry : its Antiquities, Symbols, Constitutions, Customs, etc. : Embracing an Investigation of the Records of the Organisations of the Fraternity in England, Scotland, Ireland, British Colonies, France, Germany, and the United States Derived from Official Source*, vol. 4, Caxton, Londres, 1900.

GRIBBLE, J. D. B., *History of Freemasonry in Hyderabad (Deccan)*, Madras, Higginbotham, 1910.

HARLAND-JACOBS, Jessica, *Builders of Empire: Freemasonry and British Imperialism, 1717-1927*, Chapel Hill, University of North Carolina Press, 2007.

HOBSBAWM, Éric, *L'ère des empires*, traduit de l'anglais par Françoise Braudel et Jean-Claude Pineau, Paris, Hachette Littératures, [1987] 1999.

JACOB, Margaret C., *Living the Enlightenment*, Oxford, Oxford University Press, 1999.

KERTZER, David I., *Ritual, Politics, and Power*, New Haven, Yale University Press, 1988.

LETHBRIDGE, Roper, *The Golden Book of India*, Londres, MacMillan and Co., 1893.

MARKOVITS, Claude (dir.), *Histoire de l'Inde moderne, 1480-1950*, Paris, Fayard, 1994.

MASSELOS, Jim, *Indian Nationalism. A History*, Elgin, New Dawn Press, 2002.

MUTHUKRISHNAN, T. V., *History of the Carnatic Lodge No. 2031 E.C., 1883-1993*, Madras, 1933.

ORWELL, George, *Burmese Days*, Londres, Penguin Books, [1934] 1967.

SINHA, Mrinalini, « Britishness, Clubbability, and the Colonial Public Sphere: The Genealogy of an Imperial Institution in Colonial India », *Journal of British Studies*, vol. 40, n° 4, 2001, p. 489-521.

WADIA, D. F., *History of Lodge Rising Star of Western India, No. 342 S.C.*, Bombay, British India Press, 1912.

Chapitre 12. Langage politique et socialisation dans les sociétés esclavagistes caribéennes

Papers Relating to the Manumissions, Government and Population of the Slaves in the West Indies, 1822-1824, House of Commons, *British Parliamentary Papers*, 1825 (cc) xxv, p. 37-132.

The Barbadoes Packet, Londres, 1720.

The Self-Flatterer, Londres, 1720.

« Thomas Modyford's answers to the inquiries of His Majesty's commissioners », *Journals of the Assembly of Jamaica*, vol. 1, 1670.

AUSTIN, J. L., *How to Do Things with Words*, Cambridge, Harvard University Press, 1975.

[BOURKE, Nicholas], *A Letter Concerning the Privileges of the Assembly of Jamaica*, Kingston, Weatherby, Allen & M'Cann, 1765.

—, *The Privileges of the Island of Jamaica Vindicated*, London, J. Williams, J. Almon, S. Bladon, Richardson and Urquhart, 1766.

BUNDOCK, Michael, *The Fortunes of Francis Barber: The True Story of the Jamaican Slave who became Samuel Johnson's Heir*, New Haven, Yale University Press, 2015.

[DICKINSON, John], *An Address to the Committee of Correspondence in Barbados*, Philadelphia, William Bradford, 1766.

Edwards, Bryan, *The History Civil and Commercial of the British Colonies of the West Indies*, 2nd edition, Londres, John Stockdale, 1794, vol. 2.

[FRERE, Samuel], *A Short History of Barbados, from its First Discovery and Settlement to the Year 1767*, Londres, J. Dodsley, 1768.

GASPAR, David Barry, *Bondmen and Rebels: A Study of Master-Slave Relations in Antigua, with Implications for Colonial British America*, Baltimore, Johns Hopkins University Press, 1985.

GORDON, William, *A Representation of the Miserable State of Barbadoes, Under the Arbitrary and Corrupt Administration of his Excellency, Robert Lowther Esq.*, Londres, B. Lintot, 1719.

HARTMAN, Saidiya V., *Scenes of Subjection: Terror, Slavery, and Self-Making in Nineteenth-Century America*, Oxford, Oxford University Press, 1997.

LATOUR, Bruno, « Si l'on parlait un peu politique ? », *Politix*, vol. 15, n° 58, 2002, p. 143-165.

—, *Enquête sur les modes d'existence. Une anthropologie des Modernes*, Paris, La Découverte, 2012.

[LONG, Edward], *The History of Jamaica*, 3 vol., Londres, T. Lowndes, 1774.

OGBORN, Miles, *The Freedom of Speech: Talk and Slavery in the Anglo-Caribbean World*, Chicago, University of Chicago Press, 2019.

[SALTONSTALL, Nathaniel], *A Continuation of the State of New-England [...] Together with an Account of the Intended Rebellion of the Negroes in Barbadoes*, Londres, T. M., 1675.

SCOTT, Julius S., *The Common Wind. Afro-American Currents in the Age of the Haitian Revolution*, Londres, Verso, 2018.

SHERIDAN, Richard B., « The Jamaican slave insurrection scare of 1776 and the American revolution », *Journal of Negro History*, vol. 61, n° 3, 1976, p. 290-308.

SHILSTONE, E. M. (dir.), « Some records of the House of Assembly of Barbados », *Journal of the Barbados Museum and Historical Society*, vol. 10, n° 4, août 1943, p. 173-187.

TRELAWNY, Edward, *An Essay Concerning Slavery, and the Danger Jamaica is Expos'd to from the Too Great Number of Slaves*, London, C. Corbett, 1746.

Conclusion

BRATHWAITE, Edward, *The Development of Creole Society in Jamaica, 1770-1820*, Oxford, Clarendon Press, 1971.

DOMSCH, Sebastian et Mascha HANSEN (dir.), *British Sociability in the European Enlightenment. Cultural Practices and Personal Encounters*, Londres, Palgrave Macmillan, 2021.

ESPAGNE, Michel, « La notion de transfert culturel », *Revue Sciences/Lettres*, n° 1, 2013.

FISCHER, Gustave-Nicolas, « L'espace comme nouvelle lecture du travail », *Sociologie du travail*, vol. 20, n° 4, octobre-décembre 1978, p. 397-422.

GASKILL, Malcolm, *Between Two Worlds. How the English Became Americans*, Oxford, Oxford University Press, 2014.

GLISSANT, Édouard, *Le discours antillais*, Paris, Éditions du Seuil, 1981.

—, *Traité du Tout-Monde*, Paris, Gallimard, 1997.

GREENE, Jack P., *Creating the British Atlantic. Essays on Transplantation, Adaptation, and Continuity*, Charlottesville, University of Virginia Press, 2013.

NUSSBAUM, Felicity (dir.), *The Global Eighteenth Century*, Baltimore, Johns Hopkins University Press, 2003.

PRATT, Mary-Louise, *Imperial Eyes. Travel Writing and Transculturation*, Londres/ New York, Routledge, 1992.